Joanna Trollope

LES FEMMES
DE SES FILS

ROMAN

*Traduit de l'anglais
par Johan-Frédérik Hel Guedj*

Éditions des Deux Terres

TEXTE INTÉGRAL

TITRE ORIGINAL
Daughters-in-Law
ÉDITEUR ORIGINAL
Doubleday, Transworld Publishers, Londres
© Joanna Trollope, 2011

ISBN 978-2-7578-4840-1
(ISBN 978-2-84893-140-1, 1ʳᵉ édition)

© Éditions des Deux Terres, 2013, pour la traduction française

Pour Paul et Jonathan,
avec tout mon amour

Chapitre 1

Depuis le banc du premier rang, aucun obstacle ne barrait la vue d'Anthony sur le dos de la jeune femme qui, dans quelques instants, allait devenir sa troisième belle-fille. L'allée de l'église était très large, avec un espace tapissé au pied des marches plates du chœur, où quatre petites demoiselles d'honneur écoutaient le discours, s'étaient laissées choir au milieu du nid de soie rose de leurs jupes, de sorte que rien ne s'interposait entre Anthony et le couple des futurs époux.

Anthony trouvait à la mariée, drapée de satin ivoire près du corps, l'allure séduisante d'une sirène échouée à terre. Sa robe était moulante – très moulante –, des aisselles aux genoux, avant de s'évaser en plis flous, augmentée d'une petite traîne fluide négligemment étalée derrière elle, jusqu'en bas des marches du chœur. Le regard d'Anthony glissa lentement du sommet de la tête voilée de gaze, des cheveux clairs et coupés ras, parsemés de fleurs, jusqu'aux pieds invisibles, avant de remonter se poser sur les courbes de la taille et des hanches, d'une incontestable générosité. La silhouette est superbe, songea-t-il, même si pareille pensée était assez malvenue, pour un quasi-beau-père. *Superbe*.

Il ravala sa salive, et son regard vint se poser sur son fils, avec plus d'austérité. Luke irradiait cette fierté masculine brute et possessive qui instillait une petite note de tension au milieu de la cérémonie du mariage, et il s'était à demi tourné vers sa future moitié. Cinq minutes auparavant, on avait assisté à un moment touchant, quand la mère de Charlotte, qui était veuve, avait tendu la main vers le voile de sa fille pour le relever, et elles s'étaient toutes deux regardées quelques secondes, avec une expression de connivence d'une telle intensité qu'elle en excluait toutes les autres personnes présentes autour d'elles. Anthony baissa les yeux sur Rachel, à ses côtés, en se demandant, comme souvent depuis ces décennies de vie commune, si le calme de son épouse ne masquait pas une langueur instinctive qu'elle n'exprimerait jamais, et alors qu'elle cédait son troisième fils à une autre femme, comment se manifesterait, au cours des mois et des années à venir, sa réaction primitive, inévitable, comme des bouffées de vapeur brûlante s'échappant par les fissures de la croûte terrestre.

– Ça va ? fit-il à voix basse.

Rachel ne s'en rendit pas compte. Il ne savait même pas si elle regardait vraiment Charlotte, ou si elle restait concentrée sur Luke, admirant sa carrure, l'éclat de sa peau et se demandant, en son for intérieur, si Charlotte avait conscience, *vraiment* conscience de la chance extravagante qui était la sienne. Au lieu d'un chapeau conventionnel, Rachel s'était piqué dans les cheveux une sorte de déflagration de plumes vertes, toutes regroupées d'un côté, et, aux yeux d'Anthony, le frémissement de ces plumes, telles des libellules montées sur fil de fer, constituait la seule indication qu'au fond d'elle-même, Rachel n'était pas aussi imperturbable qu'elle en donnait l'apparence. Bon, se dit-il, incapable de s'attirer sa complicité, si elle est tant absorbée par Luke, je vais me remettre à contempler le derrière de Charlotte. Je ne serai pas le seul. Tous les messieurs de l'église qui jouissent de la même vue m'imiteront. Prétendre le contraire, ce serait jouer les bégueules.

Le prêtre, un homme jovial, avec son étole brodée de motifs d'une modernité agressive, prononçait une petite homélie inspirée d'un vers de Robert Browning, reprise dans le livre de messe.

Avec moi je t'invite à vieillir,
Le meilleur reste à venir.

En réalité, ce poème, expliquait-il, n'était pas relatif au mariage. Il évoquait la récompense que peut offrir l'expérience en échange de la perte de la jeunesse. Ce texte se voulait un hommage à un érudit juif sépharade du douzième siècle, mais n'en restait pas moins approprié, puisqu'il célébrait la joie, nous invitait instamment à puiser de l'émerveillement dans la grisaille, et nous pressait de nous fier à Dieu. Le prêtre ouvrit grands ses longs bras habillés de blanc et posa le regard sur Charlotte, Luke, la mère de Charlotte dans sa robe et sa veste en dentelle, et, au-delà, sur toute la congrégation, le visage illuminé d'un large sourire. Anthony détacha le sien de cette créature qui était sur le point d'appartenir à son fils cadet, et leva les yeux. Le plafond de l'église avait subi une complète restauration, ses poutres avaient été vernies, et le plâtre, dans les intervalles, laqué d'un blanc éclatant. Anthony soupira. Cela aurait été si charmant si Luke avait pu se marier, à l'exemple de Ralph, son frère aîné, à l'église de chez eux, au lieu de ce coin si propret et si policé du Buckinghamshire, sans ses marais, sans ses échassiers, sans ses roselières et ses vastes cieux étagés de nuages.

Comme cela aurait été charmant de tous se retrouver dans le Suffolk, là, en cette minute.

L'église, chez eux, c'eût été parfait, naturellement. Anthony n'était pas un croyant très orthodoxe, mais il aimait bien l'aspect et l'atmosphère des églises, la dignité et l'absurdité de ce rituel, ce timide sentiment d'appartenance propre aux congrégations anglicanes. Il connaissait l'église de son village depuis toujours ; elle était aussi vieille que le rabbin du poème de Browning, même si elle ne conservait plus tout à fait sa forme originelle, et elle était ample, lumineuse, accueillante, avec ses vitres translucides et une merveilleuse sculpture, un petit bronze moderne représentant Noé relâchant la colombe, destiné à commémorer la première représentation en ces lieux de l'opéra de Benjamin Britten, *Noye's Fludde*. C'était en 1958, Anthony avait onze ans. Il y avait entendu tous les opéras que l'on y avait donnés en ces temps lointains, avant que la côte du Suffolk ne devienne un lieu de pèlerinage musical ; il y avait assisté jusqu'au bout, en short de flanelle grise et cravate, un gage de respect envers la musique et le compositeur. C'était là qu'il avait entendu *Curlew River* (*La Rivière aux Courlis*) pour la première fois, et qui demeurait son préféré, bien longtemps avant qu'il n'ose placer le dessin au cœur de son existence, longtemps avant que les oiseaux ne deviennent sa passion. C'était l'édifice où il avait pour la première fois pris conscience de la profonde importance de la créativité, et il était par conséquent naturel qu'il veuille que ses fils se plient en ces lieux-là à tous les grands rites de passage de l'existence. N'est-ce pas ?

Ils avaient tous été baptisés là-bas, Edward, Ralph et Luke. Anthony aurait pu préférer une cérémonie de baptême laïc, mais Rachel avait tenu à ce qu'ils soient baptisés à l'église, bénis sur ces fonts très anciens et très charmants, et elle avait fermement fait valoir ce vœu.

– Ils ne sont pas obligés de rester chrétiens, avait-elle fait à Anthony, en s'adressant à lui par-dessus son épaule, comme toujours occupée à quelque chose, mais au moins ils ont le choix. Après tout, ce choix, toi, tu l'as eu. Pourquoi n'auraient-ils pas le même ?

Ces baptêmes avaient été attachants, émouvants, bien sûr, et, chaque fois, le sentiment qu'avait Anthony d'un lien profond avec cet édifice s'était renforcé. En fait, il était si intensément convaincu que ce serait là que les garçons se marieraient – quand ils se marieraient, et s'ils se mariaient – qu'il avait été stupéfait de voir un jour son aîné, Edward, arriver avec une jeune Suédoise, élégante et décidée, pour lui annoncer qu'ils allaient se marier, chez elle, naturellement, et non chez eux.

Sigrid, sa fiancée, laborantine spécialisée dans des analyses de matériaux pour des musées et des galeries, avait été bien briefée. Elle avait pris Anthony à part, le fixant de ses yeux bleus étonnants.

– Il ne faut pas vous inquiéter, lui avait-elle dit dans son anglais parfait, ce sera une cérémonie laïque. Vous vous sentirez tout à fait comme chez vous.

Le mariage d'Edward et Sigrid avait eu lieu dans la résidence d'été de ses parents, sur une petite île anonyme et basse sur l'eau, dans l'archipel qui s'étend devant Stockholm, et ensuite, protégés par de gigantesques tabliers en papier, ils avaient déjeuné d'écrevisses, des montagnes et des montagnes d'écrevisses, et l'aquavit avait coulé à flots, telle une rivière fatale, et la nuit n'était jamais tombée. Anthony se souvenait d'avoir déambulé d'un pas incertain sur la plage de galets dans le miroitement de cette étrange lumière nocturne, à la recherche de Rachel, et poursuivi par une blonde platinée vorace, aux lunettes sans monture et en chaussures bateau.

Le lendemain matin du mariage, Sigrid était apparue, fraîche comme un gardon, en tenue gris et blanc, ses cheveux lisses noués en queue-de-cheval, et elle avait emmené Ed en bateau, pour ne plus revenir. Anthony et Rachel s'étaient retrouvés abandonnés au milieu de la famille et des amis de Sigrid, sous un ciel sans nuages, entièrement entourés d'eau. À bord du vol du retour, il s'en souvenait encore, ils s'étaient tenus par la main, et Rachel lui avait dit, en détournant les yeux, regardant par le hublot de l'appareil :

– Certaines situations nous sont trop étrangères pour que nous sachions comment réagir, n'est-ce pas ?

Et un peu plus tard, quand Anthony lui avait dit : « Tu crois qu'ils sont vraiment mariés ? », elle l'avait dévisagé.

– Je n'en ai pas la moindre idée, lui avait-elle répondu.

Eh bien, c'était il y a onze ans, presque douze maintenant. Et là, sur le tapis, au pied des marches de l'autel, était assise Mariella, la fille d'Edward et Sigrid, âgée de huit ans. Elle se tenait très tranquille et très droite, les pieds joints sous sa jupe rose, dans ses chaussons de danse, les cheveux retenus par un bandeau de boutons de roses. Anthony tenta d'attirer son regard. Son unique petite-fille. Sa petite-fille si grave et si maîtresse d'elle-même. Qui parlait l'anglais et le suédois et jouait du violoncelle. D'un très discret signe de tête, Mariella lui indiqua qu'elle avait conscience de sa présence, mais sans regarder dans sa direction. Sa mission, en ce jour, lui avait dit sa mère, était de donner le bon exemple aux autres demoiselles d'honneur, toutes les nièces de Charlotte, et la vie de

Mariella était largement dédiée à se <u>concilier</u> la bonne opinion de sa mère. Celle de son grand-père, elle savait qu'elle lui était acquise, quoi qu'il arrive.

— Concentre-toi, lui siffla subitement Rachel, à côté de lui.

Il se ressaisit aussitôt.

— Désolé…

— Je suis heureux d'annoncer, fit le prêtre, en retirant son étole dont il avait enveloppé les mains entrecroisées de Luke et Charlotte, désormais baguées d'alliances, que Luke et Charlotte sont maintenant mari et femme.

Luke se pencha pour poser un baiser sur la joue de son épouse, et elle referma les bras autour de son cou, puis il l'enlaça et l'embrassa avec ferveur, et l'église éclata en applaudissements. Mariella se leva et secoua les plis de sa jupe, en jetant un coup d'œil à sa mère, guettant son prochain signal.

— Par paires. Deux par deux.

Anthony vit Sigrid articuler muettement ces mots à l'intention des fillettes.

Charlotte riait. Luke riait. Certains amis de Luke, vers le fond de l'église, les acclamaient.

Anthony prit la main de Rachel.

— Et une belle-fille de plus…

— Je sais.

— Que nous ne connaissons pas vraiment…

— Pas encore.

— Enfin, continua Anthony, si elle est moitié aussi bien que Petra…

Rachel retira sa main.

— Si seulement.

La réception se tint sous une tente dans le jardin de la maison d'enfance de Charlotte. C'était une journée sans pluie, mais sous un ciel couvert, et la tente était nimbée d'une curieuse lumière verdâtre qui donnait à tout le monde un teint maladif. La pelouse au milieu de laquelle elle était érigée était légèrement en pente, de sorte qu'il était presque impossible de se tenir debout (et le tapis de sol en coco compliquait encore les choses), surtout pour les amies de Charlotte qui étaient toutes, sans exception, en chaussures ultramode aux talons imposants. Par une ouverture à l'autre bout de la tente, la proche famille des mariés, dont le photographe organisait la pose, offrait une vision pittoresque, au bord d'un vaste étang.

Oh mon Dieu, de l'eau, songea Petra. Barney, qui ne marchait pas encore, était attaché dans sa poussette avec pour toute distraction une minuscule boîte de raisins secs, mais Kit, du haut de ses trois ans, était tout à fait capable de bouger, et il avait depuis toujours été irrésistiblement attiré par l'eau. Dans le décor inconnu d'une chambre d'hôtel, la nuit précédente, les deux enfants avaient eu un sommeil très entrecoupé, si bien que ni Petra ni Ralph n'avaient dormi non plus, et finalement Ralph s'était levé à cinq heures du matin et il était sorti faire une promenade si longue – plus de deux heures – que Petra l'avait cru parti pour de bon. Et là, ce qui ne lui ressemblait guère, il s'était joint à un groupe tapageur d'amis de Luke, et il buvait du champagne, et il fumait, alors qu'il avait renoncé à la cigarette quand Petra était enceinte de Kit et, à sa connaissance, n'avait plus fumé depuis.

Kit geignait. Il était épuisé, il avait faim, il était infernal. Il n'arrêtait pas de ronchonner plus ou moins en sourdine, il s'entortillait dans la jupe de Petra, se fourrait entre ses jambes, les cheveux tout ébouriffés, et refusait de se laisser raisonner. Il avait commencé

16

la journée dans la chemise de lin blanc et le pantalon bleu foncé qu'avait exigés Charlotte, même si elle le jugeait trop jeune pour être garçon d'honneur, mais il avait tellement sali et chiffonné sa tenue, à l'église, qu'elle lui avait remis son T-shirt Spider-Man, celui qu'il réclamait toujours, dès qu'il sortait de la machine à laver. Et Petra, dans les vêtements qui lui avaient semblé à la fois originaux et seyants, suspendus en tête de sa garde-robe, dans leur petite chambre, chez eux, elle-même aussi mal à l'aise et peu à sa place que Kit, qui ne se gênait pas pour le manifester. Les amis de Charlotte qui, pour la plupart, avaient autour de vingt ans, s'étaient habillés dans des tenues tout droit sorties du monde largement fictif des cocktails. Elle baissa les yeux sur Kit. Si exaspérant soit-il, il était bien à plaindre. C'était son petit garçon, si délicieux, sensible et imaginatif, et on l'avait arraché au cadre familier auquel il était habitué, à cause d'un caprice d'adultes pur et simple, et lâché dans un environnement artificiel et étranger où le lit n'était pas le sien, et où les saucisses étaient horriblement poivrées. Elle lui posa la main sur la tête. Il était chaud, moite, et malheureux.

– Petra, fit Anthony.

Elle se retourna, soulagée.

– Ah, Antho…

Il lui tapota brièvement l'épaule, puis s'accroupit à côté de Kit.

– Pauvre petit bonhomme.

Kit adorait son grand-père, mais il ne pouvait renoncer à être malheureux, pas sans transition. Il fit la moue, en sortant la lèvre inférieure.

– Tu réussirais à avaler un gâteau à la fraise ?

Kit secoua la tête et plongea le visage entre les jambes de Petra.

– Ou une meringue ?

Kit se tut. Puis sa frimousse ressurgit de la jupe de sa mère. Il regarda Anthony.

– Sais-tu ce que c'est, une meringue ?

– Non, fit Kit.

– C'est tout croustillant et c'est en sucre. Délicieux. Et vraiment, vraiment, vraiment mauvais pour tes dents.

Kit se masqua de nouveau le visage en l'enfouissant. Anthony se releva.

– Dois-je l'emmener et lui faire avaler quelque chose de force ?

Petra regarda son beau-père, confortablement vêtu d'un costume qui avait appartenu à son père, à la fois miteux et splendide.

– Mais vous êtes tout propre.

– Cela ne m'ennuie pas de finir un peu poisseux. Vous avez pris un verre ?

– Non. Et toute cette eau, cela ne me rassure pas.

– Quelle eau ?

De la main qui ne retenait pas son fils, elle lui désigna l'étang.

– Là-bas. Dieu merci, il n'a encore rien remarqué.

– Où est Ralph ?

– Quelque part, fit-elle.

Anthony la regarda.

– Pour toi, ce n'est pas très drôle, tout ça. C'est…

– Enfin, lui dit Petra, les mariages, ce n'est pas fait pour les enfants de trois ans, ou pour les grands qui sont obligés de s'en occuper.

– Le vôtre l'était, pourtant.

Elle baissa de nouveau les yeux sur Kit. Il était immobile, à présent ; elle sentait son haleine chaude, à travers l'étoffe de sa jupe, contre sa peau.

– Le nôtre était charmant.

– En effet.

– Une journée parfaite, le retour à pied de l'église jusqu'à notre jardin, toutes les roses épanouies, tout ce monde, avec les chiens et les enfants…

Anthony lui sourit. Et il s'adressa à Kit, sur un ton décontracté.

– Des chips ?

Kit cessa de respirer.

– Peut-être même un Coca-Cola, reprit Anthony.

Kit marmonna quelques mots étouffés.

– Quoi ?

– Avec une paille ! brailla l'enfant dans la jupe de sa mère.

– Si tu veux.

– Merci, fit Petra. Merci beaucoup.

– Je suis assis à côté de la mère de Charlotte, je ne sais plus trop pour quel repas. C'est une amatrice de plantes émérite et une artiste botaniste, et du coup, à toutes les occasions, on nous place ensemble. Je vais me remonter le moral en commençant par donner à Kit tout ce qu'il y a de plus mauvais à manger. Mieux vaut mal se nourrir que ne pas se nourrir du tout. Si tu ne viens pas avec moi, Kit, je vais choisir la couleur de la paille à ta place et je risque de la prendre jaune.

– Non, hurla Kit.

Écarlate et tout échevelé, il s'écarta brutalement de sa mère.

– Sam, Sam, lui fit Anthony en imitant l'accent du Yorkshire, attrap'don'ton mousquet.

Kit lui fit un grand sourire.

– Vous êtes mon sauveur, lui glissa Petra.

Anthony lui adressa un clin d'œil.

– Et toi, tu sais ce que tu es.

Elle les regarda s'éloigner tous les deux, d'un pas

instable sur le tapis de coco, main dans la main, Anthony désignant quelque chose d'un geste, et Kit, qui, en aussi impeccable compagnie, avait l'air aussi débraillé qu'un paquet de linge sale. Elle baissa les yeux sur la poussette. Barney avait fini les raisins secs et déchiré l'emballage, afin de pouvoir lécher le fond, et le reste de ces petites douceurs. Ses grosses joues et son nez étaient zébrés de vagues traces marron.

– Où serions-nous sans ta mamie et ton papy ?

Vivre un bonheur aussi fort, c'était sidérant, songea Charlotte, un peu grisée. C'était mieux que le ski nautique, mieux que la danse, mieux que rouler trop vite, et même mieux que cet instant où celui que vous mouriez d'envie d'embrasser vous embrassait le premier. C'était sidérant de se sentir si belle, si désirée, si pleine d'espoir, si enchantée de la présence des autres, si intimidée et si triomphante d'avoir un mari comme Luke. Un mari ! Quel mot. Un mot si stupéfiant, si adulte, si séduisant. Mon mari, Luke Brinkley. Bonjour, c'est Mme Brinkley qui vous parle, Mme Luke Brinkley. Je suis désolée, mais je vous le ferai savoir après en avoir parlé avec mon mari, mon mari Luke Brinkley, mon mari à moi. À moi. Elle admira sa main. Son alliance brillait de l'éclat de la nouveauté. Les diamants de sa bague de fiançailles étaient étincelants. Ces pierres venaient d'une vieille broche qui avait appartenu à la grand-mère de Luke, et ils avaient conçu la bague ensemble. En réalité, c'était surtout Luke qui l'avait dessinée, parce que c'était lui l'artiste, lui qui était issu d'une famille d'artistes. La mère de Charlotte en était une aussi, naturellement, mais d'une espèce beaucoup plus contenue. La table où elle exécutait ses dessins minutieux de chatons et de baies était totalement rangée. Ce n'était pas comme le bureau d'Anthony. Pas du tout.

Charlotte adorait le bureau d'Anthony. Elle se dit qu'avec le temps, elle risquait de finir par l'aimer, lui aussi – oh, et Rachel aussi, bien sûr –, mais pour le moment, ayant perdu son père, décédé deux ans plus tôt, sur le plan paternel il lui semblait un peu déloyal de songer à aimer quelqu'un d'autre. Mais l'atelier d'Anthony, dans cette maison incroyable, désordonnée, colorée, elle pouvait parfaitement l'aimer, sans aucun risque, avec tout son attirail de peinture, ses croquis et ses images punaisés un peu partout n'importe comment, et ces photos d'oiseaux, ces maquettes d'oiseaux, ces sculptures et ces squelettes d'oiseaux occupant le moindre centimètre carré, suspendus aux poutres du plafond dans une sorte de défilé ornithologique aérien. Elle y était entrée une fois – ce n'était que sa deuxième ou sa troisième visite dans le Suffolk –, quand Anthony et Rachel gardaient leur petit-fils, Kit, celui qui était si timide et d'un abord si difficile, Anthony avait descendu le squelette d'une aile de barge d'une étagère poussiéreuse, et déployé ce fragile éventail osseux pour que Kit en découvre le fonctionnement magnifique. Le petit bonhomme était resté médusé. Et Charlotte aussi. Quand elle avait mentionné, au bureau, qu'elle avait rencontré un certain Anthony Brinkley, un garçon avait levé le nez en salle de rédaction – « Anthony Brinkley ? Le peintre d'oiseaux ? Mon père est dingue d'oiseaux, il a tous ses livres » –, et Charlotte s'était sentie à la fois électrisée et pleine de respect à l'idée que le même Anthony Brinkley lui ait montré cette aile de barge. Et maintenant, il était là, son beau-père. Et Rachel était sa belle-mère. C'était incroyable, d'avoir des beaux-parents, des beaux-frères et des belles-sœurs, et de

21

bientôt vivre avec Luke, non plus dans son logement en entresol, à Clapham, mais dans l'appartement que Luke avait trouvé à deux minutes de Shoreditch High Street. Ce n'était pas génial ? C'était si génial d'être mariée, bien avant d'avoir trente ans, à quelqu'un comme Luke, de se sentir si heureuse, de tout et de tous, qu'elle avait envie de voir cette journée se prolonger éternellement.

Elle jeta un œil à sa coupe de champagne. Elle était de nouveau pleine. On n'arrêtait pas de lui tendre des coupes pleines, c'était ridicule, absolument ridicule, mais c'était aussi merveilleux. Tout était merveilleux. Elle croisa le regard de Luke par-dessus les têtes d'un groupe de gens, et il lui souffla un baiser prolongé.

Très bientôt, songea-t-elle, très bientôt. Je serai de nouveau dans un lit avec lui.

— Ne reste pas plantée là, fit Edward à Sigrid, à dénigrer les mariages à l'anglaise.

— Je ne dénigre rien…

— Enfin, dit-il, tu as l'air de quelqu'un qui endure tout cela en sachant que tu pourrais faire beaucoup mieux.

— Je ne trouve pas qu'on ait été reçus très chaleureusement. Toi, si ? Il n'y en a que pour la famille de la mariée. En Suède, on fait en sorte que la famille du marié se sente partie intégrante du mariage. Souviens-toi du nôtre.

— Oh, je me souviens…

— Tes parents ont été reçus comme chez eux. Mes parents se sont vraiment mis en quatre pour eux. Et leurs amis aussi.

— Tu veux dire que Monica Engstrom a fait du rentre-dedans à mon père…

– Ça ne l'a pas contrarié ! C'est flatteur de se faire draguer par une jolie femme.

Edward regarda autour de lui.

– Tu crois que c'est ce qui manque à ce mariage ? Des femmes un peu portées sur la chose...

– L'ambiance serait un peu moins guindée.

D'un signe de tête, Edward désigna le groupe des amis de Luke, qui s'était étoffé et s'était aussi fait plus tapageur, et où, maintenant, apparemment, les chopes de bière s'ajoutaient aux cocktails à base de champagne.

– Eux, ils ne m'ont pas du tout l'air guindés.

– Grossiers personnages, lâcha-t-elle.

– Où est Mariella ?

– Elle s'occupe des petites filles. Elle leur a inventé une salle de classe imaginaire, et elle leur a organisé un cours sur la météo. Elle vient d'apprendre la météo à l'école, tu sais.

Edward ne quittait plus les amis de Luke des yeux.

– Luke n'a que six ans de moins que moi, mais leur bande me fait vraiment l'effet d'appartenir à une autre génération.

– Ils sont célibataires, presque tous. Pas mariés, en tout cas.

Edward but une gorgée de son champagne. Il était tiède, à présent, avec une note d'acidité.

– Ça te plaît, d'être mariée ? lui glissa-t-il, l'air de rien.

– En règle générale, oui.

– Ta franchise. Ta fameuse franchise. Je me souviens d'avoir dit lors de mon discours de mariage que tu étais l'une des personnes les plus sincères que je connaissais.

– Et ?

– Et tu le restes.

– Et ? répéta-t-elle.

– Et maintenant cela me plairait que tu arrondisses un rien les angles. Et en même temps, je sais que si tu les arrondissais, je ne te croirais pas.

– Je considère que notre nouvelle belle-sœur est superbe, mais qu'elle est encore très juvénile pour son âge. Quel âge a-t-elle ? Vingt-six ans ? Vingt-sept ?

– À peu près. Elle est canon, ça, c'est sûr. Tu t'imagines, Ralph, qui se retrouve avec cette bande, là-bas. Qu'est-ce qu'il fabrique avec eux ? Lui qui déteste toutes ces ambiances un peu lourdes entre mecs.

– Les mariages poussent les gens à se comporter franchement de façon bizarre.

– Tu veux dire, rectifia Edward, les mariages anglais.

– Je n'ai pas dit ça.

– Mais notre mariage à nous, il t'a plu…

– C'était un mariage suédois.

– Et le mariage de Ralph…

– Ça, c'était charmant, admit-elle. Tellement simple. Dans le jardin de tes parents, et Petra qui avait retiré ses escarpins. Où est-elle, Petra ?

– Probablement en train de suivre ses enfants à la trace.

Sigrid se releva.

– Je vais aller la chercher.

– Et moi, alors, qu'est-ce que je vais faire ?

– Rejoindre tes parents. Voir si ta fille a su correctement apprendre à ces enfants quels sont les effets d'El Niño. Et te renseigner pour savoir où nous sommes placés, au déjeuner.

– Saumon, fit-il, et fraises. Des plats de couleur rose. De la nourriture de mariage.

Il se leva à son tour.

– Papa est là-bas, près de cette espèce d'étang. Et Kit fait trempette.

Il marqua un temps.

– Nu comme un ver, à partir de la taille.

Rachel gardait l'œil sur Ralph. Il avait une mine épouvantable. Enfin, pas une sale tête, Ralph ne pouvait pas vraiment avoir une sale tête, mais le visage creusé, les traits tirés, les yeux cernés, ses épais cheveux noirs en touffes, comme si on les lui avait très mal coupés. Ce qui était probablement le cas, parce que, de tous ses fils, il était aussi le moins vaniteux, le moins matérialiste, le moins soucieux des apparences. Évidemment, tous entassés dans une chambre familiale, à l'hôtel, la nuit dernière, ils n'avaient pas réellement dormi, aucun des trois, d'après ce que lui avait dit Petra au petit déjeuner, et puis Ralph s'était accordé une promenade, comme lorsqu'il était jeune garçon, il avait repéré un bois, et il en était revenu l'air farouche et tout désorienté, après avoir bataillé à travers les broussailles et les sous-bois. Enfin, il n'avait jamais été facile à cataloguer, jamais été très orthodoxe, cela faisait partie de son charme, mais il fallait espérer – il fallait franchement espérer – qu'il ne donne pas trop de fil à retordre à Petra, en se rendant trop inaccessible et trop peu compréhensif.

Quand Ralph et Petra leur avaient annoncé qu'ils voulaient se marier, Anthony et elle ne se tenaient plus de soulagement et de bonheur. Petra était exactement ce qu'il fallait à Ralph, s'étaient-ils dit ; elle lui apporterait la stabilité et la motivation qu'il semblait avoir tant de mal à puiser en lui alors qu'il en avait le plus grand besoin. Et maintenant, quand Ralph prenait les airs qu'il prenait aujourd'hui, laissant Petra se débrouiller avec les enfants dans un contexte qui réclamait manifestement la présence des deux parents et non d'un seul, Rachel se sentait une fois de plus aux prises avec ce vieux mélange d'angoisse et d'attitude protectrice qu'elle avait éprouvé dès la venue au monde de Ralph, dès cet instant où il s'était cambré en arrière pour lui échapper, la première fois qu'elle avait essayé de le poser contre son épaule.

Il ne devrait pas se mêler à cette bande, songea-t-elle. Les amis de Luke étaient très différents de ceux de son frère, plus exubérants, plus simples, plus conventionnels. Le week-end d'enterrement de vie de garçon de Luke, une virée de trois jours à Édimbourg, où il était alors étudiant, ressemblait au genre d'épisodes que Rachel aurait supporté d'entendre uniquement parce qu'il s'agissait de Luke, son fils. Ralph les avait rejoints pour une soirée, par amour fraternel, après quoi il était rentré dans le Suffolk et, tout à la fois loyal et laconique, leur avait raconté qu'ils s'étaient tous beaucoup amusés, mais qu'en réalité, ce genre de festivités n'était pas fait pour lui. Petra avait ensuite expliqué qu'ils étaient si saouls qu'ils s'étaient rasé un peu toutes les parties du corps, et Luke s'en était tiré à bon compte en gardant ses sourcils intacts. Alors que fabriquait Ralph, au milieu de toute cette bande, et qu'est-ce que c'était que cette cigarette qu'il avait dans la main ? Elle avait été si soulagée de le voir arrêter de fumer. Ralph était le seul de ses enfants pour lequel elle s'inquiétait sur le plan de la boisson et des excitants ; il était le seul qui avait tendance à considérer la possibilité de l'accoutumance comme un défi plus que comme une menace.

Peut-être, songea-t-elle, devrait-elle aller bavarder avec Petra. Elle apercevait Anthony et Kit au bord du bassin – Anthony séchait son petit-fils avec son mouchoir avant de le convaincre de renfiler son pantalon – et Petra avait sans doute dû dénicher un coin tranquille où faire de nouveau manger Barney, à la cuiller. Barney adorait manger. Son engouement pour la nourriture faisait rire Anthony et Rachel, même si Petra se plaignait parfois de ce que cela confinait à la tyrannie. Rachel, qui avait été cuisinière de profession toute sa vie, confectionnait des soupes et des purées pour le congélateur de sa belle-fille, et Petra était sans aucun doute là, quelque part, occupée à donner l'une de ses préparations à son Barney, qui ouvrait grande la bouche dans sa poussette, comme un oisillon rapace.

Elle se leva, lissa sa jupe en lin vert achetée en soldes dans une boutique d'Aldeburgh et qui, il fallait l'admettre, offrait un contraste marqué avec celle de la mère de Charlotte, en dentelle vieux rose. Quelle femme curieuse, la mère de Charlotte, avec son côté si ordonné, véritablement obsessionnel. Enfin, au moins, Charlotte, elle, n'était pas comme sa mère. Même au vu des critères de Rachel, Charlotte et Luke laissaient la chambre de leur appartement du Suffolk dans un désordre qui aurait mérité un oscar.

Elle allait se lancer à la recherche de Petra quand Ralph fit soudain son apparition à côté d'elle. Il tenait en main une bouteille de bière et sentait la cigarette.

– Ça va, maman ?

Elle le regarda. C'était son fils adoré, mais pour le moment, c'était de Petra qu'elle devait s'occuper.

– Très bien. Et toi ?

– Qu'est-ce que tu veux dire, et moi ?

– Je veux dire, est-ce que ça va ? Est-ce que tout va bien ?

– Bien sûr, fit-il.

Il inclina sa bouteille, comme pour trinquer à sa santé. Bien sûr que tout va bien.

– Pourquoi ça n'irait pas ?

Chapitre 2

owls

Quand Anthony était enfant, le bâtiment qui était devenu son atelier n'était qu'une grange en ruines, où étaient entreposés la tondeuse à gazon et diverses machines plus ou moins agricoles et plus ou moins défectueuses, de vieux sacs anonymes et des rouleaux de fil de fer rouillé et de ficelle servant à la mise en balles. C'était un endroit sombre et poussiéreux, où des chats-huants avaient installé leurs nids en équilibre instable sur les poutres, tandis que des colonies de chauves-souris et de martinets déchaînés plongeaient en piqué dans le crépuscule de l'été. Les parents d'Anthony appelaient cet endroit le Dépotoir, et tous les ans le toit qui s'affaissait lâchait quelques grandes ardoises, de sorte que les portes ne cadraient plus avec les chambranles, et que les vitres des petites fenêtres encombrées de toiles d'araignée, à une extrémité, avaient éclaté, projetant leurs débris dans les massifs d'orties en contrebas.

C'était Rachel qui avait eu l'idée de lancer le sauvetage des lieux et de les transformer en atelier ; Rachel, originaire des collines galloises, que la platitude des terres du Suffolk avait laissée très dubitative – et chez qui l'idée de s'installer dans la maison où son fiancé avait grandi avait fait naître encore plus de doutes.

– Mon Dieu, avait-elle confié à sa sœur, tu devrais voir ça. Je veux dire, c'est une maison charmante, mais ils y habitent depuis la nuit des temps. Tout est sacré, tout, là-bas. Et Anthony trouve que tout y est parfait.

La sœur de Rachel, mariée à un enseignant dévoué qui exerçait son métier dans un quartier populaire du centre-ville, se débattait dans un logement social de la commune avec une porte d'entrée fendue à cause de quelqu'un qui y avait flanqué un coup de pied, et elle n'avait pas trop envie d'entendre parler de ces maisons immenses et décrépites du Suffolk, que l'on vous donnait – oui, que l'on vous donnait –, même s'il s'y rattachait tout un bagage ancestral des plus encombrants.

– Je pense que tu as une chance dingue, Rachel.

– Oui. Enfin, c'est une chance de n'avoir rien à acheter. Mais ce n'est pas une chance d'hériter d'une vieille bicoque qui tombe en poussière et que tu es censée vénérer sans rien restaurer.

– Des conneries, ça, lui avait lâché sa sœur.

– Comment ça, des conneries ?

– Bien sûr que tu peux la restaurer. C'est ta maison, non ? Tu laisses sa part à Anthony et tu lui fais clairement comprendre que tu as le droit de restaurer le reste, tout autant que sa mère, sa grand-mère ou son arrière-grand-mère ou je ne sais qui encore en a eu le droit avant toi.

– Qu'est-ce que tu veux dire, sa part ?

La sœur de Rachel avait soupiré. Elle avait déjà essayé de ne pas remarquer que l'aigue-marine de sa bague de fiançailles était de la taille d'une boule de gomme.

– Mais si, tu sais, ce truc, cette grange. L'endroit où les hommes s'enferment pour aller manipuler toutes sortes de machins qui ne marchent pas, rien que pour avoir le plaisir de les démonter. Anthony ne dessine pas ?

– En fait, si, lui avait répondu fièrement Rachel, et plutôt bien.

– Alors voilà, reprit sa sœur. Réserve-lui un endroit où dessiner. J'aurais aimé que mon Frank sache dessiner. J'aimerais que Frank dessine, qu'il collectionne les scarabées ou qu'il fasse partie d'un club cycliste. Je préférerais que Frank fasse n'importe quoi, n'importe quoi plutôt que de s'imaginer qu'il a la responsabilité de sauver la quasi-totalité des jeunes délinquants de Hackney.

– Cela pourrait devenir un atelier, avait glissé Rachel à Anthony, quelques jours plus tard.

– Qu'est-ce qui pourrait devenir un atelier ?

– Le Dépotoir.

– Mais cet endroit a toujours été une véritable décharge.

– Bon, alors, avait-elle fait en plissant les yeux vers le ciel immense de l'Est-Anglie, à partir de maintenant, ce ne sera plus une décharge.

Il avait eu l'air froissé.

– Maman et papa préféraient que cela reste tel quel.

Elle avait continué de scruter le ciel.

– Maman et papa sont au paradis, Anthony.

– Ils ne croyaient pas au paradis. Ils ne croyaient pas au surnaturel. Ils croyaient en la primauté de l'esprit humain. Comme moi. Mes parents étaient des êtres pragmatiques.

– Le Dépotoir, avait-elle insisté, n'a rien de pragmatique. Le Dépotoir, c'est un espace perdu et un bâtiment qui est en train de s'écrouler. Cela pourrait devenir un espace merveilleux pour un atelier. Il y a même

30

tongued + grooved

un grand mur orienté nord, où rien n'empêcherait de percer une fenêtre. Là, tu pourrais peindre, dessiner et créer des maquettes d'oiseaux de la taille d'un avion. Il y aurait même assez de place pour construire un avion entier, là-dedans.

Anthony avait vendu une partie de l'ancien verger de ses parents, tout à fait improductif, pour l'équivalent du prix nécessaire à la transformation du Dépotoir en atelier. Il y avait fait percer des fenêtres et des Velux, installé un poêle à bois, fait poser de vieilles briques sur le sol et un bardage à rainures et languettes sur les murs. Il y avait aussi fait installer de vieilles tables de cuisine et des fauteuils tout défoncés, transférés du coin fumoir constellé d'auréoles de tabac où son père avait l'habitude de passer de longues après-midi à travailler sur son système compliqué de pronostics croisés, et des tapis usés jusqu'à la corde qui recouvraient des sols dallés de pierre où ils avaient été foulés depuis une éternité. Il avait dressé ses chevalets et monté des rangées de rayonnages, ainsi que de vieux supports de selles de chevaux auxquels accrocher ses toiles. Il y avait ajouté des livres, et les appeaux en forme d'oiseaux, sculptés dans le bois, que les pêcheurs fabriquaient jadis sur le quai d'Orford, quand le temps était trop mauvais pour sortir les bateaux. Et ensuite, à la place d'honneur, il avait suspendu une reproduction de *The Pigeon*, de Joseph Crawhall, une gouache sur toile de Hollande, peinte en 1894 par un membre de l'école de Glasgow, après avoir emmené Rachel jusque là-bas le découvrir, à la Burrell Collection.

– C'est mon modèle absolu, lui avait-il confié.

Elle avait contemplé ce pigeon, son plumage blanc moucheté de gris, son bec et ses pieds couleur de corail clair, et son petit œil dur et sauvage.

– Il est merveilleux, avait-elle admis. Pourquoi cette peinture est-elle si merveilleuse ?

– Parce que, parce que tu sens la vie intérieure de l'oiseau.

Il lui avait pris la main.

– Dans la culture chinoise primitive, les peintures d'oiseaux occupaient une place très importante. Pas seulement en raison de cet aspect si décoratif que peuvent avoir les oiseaux, mais parce qu'ils étaient sauvages, et parce qu'ils habitaient un monde aérien, un monde de liberté. Les Chinois estimaient qu'il fallait observer les oiseaux, attentivement, pendant une éternité, avant de les peindre de mémoire, en les rendant aussi vivants que possible. Ils estimaient que c'était l'une des plus belles expressions de l'esprit humain, d'observer de la sorte et de peindre ensuite. Crawhall peignait de mémoire, comme on le lui avait enseigné enfant. On ne m'avait rien appris, mais j'ai appris tout seul. Je préfère qu'il y ait de la vérité et de la vie dans une peinture, plutôt que du charme. J'ai besoin de tension émotionnelle.

Rachel lui avait retiré sa main, sans cesser de regarder ce pigeon.

– Oui, avait-elle acquiescé, respectueusement.

Bien que séparé du corps de bâtiment principal par une étendue de gravier encombrée de mauvaises herbes, l'atelier avait pris une place tout aussi marquante dans leur existence que la cuisine de Rachel. Bébés, les trois garçons y faisaient leur sieste, bordés dans l'énorme et vieux landau aussi robuste qu'une calèche qui avait été autrefois celui d'Anthony, et par la suite, avec le temps, ils y avaient apporté leurs devoirs, s'asseyaient à l'une des tables en désordre, trépignaient en tapant du pied dans les barreaux des chaises et se plaignaient de ce qu'on leur infligeait, des fractions, du vocabulaire français et de Mme Fanshawe, qui inspectait tous les crânes, en classe, armée d'un peigne à poux qu'elle aspergeait de Dettol.

Cependant, il s'était écoulé des années avant que l'atelier et ce qu'Anthony y créait ne rapportent un peu d'argent. Durant ces années-là, Rachel avait cuisiné à l'occasion des réceptions qu'organisaient les gens de la région et elle avait proposé des séances informelles de travaux culinaires, dans sa cuisine, qu'elle avait aménagée en transformant un labyrinthe d'offices exigus en un espace unique. Anthony était venu compléter ses efforts avec un poste d'enseignant à mi-temps dans une importante école d'art, à une vingtaine de kilomètres de chez eux, un poste qu'il avait conservé, par habitude et par inclination, même après avoir commencé d'exposer, de beaucoup vendre, et être entré à l'Académie royale. C'était ce poste qui l'avait amené à faire la connaissance de Petra.

Il l'avait d'abord remarquée parce qu'elle ne disait jamais rien. Elle s'asseyait au fond de la classe, vêtue des mêmes chiffons bohèmes et fantaisistes qu'affectionnaient presque tous les étudiants d'Anthony, et elle prenait des notes. Quand il la regardait par-dessus son épaule, quand il leur parlait en allant et venant à pas lents dans les allées entre les rangées de tables, il voyait bien qu'elle notait au crayon, d'une écriture forte et pleine de tempérament, dans un carnet si artisanal qu'elle n'avait pu que le confectionner elle-même. Elle avait les cheveux entortillés dans une pièce de mousseline bleu dur tachetée d'or, et ses mains – les ongles rongés, avait-il remarqué – étaient à demi revêtues de mitaines en dentelle noire toutes déchirées. Il avait marqué un temps d'arrêt ; dans son dos elle avait continué d'écrire, et il avait pu constater qu'elle notait précisément ses propos.

– Je voudrais vous dire ceci, à tous, et avec toute la gentillesse possible, mais sachez que l'exactitude peut devenir une terrible source d'inhibition. Voyez-vous, il y a l'exactitude de ce que nous observons, et puis il y a l'exactitude de notre manière d'interpréter ce que nous observons. Quand vous peignez, disons, un oiseau, vous avez envie de donner l'impression que vous étiez là, que vous avez réagi à cet instant précis de la vie d'un oiseau vivant. Vous comprenez ?

Petra avait souligné les mots « inhibition », « terrible » et « il y a », suivant en cela les inflexions verbales du professeur. Et plus tard, quand il les avait invités à dégourdir un peu leurs mains de dessinateurs en balayant de larges feuilles de papier à dessin à grands traits énergiques de leur bâton de fusain, il avait pu constater qu'elle était une dessinatrice née, ou qu'elle avait déjà joliment appris, et qu'elle était bien meilleure que tous ses autres élèves. Mais elle refusait de le regarder, elle ne prenait jamais la parole, et Anthony, ressentant ce qu'il ressentait quand il voyait de quelle manière ce talent naissant restituait la vie sauvage, ne l'y obligeait jamais.

– Il y a une jeune fille, à l'école d'art, avait-il confié à Rachel. Une jeune fille, un très curieux personnage. Je dirais qu'elle a dix-neuf ou vingt ans. Elle ne parle jamais. Mais elle dessine comme un ange. Cela fait des années que je n'avais pas vu quelqu'un dessiner comme elle.

Rachel était occupée à moudre des pignons de pin pour un pesto.

– Comment s'appelle-t-elle ?

– Petra quelque chose.

– Petra ?

– C'est ce qu'indique ma liste de classe. Je ne l'ai jamais entendue prononcer son nom. Je ne l'ai jamais rien entendue dire. Elle est complètement muette.

– Que ce doit être reposant.

– Et intrigant. Elle m'intrigue.

Rachel avait commencé de verser goutte à goutte de l'huile d'olive sur son épais mélange de feuilles de basilic et de pignons de pin.

– Propose-lui de venir ici. Tous ces amis des garçons qui venaient ici, ça me manque. J'adorais que la cuisine soit pleine et qu'ils soient tous morts de faim.

– Je ne peux rien lui proposer, avait fait Anthony, pas tant qu'elle ne parle pas.

Rachel avait trempé un doigt dans son pesto pour le goûter.

– En présence de Ralph, elle parlera peut-être. Il ne parle pas beaucoup, lui non plus.

– Jamais il n'accepterait une jeune fille que nous lui aurions choisie…

– Sans doute pas.

– Elle est jolie ?

Il avait réfléchi.

– Eh bien, elle n'est pas jolie comme Sigrid. Elle n'est pas… elle ne donne pas l'impression d'être aussi organisée…

– D'accord, avait fait Rachel, en transvasant le pesto à la cuiller dans un plat en terre cuite qu'ils avaient rapporté de vacances en Sicile, où ils avaient observé les oiseaux. Quand elle parlera, si le son de sa voix te plaît, invite-la quand même. Un peu plus de jeunes, ici, je ne dirais pas non.

– Je sais.

– Tu te souviens de ce poème ? « Comment ? Voilà ce qu'est devenu mon bébé ? »

– Pam Ayres.

– Oui. Eh bien, c'est tout moi. « Que sont devenues ses bottes en caoutchouc décorées de petits yeux de grenouilles ? »

Un mois plus tard, Petra avait parlé. Anthony évoquait devant la classe l'importance de ne jamais avoir de gomme – « Ne vous arrêtez pas dans vos gestes, soyez aussi rapide que l'oiseau dans les siens. Crayons gras, de 4B à 6B, le taille-crayon est essentiel, mais la gomme, non. Jamais » – et Petra avait levé les yeux et, d'une voix sans doute éraillée d'avoir peu servi, lui avait demandé :

– L'orientation du corps de l'oiseau est-elle plus importante que son contour ?

Toute la classe s'était tournée vers elle.

– On croyait tous que tu étais une attardée mentale, lui avait soufflé un garçon à deux places d'elle, sans méchanceté.

Petra n'avait pas détaché le regard d'Anthony, dans l'attente d'une réponse.

– Oui, lui avait-il dit.

Petra avait jeté un œil à ce garçon, assis à deux places d'elle. Ensuite, elle s'était de nouveau adressée à Anthony.

– C'était aussi ce que je pensais, avait-elle confié, et elle s'était de nouveau penchée sur son dessin.

Deux semaines plus tard, Anthony avait tenu cet autre propos à la classe :

– Je me demandais si vous n'auriez pas envie de venir voir mon atelier.

Ils en avaient tous envie, à l'évidence, mais ils ne savaient pas comment le lui suggérer.

– Bien, avait fait Anthony, avec un sourire. Tous ? Ils avaient hoché la tête. Il avait regardé Petra. Même vous ?

– Oui, lui avait-elle répondu. S'il vous plaît, avait-elle ajouté.

Ils s'y étaient rendus en prenant le bus, et ils avaient l'air insolite d'une troupe de comédiens shakespeariens itinérants. Petra portait de petites lunettes cerclées qui lui donnaient un air studieux, et elle avait les cheveux détachés, longs presque jusqu'à la taille, sur un châle à motifs cachemire et un pantalon à la turque couleur aubergine, froncé aux chevilles.

– Je ne vais pas vous demander vos noms, leur avait dit Rachel, parce que je n'en retiendrai aucun. Mais je m'appelle Rachel et lui, c'est Anthony, et là ce sont des scones que je viens de confectionner, et ça, visiblement, c'est un gâteau au chocolat.

Ces douceurs avaient suffi à les décrisper. Ils avaient mangé avec cette sorte de concentration déterminée qui est le propre des bébés, et ensuite les langues s'étaient déliées. Anthony les avait fait entrer dans l'atelier, ils en étaient tous restés le souffle coupé et s'étaient mis à discuter, chacun signalant aux autres tout ce qu'ils repéraient.

– Vous sortez faire de l'observation d'oiseaux ? avait demandé Rachel à Petra.

Celle-ci avait retiré ses lunettes. Elle avait des yeux tirant sur le vert, avec un anneau noir très nettement dessiné autour de l'iris.

– Pas vraiment…

– Eh bien, vous devriez, lui avait dit Rachel. Anthony apprécie énormément vos dessins, mais il faut que vous sortiez observer, comme lui.

La jeune fille avait hoché la tête.

– Et votre famille ? Quelqu'un dessine, dans votre famille ?

Petra s'était raclé la gorge.

– Je n'ai pas vraiment de famille…

– Oh, avait fait Rachel.

Elle avait attendu un moment.

– Ce qui signifie ? avait-elle ensuite ajouté.

– Ma famille est plus ou moins tombée en morceaux.

– Tombée en morceaux ?

– Ma mère est morte et mon père est parti, il y a une éternité. Et maintenant ma grand-mère est allée vivre au Canada.

– Pourquoi est-elle partie ?

– Parce que presque tous ses petits-enfants y sont. J'imagine.

– En vous laissant toute seule ici ? avait insisté Rachel.

– Ça va. On n'était pas proches. J'ai un endroit à moi où j'habite.

Rachel l'avait observée attentivement.

– Pourquoi êtes-vous dans la classe d'Anthony ?

– C'est ça que j'ai envie de faire, lui avait répondu Petra. Je travaille au bar d'un club de football les week-ends, et dans un café les jours de semaine, sauf les jours où j'ai cours.

– Quel âge avez-vous ?

– Vingt ans, lui avait-elle répondu.

Elle avait rechaussé ses lunettes.

– Ça va. Je vais bien. J'ai l'habitude de me débrouiller toute seule.

Plus tard ce soir-là, Rachel avait parlé de Petra à Anthony.

– Je pense qu'on devrait l'aider.

– De quelle manière ?

– Je vais lui apprendre à cuisiner. Toi, tu vas l'emmener observer les oiseaux, à Minsmere.

– Rachel…

– C'est une enfant courageuse. D'une certaine manière, elle me rappelle la jeune fille que j'étais moi-même à son âge, absolument têtue et d'une complète indépendance, sans vraiment savoir qu'en faire. Et elle n'a personne.

– Rachel, je ne peux pas passer mon temps à aider les étudiants. Tu sais que je ne peux pas. Surtout pas les filles. Il suffit que tu regardes une étudiante dans les yeux quand tu lui parles pour qu'on te considère déjà comme un vieux pervers.

Elle avait soupiré.

– Je vais lui poser la question. Je l'aime bien. Elle n'est pas ordinaire.

– Ça, c'est certain…

– Et après, d'ici un petit moment, tu pourras l'emmener observer les oiseaux.

Il s'était avéré que Petra savait cuisiner. Elle n'avait jamais confectionné de pain, ou mitonné de sauce blanche, mais elle savait quoi faire avec des piments, de la citronnelle et de la sauce de poisson. Elle connaissait plusieurs manières ingénieuses de transformer une boîte de modestes haricots blancs à la sauce tomate en un mets intéressant et surprenant. Et elle apprenait vite. Avec le silence concentré qu'Anthony avait déjà remarqué dans ses cours, elle observait Rachel qui effectuait une démonstration de ses talents divers avec différents couteaux, puis elle l'imitait à son tour, avec un savoir-faire considérable. Rachel appréciait de l'avoir en cuisine. En fait, elle aurait aimé l'avoir en cuisine plus souvent, mais Petra travaillait, elle travaillait tout le temps.

– Il faut bien, disait-elle simplement. Je suis au salaire minimum. Alors il faut bien.

– C'est combien, le salaire minimum ? avait demandé Anthony à Rachel.

– C'est moins de six livres de l'heure…

– Pauvre enfant…

– Je sais. Mais elle préfère se débrouiller seule. Elle préfère rester indépendante.

– Qui est cette Petra ? avait fait Edward à son père, au téléphone.

– Quoi ?

– Une fille qui s'appelle Petra. Maman n'arrête pas de parler d'elle. C'est une nouvelle femme de ménage ? Génial d'avoir une femme de ménage qui s'appelle Petra.

– En fait, avait rectifié son père, c'est une de mes étudiantes. Drôlement bonne dessinatrice. Sans un rond et sans famille. Maman s'est un peu prise d'affection pour elle.

– Et toi ?

– Je n'ai pas envie qu'on me prenne pour un individu bizarre…

– Papa !

– Mais je pense qu'elle est super. Elle est un peu particulière, et très talentueuse, et elle n'a que vingt ans, mais elle est super.

– Tu ne serais pas en train de la bichonner pour Ralph, par hasard ?

– Ils ne se sont pas rencontrés…

– N'esquive pas la question.

– Cela nous a traversé l'esprit, avait admis Anthony, qu'ils puissent avoir quelque chose en commun. Oui.

– Alors tu la conserves, genre sur un lit de glace, c'est ça ?

– Je l'emmène observer les oiseaux, lui avait répliqué son père non sans raideur.

– Ah, lui avait fait affectueusement Edward, depuis son bureau de Londres, avec vue sur un autre bureau. Minsmere. L'East Hide, à Minsmere. Le jardin d'Éden.

– Exactement, avait confirmé son père, en souriant au téléphone. Exactement.

Il avait conduit Petra en voiture, profitant d'une de ces rares journées où elle s'autorisait un peu de repos le week-end, jusqu'au bout de la longue route d'accès boisée à la réserve naturelle. Comme d'habitude, elle était silencieuse, contemplant les chênes majestueux autour d'elle, les couples et les groupes d'amateurs d'oiseaux, silencieux et sérieux, la vue sur l'autre extrémité des marais et le dôme blanc de Sizewell, comme un temple exotique à l'horizon.

Anthony avait loué une paire de jumelles, et l'avait guidée au milieu des roselières bruissantes de murmures, devant des sièges en bois dédiés à la mémoire de fervents ornithologues amateurs – *Il aimait toutes les créatures vivantes* –, jusqu'à l'East Hide pour voir les avocettes dans leur plumage d'un noir et blanc précis, disait-il, parce que c'était l'été, filant d'une allure digne sur leurs longues pattes grises, le bec noir et luisant pointé en l'air, en quête de vers et d'insectes.

– Des avocettes, avait-il expliqué, et si l'on patiente un peu, des bécasseaux, des chevaliers gambettes mouchetés et des barges à queue noire. Tout ce que nous avons à faire, c'est patienter, et observer. Observer et observer.

Pour nombre d'entre eux, c'était leur première visite. Au cours des mois suivants, ils avaient passé des heures dans l'East Hide à surveiller à la jumelle le lagon peu profond de Scrape, leurs cahiers posés en équilibre sur le large rebord sous la fenêtre basse qui, sauf quand il faisait très froid, restait ouverte pour laisser entrer le soupir des roseaux, et les mouettes, et la mer, pas si éloignée. À l'occasion, Anthony laissait Petra seule sur place et, pour sa part, se transportait vers la cache aux butors, afin d'y guetter la rare apparition de ces grands oiseaux striés filant à travers les roselières en lâchant leur mugissement si particulier. Et quand il retournait la chercher, jamais elle n'avait bougé, et les pages de son cahier de croquis se remplissaient de ses dessins rapides, énergiques, qu'il éprouvait tant de satisfaction à découvrir.

– Je me demande, avait dit Rachel, est-ce que j'aurais ressenti la même chose, si nous avions eu une fille ?

– Non.

– Pourquoi me réponds-tu non ?

– Parce que le lien qui aurait existé ne t'aurait pas paru aussi amical. Il y aurait eu tout un passif. Il y en a toujours un.

– Donc…

– Donc, avait poursuivi Anthony, ne brûlons pas les étapes.

Ensuite Ralph était rentré. Il avait été longtemps à l'étranger. La banque qui l'avait engagé, à la grande surprise de ses parents, l'avait envoyé à Singapour, où il ne s'était pas acclimaté. Il leur envoyait des e-mails décrivant ses escapades le week-end, vers les îles, les collines, les parties de la côte qui n'avaient pas été apprêtées pour servir de terrain de jeu aux Occidentaux préférant vivre une version expurgée de l'aventure. Il les avait prévenus qu'il tiendrait le coup trois ans, le temps de gagner assez d'argent pour rentrer à la maison, s'acheter un cottage dans le Suffolk et lancer sa propre affaire, qui ne l'oblige pas à porter une cravate et à vivre en habitué des aéroports. Il n'avait rien évoqué de sa vie personnelle, et il avait esquivé toutes les questions de Rachel avec une aisance bien rodée.

– Il va revenir, avait fait Rachel. Marié. Ou pas marié. Mais avec une fille malaise ou indonésienne. Et un bébé. Il va forcément revenir avec un bébé. Et elle détestera le Suffolk, et elle sera malheureuse, elle aura froid et elle aura envie de le quitter et de rentrer chez elle.

– Probablement.

– Cela ne t'ennuie pas ?

– Terriblement, mais que pouvons-nous y faire ? Quand avons-nous pu faire quoi que ce soit, concernant Ralph ?

Rachel l'avait brièvement regardé, avant de détourner les yeux, mais il avait eu le temps d'entrevoir ses larmes. Elle n'avait jamais été très larmoyante, n'avait jamais recours aux pleurs quand elle était bouleversée ou contrariée – sauf quand il était question de Ralph. Même bébé, même depuis son enfance complexe et insaisissable, Ralph avait représenté pour Rachel une énigme qu'elle était incapable de résoudre, à laquelle elle était incapable de renoncer, son talon d'Achille, qu'elle ne pouvait surmonter que si elle réussissait à le garder près de lui, pour mieux le surveiller, mieux s'impliquer, et mieux s'inquiéter. Anthony essayait bien parfois de lui souffler que ce n'était peut-être pas une bonne idée de laisser Ralph persévérer dans cette bizarre singularité qui était la sienne, mais Rachel, instantanément soucieuse de protéger sa propre vulnérabilité, ainsi que Ralph, se précipitait pour prendre sa défense.

Il était si intelligent, répétait-elle, si talentueux, si peu ordinaire, ce serait vraiment manquer d'imagination, et faire preuve d'une orthodoxie bornée, déprimante, d'attendre de lui qu'il se plie aux conventions les plus banales. Anthony argumentait rarement. Non seulement il voyait à quel point cette volonté défensive était profondément ancrée chez Rachel, mais il la partageait, à un certain niveau. Quand leur fils avait annoncé, sans préambule, qu'il partait pour Singapour, le soulagement coupable de son père s'était teinté d'une anxiété très réelle. Reviendrait-il un jour ? Ou se changerait-il en autochtone, tel un personnage d'une nouvelle de Somerset Maugham, et finirait-il dans un ancien poste colonial avancé, à moitié décrépit, imbibé d'arak et lisant de la philosophie grecque ancienne dans le texte, à la lumière d'une lampe au kérosène ? Ou, comme l'avait suggéré Rachel, rentrerait-il à la maison (sans s'être annoncé, comme toujours) avec une fille et un bébé, dont il se déchargerait ensuite sur ses parents, sans explication ou sans excuse ?

Puis Ralph était bel et bien rentré, seul. Il avait démissionné de la banque. Ses patrons l'avaient supplié de rester, mais, alors que nombre de ses collègues avaient été virés, qu'il suscitait une jalousie farouche parce que l'on avait jugé que cela valait la peine de le garder, lui, il avait persisté dans sa volonté de démissionner. Il avait signifié à son chef de service que s'il se voyait très bien continuer de faire ce qu'il faisait avec une parfaite compétence, le cœur n'y était pas, et il avait envie de se sentir impliqué. Son directeur lui avait demandé, avec autorité, si le salaire qu'on lui versait n'était pas un motif d'implication suffisant, et Ralph lui avait répondu que son sentiment n'était pas tellement lié à l'argent, qu'il en avait suffisamment gagné pour le moment, et qu'il avait besoin de s'extraire de toute cette propreté tropicale pour se lancer dans une affaire à lui.

– Je ne saisis pas, lui avait dit son directeur. Les gens comme vous, je ne saisis vraiment pas.

– Non, lui avait répliqué Ralph, vous ne risquez pas.

Et là-dessus, il avait retiré sa cravate et l'avait jetée dans une poubelle de l'entreprise, ornée du logo de la banque, un gaufrage argenté.

Il avait bonne mine, s'était dit Rachel. La banque avait exigé qu'il aille régulièrement chez le coiffeur (pour une coupe fort conventionnelle et, grâce à ses week-ends de randonnée et de plongée avec masque et tuba, sa silhouette était affûtée et son teint hâlé. Il avait les yeux clairs et, par rapport aux dents de son adolescence, qui se chevauchaient, sa dentition actuelle était en très net progrès, grâce à quelques séances habiles de cosmétique dentaire singapourienne auxquelles il avait accepté de se plier parce que la banque les lui avait payées. Il s'était réinstallé dans son ancienne chambre avec sa nonchalance habituelle, entassant ses costumes sur des cintres en fer de pressing dans le fond de sa penderie, et émergeant, comme depuis toujours, à des heures aléatoires, de jour comme de nuit, en quête de corn flakes, de café ou du cahier sports du journal.

– Tu as des projets ? lui avait demandé Anthony.

Son fils était penché sur un sudoku, un mug de soupe dans les mains. Il avait brièvement levé le nez, mais sans rien répondre.

– Bien, avait repris Anthony, je n'ai pas envie de jouer les pères lourdingues. Ou même les pères particulièrement conventionnels. Mais tu n'as pas loin de la trentaine, et tu as mené une carrière florissante, quoique brève, et te retrouver assis dans la cuisine de ta mère dans un pull que tu possèdes depuis l'école ne me semble pas être un choix de vie des plus satisfaisants.

Ralph avait regardé son père.

– J'ai acheté un cottage.

– Quoi ?

– J'ai acheté un cottage.

– Quand…

– L'autre jour.

– Ralph…

– C'était commode, avait-il poursuivi. On m'en a parlé, je suis allé le visiter, il m'a plu, je l'ai acheté.

– Où est-ce…

– À Shingle Street.

– Oh, Ralph…

– C'est super. Il se situe dans un petit alignement de maisons. Pile devant la plage de galets.

– Mais qu'est-ce que tu vas fabriquer, à Shingle Street, comment vas-tu gagner ta vie, loin de tout ?

Il y avait eu un temps de silence. Ralph avait bu bruyamment une gorgée de soupe et s'était replongé dans sa grille de sudoku.

– Laisse-moi faire, si tu veux bien, lui avait-il répliqué.

Lors de la visite suivante de Petra, Ralph était absent, il était à son cottage, qu'il avait jusqu'à présent refusé de montrer à ses parents.

– Et pourquoi ?

– Je repeins.

– Ah oui ? À l'intérieur ou à l'extérieur ?

– À l'intérieur.

– Oh, charmant. De quelles couleurs ?

– Blanc.

– Tu veux un peu d'aide ? Tu ne veux pas des rideaux, ou autre chose ? Pourquoi ne fais-tu pas une liste des meubles dont tu as besoin…

– Non, maman, avait-il fait. Non. Je te remercie.

Ni Rachel ni Anthony n'avaient fait part à Petra

du retour de Ralph en Angleterre. Elle avait préparé des lasagnes aux fruits de mer avec Rachel, puis elle était passée en face, à l'atelier, ou elle avait regardé Anthony, pinceau en main, se lancer dans quelques expériences à l'aquarelle. Il dessinait des vautours qui s'affrontaient, l'air furibond, les ailes dressées, la tête saillante. Petra s'était assise à côté de lui, comme le tourneur de pages d'un pianiste, et elle avait attentivement observé les mouvements de son pinceau. Il formulait une observation de temps à autre – « Parfois des lignes directionnelles sont utiles », ou « Pensez-vous que ce soit plus réussi parce que c'est davantage un schéma qu'un dessin ? » –, mais ils étaient surtout demeurés assis dans un silence seulement rompu par le sifflement étouffé du poêle à bois.

Quand il lui avait finalement proposé : « Un thé ? », elle avait répondu « Oh, oui », sur un ton apparemment ravi, mais qui signifiait aussi qu'elle aurait pu encore aisément attendre, des heures si nécessaire, et par la suite ils avaient quitté l'atelier et traversé l'allée gravillonnée pour regagner la maison, et Ralph était là, dans la cuisine, des taches de peinture blanche sur les mains et les vêtements. Anthony n'avait pas croisé le regard de Rachel.

– Petra, avait-elle annoncé. Voici notre fils cadet. Voici Ralph.

Petra se tourna vers Ralph, le regard flottant.

– Salut.

– Salut, avait-il fait.

Il avait attendu quelques secondes.

– Pourquoi tu t'appelles Petra ? avait-il ajouté.

– Le prénom vient d'une ville antique de Jordanie, avait expliqué Anthony, avec un peu trop d'empressement.

– Non, avait rectifié la jeune fille. Elle avait lancé un rapide regard à Ralph. Ça vient du chien. Le chien de *Blue Peter*, l'émission pour enfants.

– Le chien…

– Ma mère ne connaissait sûrement rien à la Jordanie…

Anthony allait rouvrir la bouche.

– Papa, boucle-la, lui avait lancé son fils.

Et il avait souri à Petra.

– Ignorez-le.

– Ce n'est pas grave…

– C'était un chien célèbre… avait insisté Anthony.

– Papa m'a dit que vous dessiniez. Vous dessinez des oiseaux.

– Un peu.

– J'ai fait un pain d'épice, avait annoncé Rachel. Ce sera thé et pain d'épice.

– Je suis vraiment désolé. Vraiment. Pour le chien, j'aurais dû savoir…

– Là où j'habitais, loin d'ici, avait expliqué Ralph à Petra, à Singapour, les oiseaux sont très différents. Complètement différents. De couleurs très vives. Et quels braillards.

– Ah oui.

– Mugs ou tasses ? s'était enquis Rachel.

Ralph avait tiré une chaise de la table et l'avait désignée à la jeune élève.

– Asseyez-vous, Petra.

Elle s'était assise, sans un mot.

– Eh bien, des mugs, alors, avait conclu Rachel. Ils contiennent plus, et le thé reste chaud plus longtemps.

Ralph avait pris la chaise à côté de Petra. Anthony avait remarqué qu'il avait aussi de la peinture dans les cheveux, en plus de ses mains, et une éclaboussure au-dessus de chaque sourcil.

— Vous êtes née dans le Suffolk ? avait demandé son fils à Petra.

— Oui, à Ipswich.

— Le Suffolk m'a manqué. J'étais loin. J'ai cru que j'avais envie de m'enfuir, mais je me sentais tellement soulagé de rentrer.

Petra avait accepté un mug de thé.

— Je ne suis jamais partie loin.

— Vous en avez envie ?

— Qu'est-ce que...

— Partez donc.

Et là, elle l'avait véritablement regardé pour la première fois. Rachel avait risqué un coup d'œil éclair à Anthony. Forcément, forcément, Petra ne pouvait qu'être frappée par l'allure de leur fils, que ces vieux vêtements et cette peinture ne faisaient que mettre en valeur.

— Non, avait répondu la jeune fille. Non, je ne pars pas. Je crois... je crois que je me languirais de mon pays.

— Se languir, avait observé Anthony. Quel mot bien choisi. Se languir. Comme un chien qui se languit de...

— Oublie un peu les chiens, papa.

— Un peu de pain d'épice ? Il est fourré aux dattes...

— J'ai acheté un cottage, avait annoncé Ralph à Petra.

Il avait mordu une bouchée de pain d'épice. Elle avait attendu la suite.

— C'est juste devant la mer, pratiquement dedans. Un peu plus bas sur la côte, en partant d'ici.

— Vraiment ?

— C'est tellement austère, l'endroit est saisissant...

— Austère... cela... ça me plaît, avait lâché nonchalamment Petra.

– Nous n'avons pas été autorisés… avait commencé Anthony.

Tais-toi, silence, lui avait signifié Rachel d'un geste, en coupant encore du pain d'épice.

Ralph en avait enfourné un autre gros morceau.

– Ça vous plairait de le voir ? avait-il proposé, la bouche pleine.

Petra avait posé son mug.

– Oui.

– Alors allons-y, s'était-il écrié, et il s'était levé, sans avoir fini de mâcher son pain d'épice.

– Mais la nuit tombe ! s'était exclamé son père. Vous ne verrez rien !

Petra s'était levée elle aussi. Ralph avait eu un geste du bras, comme s'il allait l'enlacer et la guider.

– Il y aura assez de lumière, la lumière qui vient du large, avait soufflé Petra.

Ralph lui avait souri, du haut de sa grande stature.

– Je sais.

Elle s'était tournée à moitié vers la mère de Ralph.

– Merci, Rachel. Merci pour votre thé.

Rachel avait hoché la tête. Puis Ralph avait presque poussé Petra par la porte de la cuisine et, au-delà, dans le passage dallé. Anthony et Rachel avaient entendu la porte de la maison claquer, puis le moteur de Ralph démarrer, et le craquement du gravier.

Anthony avait regardé Rachel. Ils se souriaient, tous les deux.

– Eh bien, avait-il fait.

Rachel avait levé les deux mains, en croisant l'index et le majeur.

– Croisons les doigts !

Chapitre 3

Pour leur lune de miel, Luke emmena Charlotte à Venise. L'homme qui l'avait précédé dans la vie de sa jeune épouse travaillait à la City de Londres, dans une salle des marchés très animée, extrêmement rentable et, en matière de vacances, ses goûts allaient de la Thaïlande aux Maldives, avec, en matière de loisir, un penchant pour le transvestisme et la cocaïne. C'étaient ses manies de cocaïnomane qui l'avaient dégoûtée à la fois de la drogue et de lui. Elle se considérait comme parfaitement large d'esprit dans toutes sortes de domaines de la vie en société, mais s'agissant des drogues, elle était tout à fait claire, et quand Luke l'avait invitée pour la première fois à sortir, elle lui avait répondu non, avec une véhémence qui l'avait laissé un peu interloqué.

– Qu'est-ce que tu veux dire, non ? Qu'est-ce qui te prend de me répondre sur ce ton ?

– Parce que je t'ai vu, lui avait-elle répliqué, je t'ai vu la semaine dernière, au dîner de Julia. Je n'ai aucune envie d'avoir à nouveau la moindre relation avec quelqu'un qui, en fait de dîner, se fait servir des lignes de poudre sur un miroir.

– C'était juste une ligne...

– Les gens qui prennent de la coke, l'avait-elle interrompu, ils sont rasoirs. Vraiment, vraiment ennuyeux. Soit ils sont sur les nerfs parce qu'ils viennent de se faire une ligne, soit ils sont sur les nerfs parce qu'il leur en faut une. Ils ont le nez qui coule et ils se croient passionnants, mais en réalité ils sont tellement, tellement ennuyeux. Gus était d'un ennui insondable. Je pensais pouvoir le supporter, grâce au vol en Classe Club pour le Sri Lanka, mais je n'ai pas pu. Alors, tant que tu resteras sur cette attitude carrément nulle, tu pourras inviter toutes les filles que tu voudras, mais pas moi.

Ce discours avait tout de suite flatté Luke. Il connaissait un peu Gus, le trader de la City, et il savait que ce garçon gagnait des sommes sans commune mesure avec tout l'argent qu'avaient pu gagner ou que gagneraient jamais les membres de sa famille, même Ed, même Ralph à Singapour, même papa dans ses meilleures années. Et Gus n'était pas seulement fortuné, il avait belle allure, il était athlétique, il avait un appartement à Clerkenwell et un frère dans un groupe de rock. Mais s'il était incapable de garder Charlotte, si Charlotte n'était pas disposée à tolérer ou même à intégrer une manie qui occupait une place importante dans la vie de Gus, elle acquérait aux yeux de Luke un prestige particulier qui allait bien au-delà de son apparence, de son énergie et de son succès, que l'on ne saurait mettre en doute.

Il avait consenti de vrais efforts. Il s'était mis à fréquenter plus souvent la salle de sports et il avait cessé de consommer de la cocaïne, même si s'efforcer de faire durer un Coca light toute une soirée dans une pièce pleine d'irresponsables défoncés à un point insensé lui donnait l'impression de débarquer sur une autre planète. Au bout d'un certain temps, il avait aussi cessé de sortir dans des soirées où il savait pertinemment ce qu'il y aurait au menu, et s'était mis à inviter Nora, l'amie de

Charlotte, pour un café, une pizza ou d'autres petits repas, en toute amitié, que Nora puisse faire savoir à Charlotte combien elle était impressionnée par ce qui avait changé chez lui. Il ignorait si cette refonte maladroite porterait ses fruits, il savait seulement que jamais, de toute sa vie, il n'avait désiré quelque chose ou quelqu'un comme il désirait Charlotte, et chaque fois qu'il la voyait, à l'autre bout de la pièce, dans une soirée, il était incapable de penser à autre chose, ni à cet instant, ni après. C'était simple, Charlotte lui accaparait entièrement l'esprit.

Et puis Gus s'était mis en tête d'essayer de reconquérir le cœur de la jeune femme, et Luke avait entendu circuler des rumeurs troublantes de promesses d'avion privé pour Paris et de yacht affrété dans les Caraïbes, et du coup il avait perdu la tête, renonçant à cette autodiscipline si chèrement acquise, et, pris d'une lubie, il s'était précipité de l'autre côté de la Tamise, à Clapham, jusqu'au logement en entresol que Charlotte partageait avec Nora et une forte colonie de cloportes et de lépismes, et là, il l'avait découverte dans le canapé, en veste et pantalon de pyjama, avec ses cheveux blonds coupés court et pas lavés, en train de manger des croque-monsieur et de regarder *Big Brother* à la télévision, la version anglaise de *Loft Story*. Il était resté planté là, incapable de faire un pas de plus, il avait éclaté en sanglots, elle s'était levée du sofa, était venue contre lui, il avait senti l'odeur de ses cheveux et un soupçon artificiel de parfum de confiture à la fraise, et il s'était dit qu'il aimerait tout simplement mourir, là, tout de suite, de pur bonheur et de pur soulagement.

Mais un an plus tard, il avait beau être rassuré par la bague de fiançailles au doigt de Charlotte, il n'était toujours pas question de partir en lune de miel dans un endroit s'apparentant de près ou de loin à un hôtel tropical avec spa. Il n'y aurait pas d'orchidées, pas de cocktails Singapore Slings, pas de piscine à débordement et pas de service en chambre impeccable. Gus, le pauvre – on pouvait s'apitoyer sur lui, à présent c'était à peu près sans risque –, il avait beau être fortuné, bien foutu et très mondain, ce n'était rien qu'un vulgaire bourgeois. Il n'y avait pas à tortiller, il en savait un bout sur le consumérisme, mais il ignorait tout de l'art, du théâtre, de la littérature ou de la musique, à part celle que l'on jouait cette semaine au Mahiki, le club du Ritz de Londres. Luke allait montrer à Charlotte autre chose, lui rouvrir les yeux sur un monde dans lequel elle avait été élevée, mais qu'elle avait fini par négliger, lorsque le brouhaha de la vie londonienne avait réussi à noyer toutes les autres musiques.

Anthony et Rachel avaient donné un peu d'argent à Luke, pour cette lune de miel. Il ne gagnait pas assez pour se permettre de partir dix jours à Venise dans un hôtel assez cher pour être chic. Avec la contribution de ses parents, il avait eu de quoi réserver dans un hôtel situé juste derrière l'Accademia, avec une salle de bains en marbre noir rutilant, des stores électriques et un lit large et drapé de couleur claire où s'entassait un monceau d'oreillers. Ils pouvaient prendre leur petit déjeuner dans leur chambre et des verres de prosecco sur un toit-terrasse au milieu des mouettes de la lagune, et marcher vers les Zattere inondées de soleil, avec leur atmosphère marine chargée de culture, ou, dans la direction opposée, traverser le pont de l'Accademia vers les *campi* et les *calli* où ils finiraient par réussir à s'égarer dans un labyrinthe de ponts et d'impasses, d'une beauté romantique et délabrée.

Charlotte était émerveillée. Elle n'était encore jamais allée à Venise. Elle n'était jamais entrée dans une galerie d'art où les tableaux accrochés aux murs, peints des siècles auparavant, montraient des sites qu'elle pouvait encore sillonner à pied, aujourd'hui, dans un tête-à-tête avec l'Histoire. Elle n'avait encore jamais mangé sur un marché aux poissons de ces crabes minuscules à la coquille molle, dans un cornet de papier, jamais circulé en vaporetto, et ne s'était encore jamais assise dans une église chaude et humide, en fin d'après-midi, les épaules nues enveloppées d'un châle en papier (obligatoire, par décence), elle qui avait toujours considéré la Vierge Marie comme une sorte de monogramme sacré réservé aux jeunes filles des écoles catholiques et à personne d'autre. Et elle ne s'était jamais imaginée mariée à un homme qu'elle aimait, et qui lui plaisait tant que, lorsqu'elle le regardait, elle éprouvait parfois le besoin de trouver un endroit où s'appuyer, mais qui en savait aussi tellement plus qu'elle.

— En fait, non, lui répondit-il. C'est juste que je connais toutes sortes de choses dans des domaines très divers.

— Mais qui sont importantes. Je veux dire, Titien, Carpaccio, l'Empire vénitien et tout cela. Tout cela, c'est important.

— Les doges seraient vachement contents de t'entendre dire ça.

— Tu me fais la leçon ?

— Juste un peu.

— Cela ne me dérange pas. Vraiment pas. Un jour, ça risquerait, mais pour l'instant, j'adore, cela me donne la sensation…

Elle s'interrompit.

— Quoi ?

– Que je ne peux rien faire de mal, acheva-t-elle, et elle éclata de rire.

Luke prit ses poignets dans ses mains, au milieu de la table.

– Tu ne peux pas, c'est vrai.

Ils avaient conclu un pacte, afin de préserver la bulle extraordinaire et magique où ils vivaient ce bref laps de temps, celui de n'allumer leurs téléphones portables qu'une fois par jour, en cas d'urgence. Il n'y eut jamais d'urgence. Il y eut des SMS leur souhaitant d'être heureux – émanant de la quasi-totalité de leurs amis, formulés avec gaieté et quelques formules lestes – et quelques-uns de l'associé de Luke, du petit studio de graphisme qu'ils partageaient dans un immeuble miteux non loin de St Leonard's Church, à Shoreditch, mais rien qu'ils ne puissent négliger, ou qui ne puisse recevoir de réponse plus tard ; rien, certainement, qui nécessite de parler à quelqu'un d'autre qu'eux-mêmes, sauf pour commander des Americano et des verres de vin, ou de petites tasses de glace au thé vert chez un glacier du Campo San Tomà. Et ce fut seulement l'avant-dernier jour que, de retour d'une journée lente et langoureuse à Murano, en traversant la lagune à bord d'un vaporetto haletant, Luke avait tendu son téléphone à Charlotte en lui disant :

– Qu'est-ce que tu en penses ?

C'était un bref texto, à l'écran. « *Frérot. Trucs délicats. Besoin de parler. Te sonne ? R.* »

– Ralph, fit Charlotte.

– Mouais.

– Cela ne peut pas attendre qu'on rentre ?

– Quel emmerdeur, grommela Luke. Surtout, il peut pas attendre que je sois rentré ?

Charlotte plissa les yeux sur les contours bleus et

brumeux de Venise qui s'avançait vers eux à l'autre extrémité de ces eaux miroitantes.

– Il a peut-être oublié qu'on était encore ici…

– C'est lui tout craché, ça.

– Je ne le connais pas très bien. Tes frères, et tes belles-sœurs. Cela ne m'est pas venu à l'esprit, cela ne me semblait pas avoir d'importance…

– Et cela n'en a pas.

Le regard de Charlotte revint sur lui.

– Maintenant, si, carrément. Ce n'est pas seulement toi que ça concerne, ça nous concerne, nous. Ton frère envoie un texto, là, comme ça, et toi, tu as déjà l'air tout préoccupé et distant, et moi maintenant je suis ta femme, alors cela me concerne, moi aussi.

Il rangea son téléphone dans la poche de son pantalon. Il se pencha en avant, plaqua Charlotte contre le garde-corps du vaporetto, et vint nicher le menton dans le creux de son cou.

– Ma femme…

– Ne change pas de sujet.

– Je le rappellerai plus tard. Quand l'envie me sera passée de le buter pour s'être montré aussi indélicat.

– Est-il si indélicat ?

Il se redressa, et son regard se fixa très loin derrière elle, sur les murs du cimetière de San Michele, qu'ils dépassaient lentement.

– Par rapport à la normale, oui. Mais Ralph n'est pas normal. Il est brillant, et impossible. Quand il était loin, il me manquait plus que tout, et, en même temps, pourtant, j'étais tellement tranquille. Et toi, tu es carrément sublime.

Plus tard, pendant qu'elle prenait sa douche dans la salle de bains de marbre noir, la fenêtre ouverte sur ce chaud début de soirée vénitien aux sonorités hantées de cloches, Luke appela Ralph. Charlotte savait qu'il lui téléphonait, et elle avait réglé la douche à fond, et puis elle chantonna, pour faire bonne mesure, pour signaler à Luke qu'elle n'influencerait et n'anticiperait en aucun cas la réaction qu'il pourrait avoir à ce que son frère avait à lui dire. Quand elle eut terminé, elle s'enveloppa dans une grande serviette blanche, se passa les mains dans les cheveux pour les faire se dresser en épis mouillés et flous, ce qui semblait tant plaire à Luke, et elle passa de la salle de bains dans la chambre. Luke était allongé sur le lit, sans ses chaussures. Son téléphone était posé un peu à l'écart, de son côté du lit à elle, comme s'il venait de le balancer là.

Elle s'assit sur le bord, près de lui. Elle s'attendait à ce qu'il lui ébouriffe les cheveux, à ce qu'il lui dénoue sa serviette, ou glisse la main dessous. Mais il demeura allongé là, l'air renfrogné, le regard fixé sur le meuble en bois argenté où était enfermée la télévision.

– Il va bien ?

Luke resta le regard figé devant lui.

– Il va perdre son boulot, lâcha-t-il, laconique.

– Quoi ?

– La banque ne prolongera pas son crédit, ne lui prêtera plus rien, alors qu'il leur a proposé sa maison en garantie, donc il va perdre sa boîte.

– Oh, mon Dieu, s'écria-t-elle.

Il lui prit la main.

– Il m'avait déjà dit qu'il suspectait un truc assez pénible, à notre mariage. Il m'a dit qu'il était désolé d'être un peu bizarre, mais il ne pouvait s'empêcher d'y penser.

– Il était bizarre ?

Il soupira.

– Il était bourré. Il fumait. Maman et papa étaient furieux contre lui.

– Ils… ils sont au courant ?

Il porta la main de sa jeune épouse à ses lèvres, et la regarda en relevant les yeux vers elle.

– Non. Ils ne savent rien. Personne ne sait rien, à part Ed, et maintenant moi. Il n'a rien dit à personne. Il n'en a pas parlé à Petra.

Charlotte se sentit prise de panique. Elle avait envie de lui répondre « Mais à moi, tu me le dirais ? Tu me dirais toujours tout. N'est-ce pas ? », mais elle comprenait que si elle lui demandait cela, elle risquait de ne pas recevoir la réponse qui la rassurerait. Et donc, elle lui dit autre chose à la place :

– Alors, même s'il proposait la maison à la banque en garantie, et, supposons, s'ils acceptaient, Petra n'en aurait rien su ?

Il la regarda avec solennité.

– Oui.

– Mais c'est épouvantable…

– C'est pour la protéger.

– Quoi ?

– Ne rien dire à Petra, c'est la protéger. Pour ne pas l'inquiéter.

Elle lui retira sa main.

– Ce n'est pas très correct…

– Petra n'a pas de famille, reprit-il. En quelque sorte, nous sommes tous devenus sa famille, et il y a donc cette volonté implicite de veiller sur elle. Elle n'a que vingt-quatre ans, enfin, je crois.

– Elle a deux ans de moins que moi.

– Il n'y a pas vraiment de comparaison, mon ange.

– Mais, insista-t-elle, c'est sa femme. Ils ont des enfants. Les mauvaises passes, on les affronte à deux.

Luke soupira. Il se contorsionna pour se mettre dans l'autre sens, et posa la tête sur les genoux de sa femme. Puis il tendit la main, pour dénouer la serviette qui lui couvrait les seins. Elle posa sa main sur la sienne.

– Non…

– Pourquoi ?

– Je n'ai pas la tête à ça…

– Foutu Ralph.

– Ce n'est pas Ralph, lui dit-elle, pas vraiment. C'est Petra. C'est cette manie des Brinkley de traiter Petra comme une enfant.

– Enfin, bon, en un sens, c'en est une…

– Uniquement si tu l'y pousses. Elle se débrouillait très bien toute seule, j'imagine, avant de rencontrer Ralph…

– Juste.

Elle détourna le regard.

– Ralph se comporte comme s'il l'avait trouvée au pied d'une haie ou je ne sais où, comme un chaton abandonné.

– Elle était dans la classe d'art plastique de papa. D'après lui, elle ne parlait jamais, mais elle était brillante. Elle est brillante. En dessin, je veux dire.

Charlotte posa le regard sur Luke. D'un geste léger, elle lui dégagea son épaisse chevelure du front.

– Et ensuite Ralph est tombé amoureux d'elle…

– Enfin, oui, fit Luke en levant les yeux, songeant qu'elle était magnifique, et sous tous les angles, même ainsi, vue de dessous. J'imagine, oui. Je veux dire, il l'a tout de suite appréciée, vraiment appréciée, mais je ne suis pas convaincu que l'envie de se marier ait jamais figuré en tête de ses préoccupations.

– Alors c'est elle qui l'a demandé en mariage ?

– Oh non, fit-il.

Il prit Charlotte par la main et lui mordit délicatement la paume. Puis il la retira, mais sans la lâcher.

– Elle est tombée enceinte.

– Ouah, fit-elle. Donc il s'est senti obligé de l'épouser.

Il passa la langue sur le tranchant de la paume de Charlotte.

– Bon, pas vraiment. Et je ne crois pas que Petra aurait attendu ça de lui non plus. Elle n'était pas attachée aux conventions, pas plus que lui. Elle aurait sans doute haussé les épaules, sans rien changer à sa façon de vivre, en emmenant leur bébé en cours d'art plastique dans son porte-bébé, ce genre de chose. C'est papa et maman qui ont voulu ce mariage. Ils tenaient à ce qu'ils se marient.

– Par souci de respectabilité ?

– Pas vraiment, fit Luke, et il se redressa en position assise et passa la main dans les cheveux mouillés de sa femme. Sur certains plans, ils forment un duo plutôt décontracté, ils se fichent des apparences, et du conformisme. C'était plus qu'ils ne voulaient pas la laisser filer. Ils l'avaient plus ou moins adoptée. Alors après avoir tant investi sur elle, après s'être habitués à elle, ils refusaient de la perdre. Du moins, c'est mon avis.

Charlotte demeurait absolument immobile.

– Ça te choque, mon ange, remarqua-t-il.

– Non…

Il scruta son visage, il avait les yeux à trois centimètres des siens.

– Qu'y a-t-il ?

– C'est un peu bête…

– Quoi ?

– Ce que je ressens, continua-t-elle, je veux dire, j'ai ma famille, qui est merveilleuse, et tes parents ont vraiment été délicieux avec moi, mais quand tu me décris ce qu'ils éprouvent envers Petra, je… eh bien, je me sens un peu…

Elle s'interrompit.

– Quoi ?

– Jalouse, lui avoua-t-elle.

Il éloigna un peu son visage du sien.

– Tu es une idiote et une fille adorable.

Elle inclina la tête.

– Il y a Sigrid, tu vois, reprit-elle, très soignée, très pro, si intelligente et si détachée, et elle est dans votre famille depuis toujours, et puis il y a Petra qu'ils traitent tous comme si c'était leur fille, comme une petite sœur, et parfois c'est un peu comme si je devais rivaliser avec tout ça, surtout que j'ai déjà dû être en rivalité avec mes sœurs depuis toujours, que je n'ai pas fait d'études supérieures, que je n'ai aucun talent, rien…

– Chut, fit-il avec énergie.

Elle ne releva pas les yeux. Il la prit par le menton, et lui redressa le visage jusqu'à ce que son regard croise le sien.

– Il n'y a que ce que je pense qui compte, fit-il. Et tu sais ce que je pense. Et quand la famille te connaîtra mieux, ils penseront tous la même chose. D'ailleurs, à mon avis c'est déjà le cas, parce que personne, te connaissant, ne pourrait penser autrement.

Il se pencha vers elle, et l'embrassa sur la bouche, sans rien précipiter.

– Rien à foutre de Ralph et rien à foutre de ses problèmes, ajouta-t-il. On a d'autres sujets d'intérêt bien plus importants.

Là-dessus, il lui sourit et, d'un geste leste, il lui retira sa serviette.

L'appartement que Luke leur avait trouvé, à Londres, se situait tout en haut d'un immeuble en brique à l'architecture assez chargée, sur Arnold Circus, à deux pas du marché aux fleurs de Columbia Road, de Brick Lane et – oh là là ! – de Hoxton. C'était ce que Charlotte, tout excitée, avait annoncé à Nora et à toutes ses autres amies. L'immeuble, ainsi que tous ceux qui ceinturaient Arnold Circus, comme un cercle de vaisseaux de haut bord, avait été conçu dans le cadre d'un programme grandiose de logements municipaux à caractère philanthropique, visant à offrir un logement lumineux, aéré, et des conditions de vie saines à des gens qui n'avaient connu que des taudis surpeuplés. Arnold Circus était un endroit impressionnant, entièrement construit en brique rouge rehaussée par endroits de bandeaux de brique crème, comme une sorte de motif shetland géométrique, avec en son centre une éminence entourée d'escaliers et plantée d'énormes platanes, où se dressait un petit kiosque à musique sans prétention, sous son toit pointu, où Charlotte, dès sa première visite, avait vu deux jeunes garçons filiformes gratter leurs guitares et chanter de façon approximative devant un public de mamans avec leur bébé dans leur poussette et de vieux messieurs soignés, en kurta et calot brodé. Tout cela lui avait semblé si merveilleusement exotique et si vivant. Elle s'était acheté des fallafels et une salade de tomates séchées à emporter dans un petit endroit accueillant, sur Calvert Avenue, pour avoir de quoi pique-niquer dans l'appartement vide et poussiéreux dont Luke venait de signer le contrat de bail, et elle sentait l'avenir se dérouler devant elle, comme un manège étincelant de lumières.

L'appartement était un deux pièces, avec une cuisine sous les toits et une salle de bains à l'immense fenêtre d'où vous pouviez voir, loin, très loin, tout en bas, à vous en donner le tournis, une série de constructions de faible hauteur à moitié décrépites qui abritaient des ateliers d'artisans, dont le studio de Luke et Jed. On apercevait même la verrière de ce studio, elle avait pu le constater, et s'imaginait déjà, dans l'obscurité de l'hiver, regarder en bas et découvrir, avec une charmante exaspération de jeune épouse, que les lumières étaient encore allumées, ce qui signifiait que son mari était encore en train de travailler, alors qu'il aurait dû être en haut, à l'appartement, en train de savourer le délicieux dîner si nourrissant qu'elle s'appliquerait à lui préparer, jusqu'à devenir aussi bonne cuisinière que la mère de Luke. Elle songea qu'avec le nombre de commandes qu'il recevait du milieu musical, plus sa nouvelle activité secondaire qui se développait dans le cinéma, et les conceptions d'éclairages pour des concerts et autres, il risquait d'y avoir pas mal de soirées où elle la verrait, cette verrière, de là-haut, avec ses lumières encore allumées. Elle se jura de ne pas l'asticoter. Elle se jura de rester tout aussi ravie et emballée qu'il l'était de sa carrière qui décollait – autant qu'elle l'était elle-même aujourd'hui. Elle se jura de ne jamais lui donner de raisons de sentir qu'elle avait besoin d'être protégée contre les épreuves, comme Petra. Elle n'avait aucune idée de ce qu'était le métier de Ralph, si ce n'est que cela avait trait à un truc de finance, de conseil en investissements sur Internet, et elle n'avait aucune envie d'en savoir davantage, car étrangement, toute cette situation concernant Ralph, Petra, et les petits garçons, et Anthony avec Rachel, cela la perturbait, et ce malgré Luke, qui lui répétait sans arrêt qu'à ses yeux, personne ne comptait plus qu'elle. Elle aurait préféré s'abstenir de lui dire qu'elle était jalouse. Elle aurait préféré aborder cette conversation avec l'assurance d'une adulte, en lui laissant entendre qu'elle était naturellement préoccupée par ces nouvelles qui touchaient Ralph, mais nullement contrariée. Et donc, après ce moment de vulnérabilité adolescente, pour se racheter, à leur retour de Venise, dans leur appartement, elle avait dit à Luke ceci :

– Invite Ralph ici, si tu as envie de lui parler. Il pourra toujours étrenner le canapé-lit.

Et elle en avait été récompensée. Luke l'avait serrée dans ses bras, et lui avait soufflé ces mots, les lèvres collées à son oreille.

– Tu es absolument chou, toi.

Et elle était donc là, à sortir des draps (un cadeau de mariage) de leurs emballages compliqués de cellophane et de carton, à tirer une nouvelle couette de sa boîte, pour que tout soit prêt, plus tard dans la journée, que Ralph puisse coucher dans le canapé-lit. Il était sept heures du matin, le soleil pointait, Luke se douchait dans la salle de bains, et Charlotte, en minijupe de jean, gilet rayé cintré et vareuse militaire froissée avec d'énormes boutons en cuivre, était prête à partir travailler dans sa station de radio locale, sur Marylebone High Street. Il y avait dans le frigo de quoi préparer une salade et des morceaux de saumon frais à griller, elle prendrait du pain sur son chemin, du fromage et des fraises, et Luke rapporterait du vin et de la bière, plus tard elle allumerait des bougies, sans révéler à Ralph qu'il était leur tout premier invité. Et un invité qui risquait d'apprécier, au bout du compte. Luke lui avait dit que son frère avait sauté sur cette occasion de venir passer la nuit à Londres. « En fait, il a demandé si cela te convenait. Que Ralph se demande s'il va gêner, de sa part, c'est une première, je crois. »

Charlotte frappa à la porte de la salle de bains.

– Je file, mon cœur !

Il y eut un silence, le temps que Luke ferme les robinets et coupe son iPod, puis il ouvrit la porte. Il était nu, et dégoulinant. Il l'admira des pieds à la tête.

– Ne pars pas travailler, mon ange…

Elle eut un petit rire.

– Je suis obligée. Je fais partie de l'équipe de huit heures, donc je dois y être pour moins le quart. Tu le sais.

– Je vais penser à toi toute la journée. Toute la journée.

Elle lui souffla un baiser.

– Moi aussi. Ralph arrive à quelle heure ?

Il s'avança et referma les bras autour d'elle, dans une étreinte mouillée.

– Quand il arrivera. Tu as intérêt à ce que je te manque. À ce que je te manque toute la journée.

– Promis, fit-elle.

On accédait au studio de Luke par une large allée asphaltée, derrière les immeubles d'Arnold Circus. Il se situait dans une longue rangée de constructions basses, sans doute d'anciennes écuries ou d'anciens garages, bâtis en briques avec des surfaces vitrées assez conséquentes, à l'encadrement métallique, et quelques carreaux brisés là où les ateliers étaient inoccupés. Les murs du rez-de-chaussée étaient ponctués de portes peintes en noir toutes cabossées qui, lorsque vous les poussiez, donnaient sur des escaliers étroits et raides qui conduisaient à des paliers exigus éclairés par des fenêtres crasseuses, hautes du sol au plafond. Dans le cas de Luke, l'une des deux portes palières avait été fraîchement repeinte, en gris mat foncé, avec une plaque en acier brossé légèrement décentrée, où étaient inscrits ces mots en minuscules caractères à empattements : *Graphtech Design Consultants*.

Ralph n'était venu qu'une seule fois dans cet atelier, Luke et Jed étaient encore en pleine installation, long-temps avant la rencontre de son frère avec Charlotte. Pour payer la première échéance du bail et les acomptes sur leurs ordinateurs, ils avaient emprunté au père de Jed, qui était séparé de sa mère et consacrait l'essentiel de son temps et de son argent à restaurer des motos vintage. Luke, toujours adroit de ses mains, avait installé les tables à dessin et les suspensions pendant que Jed ponçait le plancher avec une machine qui ressemblait à un séchoir à cheveux géant. Cette vision avait amené Ralph à réfléchir, non sans passion, à ce qu'il voulait faire de son cottage dans le Suffolk, un lieu très intime où il vivrait et travaillerait sans être perturbé par de quelconques obligations envers tel ou tel. Il n'y aurait que lui, entre des murs blancs, et la lumière tranchée du littoral, la mer et les galets, et l'idée qu'il souhaitait développer, étendre la facilité d'accès et le caractère privé de la banque sur Internet au monde sans limites des petits investisseurs.

Mais évidemment, il n'en avait rien été. Il était au cottage depuis quelques semaines, peut-être même quatre ou cinq mois, et Petra était là, elle aussi, toujours aussi peu exigeante, occupée à dessiner des mouettes sur la plage et à créer des objets étonnants avec des boîtes de haricots à la tomate, partageant son lit avec la même absence de prétentions ou de revendications qu'en bien d'autres domaines, quand elle lui avait annoncé, non sans brusquerie, qu'elle n'avait plus ses règles depuis deux mois, et qu'elle pensait être enceinte. Il en était resté abasourdi, puis s'était senti bouleversé, presque au bord des larmes, et il lui avait demandé, maladroitement, ce qu'elle voulait qu'il fasse.

Elle l'avait dévisagé.

– Rien.

– Je veux dire, tu veux vivre ici ? Tu veux venir vivre ici avec moi ?

– Je pourrais.

Il l'avait prise dans ses bras. Il avait songé que si c'était ça l'amour, ça lui plaisait. Il s'était imaginé un bébé assis dans cette pièce nue, Petra tenant un enfant contre elle, et il s'était imaginé, lui, un bébé dans ses bras, auquel il montrait la mer, par la fenêtre. Mais ensuite, mus par une impulsion qu'il était incapable d'expliquer et dont il ne gardait même aucun souvenir précis, ils étaient allés le dire à Anthony et Rachel, le leur annoncer, sans rien leur demander et, à partir de là, tout avait changé, tout était devenu non seulement différent de ce qu'ils avaient pu imaginer, mais tout leur avait plus ou moins échappé, à Petra et lui.

Le cottage avait disparu. La décision avait été presque immédiate. Il avait cédé la place à une petite maison mitoyenne, à Aldeburgh, avec un minuscule jardin, mais sans vue sur la mer. Ralph disposait d'une pièce idéale pour travailler, mais elle donnait sur des appentis et les jardins des voisins, avec un terrain vague qui servait de parking, et plus du tout de galets, de mer et de ciel. Rachel avait veillé à ce que l'endroit réponde aux besoins de Ralph, elle lui avait montré que la connexion Internet était bien meilleure qu'au cottage, et ensuite il y avait eu le mariage – qui lui avait plu, énormément plu – et voilà, ils étaient là, tous les deux, installés dans une petite maison, dans une petite ville, et, deux mois après leur mariage, le bébé était arrivé, et c'était Kit. Rien de tout cela, songea Ralph, devant l'atelier de Luke un soir d'été à Shoreditch, rien de tout cela ne ressemblait de près ou de loin à ce qu'il avait en tête ou à ce qu'il s'imaginait la dernière fois qu'il s'était trouvé là. Et cette dernière fois ne remontait guère à plus de quatre ans.

Non seulement l'atelier avait changé, mais Luke et Jed aussi. Le studio avait l'air très harmonieux, monochrome et moderne, avec ses rampes de spots sophistiquées et ses écrans d'ordinateur penchés à l'oblique, comme des planches à dessin. Luke et Jed portaient la même tenue décontractée, le contraire de l'uniforme : T-shirts noirs, pantalons kaki, baskets de créateur et Luke avait en plus une alliance, un bandeau de section plate en or blanc qui lui grandissait bizarrement la main gauche. Il serra Ralph dans ses bras, sans ménagement, et Jed lui tendit la main pour un tape-m'en-cinq et lui annonça qu'il devait filer, sympa de te voir, prends soin de toi, mec, et il s'était jeté son blouson de cuir noir sur l'épaule avant de sortir en trombe de l'atelier et de dévaler les marches en sifflotant.

– Tu n'as pas l'air trop en forme, frangin, lui fit Luke.

Ralph se percha sur l'un des tabourets noirs en face des ordinateurs.

– Comment va Charlotte ?
– Super.
– Et Venise ?
– Gé-nial.

Ralph sortit un paquet de cigarettes de la poche de sa veste et le tendit à son frère.

– Tu fumes ?
– Non, merci, fit Luke, j'ai arrêté. Plus aucune drogue, à part l'alcool. Et surtout pas ici.
– Allez, quoi…
– Tu peux fumer dehors. Pas ici.

69

Ralph haussa les épaules. Il laissa retomber le paquet dans sa poche.

— Dis-moi, reprit Luke.

— Quoi, là ? Tout de suite ?

— Je n'ai pas envie que tu embêtes Charlotte tout à l'heure avec ça. Je n'ai pas envie qu'elle s'imagine que mes frères sont des raseurs bourrés de problèmes.

— Ah, d'accord.

Ralph fourra les mains dans les poches de sa veste et fixa du regard le plafond et la verrière.

— C'est dur, dur, dur ? lui souffla Luke.

— Ah oui.

Luke n'ajouta rien. Il jeta un œil à sa montre. Charlotte serait à la maison dans dix minutes.

— Ils m'ont clôturé mon compte société, lui annonça son frère.

— Aïe…

— Je dois parfois attendre jusqu'à six mois pour percevoir les commissions sur mes interventions. Parfois même plus longtemps. Cela signifie qu'il me faut une grosse facilité de découvert, c'est important. Non, c'est vital. Et il y a de ça quatre mois, la banque a relevé son taux d'intérêt. Boum. Juste comme ça. De 5 à 9,9 %, à prendre ou à laisser. Et…

Il s'interrompit. Il regarda Luke.

— Quoi ?

— Ça concerne aussi mon taux de découvert sur mon compte personnel. C'était déjà assez lourd, remarque. À 9,9 %. Mais ils me l'ont augmenté, sans discussion, à 19,9 %, alors que je n'ai jamais dépassé la limite autorisée. Et quand j'ai protesté, ils m'ont répliqué que je n'obtiendrais un meilleur taux que si je déposais davantage d'argent. Alors j'ai fait observer que je ne risquais guère de ramener davantage d'argent si on me sucrait mon compte société, qui m'est indispensable, et sur lequel j'avais un accord de leur part, et ils ont été intraitables. Je ne possède pas d'actifs susceptibles de les intéresser, donc ça s'arrête là. Sauf que mes investisseurs, les amis de Singapour qui m'ont aidé à monter l'affaire, ils ne sont pas ravis. Tu peux imaginer les e-mails que je reçois.

– C'est scandaleux, fit Luke à voix basse.

– Ah ça, t'as pas tort.

Luke soupira. Il se gratta la nuque. S'il disait à son frère combien il était désolé, ça ne l'aiderait pas. Ralph n'aimait pas que les autres soient désolés pour lui.

– Tu en as parlé à papa et maman ?

– Pas encore.

– À Petra ?

– Nan. Juste à Ed. Et à toi. Comme je te l'ai dit au téléphone. Je n'aurais pas fait ça, si je n'éprouvais pas le besoin de te tenir au courant avant maman et papa.

Luke enfonça les poings dans les poches de son pantalon. Il se sentait minable vis-à-vis de Ralph, mais il voulait être là-haut, à l'appartement, avant le retour de Charlotte.

– Qu'est-ce que tu vas faire ? lui demanda-t-il, en raclant les lames noires de son plancher avec le bout en caoutchouc renforcé de sa botte.

Chapitre 4

Tous les matins de la semaine, Sigrid passait acheter du café chez un Italien qui tenait une petite échoppe guère plus grande qu'un placard, ouverte sur le trottoir, non loin du laboratoire où elle travaillait. Cet Italien, un Napolitain volubile dont l'anglais ne s'était guère amélioré depuis trente ans qu'il le parlait, préférait les blondes et, de temps à autre, il insistait soit pour offrir son café à Sigrid, soit pour y ajouter en cadeau des biscuits mouchetés d'amandes et de pépites de chocolat. Sigrid appréciait tout cela. C'était l'un des avantages – des nombreux avantages – de la vie à Londres. À Stockholm, où elle avait grandi, les vraies blondes comme elle, il y en avait treize à la douzaine.

Le laboratoire, financé de manière indépendante mais vaguement affilié à l'université de Londres, était tapi dans l'entresol d'un bâtiment de Bloomsbury, derrière la faculté d'hygiène et de médecine tropicale. Les matins, pendant les trimestres scolaires, et quand ce n'était pas son tour de conduire une voiture pleine de fillettes à leur école élémentaire de Highgate, Sigrid rangeait la maison, puis elle marchait tout au bout d'Upper Street, jusqu'à la station de métro de High-bury et Islington, et prenait la ligne Victoria jusqu'à Warren Street. Ensuite, après un arrêt chez Marco et son échoppe de café, elle se rendait au travail à pied, au bout de Gower Street.

Le père de Sigrid était ingénieur, et sa mère médecin. Elle avait un frère, devenu compositeur d'avant-garde, qui écrivait des musiques pour des films cultes, essentiellement produits à Berlin, où il vivait à présent. De son côté, Sigrid avait obtenu une maîtrise d'informatique à l'université d'Uppsala, complétée, par l'intermédiaire d'amis étudiants anglais rencontrés là-bas, par un travail de recherche à la faculté d'ingénierie de l'université de Loughborough, et c'était là qu'elle avait fait la connaissance d'Edward, venu fêter l'anniversaire d'un vieil ami d'école. Quel week-end ils avaient passé ! Même douze, presque treize ans plus tard, en se remémorant ce week-end, Sigrid ne pouvait réprimer un sourire.

Et maintenant elle était là, elle avait trente-huit ans, elle était l'épouse d'Edward, la mère de Mariella, et elle pilotait son accélérateur de particules, capable d'analyser des matériaux sans les détruire, ce qui le rendait extrêmement précieux pour les musées comme pour les collectionneurs. L'année précédente, elle avait connu sa minute de triomphe en examinant un dessin du seizième siècle, à la plume et à l'encre, pour le compte d'un collectionneur privé, et elle avait pu établir que l'encre et le papier provenaient de la même période, et de la même région, que Léonard de Vinci en personne. Au comble de l'excitation, le collectionneur ne se tenait plus de joie et de gratitude. Il avait insisté pour offrir à Sigrid et sa famille des vacances de ski dans son chalet de Gstaad. Mais elle avait poliment refusé. Dans sa blouse de laborantine, les cheveux attachés, ses lunettes sur le nez, elle n'était pas la blonde en cuissardes à qui Marco souhaitait offrir son café. Et, côté vie professionnelle, c'était la Sigrid en blouse qui primait.

Entrant dans l'immeuble situé en retrait de Gower Street, son paquet de café et sa sacoche à la main, Sigrid se voyait déjà enfiler sa blouse, avec bonheur. Le directeur du laboratoire s'était rendu à une conférence, à Helsinki et, chaque fois qu'il s'absentait, il était convenu qu'elle prenne la relève, un principe que personne au laboratoire ne semblait remettre en question, sauf un garçon rouquin et futé, un dénommé Philip, qui mourait d'envie d'attirer l'attention de Sigrid et qui s'imaginait que défier son autorité serait le plus sûr moyen d'y arriver. Pourtant, en ce lundi matin, même la perspective de repousser les avances assommantes de Philip avait quelque chose de séduisant ; en tout cas, c'était encore préférable à ce week-end qu'elle avait passé à écouter Edward au téléphone avec ses parents, ou avec ses frères, et encore avec ses parents, un manège sans fin de propos anxieux, de suggestions, de contre-suggestions et de sautes d'humeur, qui l'avait finalement incitée à emmener Mariella, et ses trois meilleures copines d'école de la semaine, à manger des petits gâteaux couleur pastel pas si petits que ça dans une boulangerie américaine qu'apparemment toute la classe de Mariella considérait comme le must du moment.

– C'est tellement mauvais pour la santé, leur disait-elle, en les regardant manger. Toutes ces graisses et ce sucre. Rien que des calories vides, à chaque bouchée.

Bella, l'amie de Mariella, avait mis la main sur un gâteau d'un rouge écarlate guère rassurant, avec un glaçage de crème au beurre. Elle en avait la bouche tout ourlée de givre.

– Red Velvet, lui avait-elle répondu. Goûte. Tu vas voir. Ça vaut le coup de grossir et d'être couverte de boutons.

Dans la soirée, une fois Mariella couchée – en compa-

74

gnie, comme toujours, de son iPod et dix-sept animaux en peluche, qui seraient tous vexés de ne pas être avec elle dans son lit, la nuit, soutenait-elle à sa mère –, Sigrid prépara leur dîner habituel du samedi, des *matjes*, du pain noir et de la salade de cornichons, avant de se servir un verre de sauvignon de Nouvelle-Zélande et de l'emporter dans la petite pièce attenante à la cuisine où ils avaient encastré une grande télévision à écran plasma dans une bibliothèque qui occupait tout le mur. Edward la suivit. Elle s'assit dans le canapé en face de la télévision et braqua la télécommande vers l'écran. Il s'approcha d'elle et lui prit la télécommande des mains.

— S'il te plaît, non, protesta Sigrid.

Il s'assit tout près d'elle.

— J'ai besoin de te parler.

— Tu as parlé tout le week-end…

— Oui, admit-il, mais pas avec toi. J'ai parlé, tu le sais, à ma putain de famille qui me rend chèvre, mais là, j'ai besoin de parler à quelqu'un qui ait un peu de bon sens.

Elle soupira. Elle posa son verre de vin sur la pile de magazines la plus proche et se tourna dans sa direction.

— D'accord.

— Je t'en prie, pas sur ce ton.

— Bon, fit-elle. Ta famille, je la connais. Et je sais comment vous fonctionnez, tous. Donc, à l'heure qu'il est, je ne peux pas espérer grand-chose, hein ?

Il tendit la main, prit le verre de Sigrid et en but une gorgée.

— Les histoires qu'ils peuvent faire, je n'arrive pas à y croire…

— Ah non, vraiment ?

— Non. Je veux dire, Ralph a perdu sa société, ce qui est très regrettable, mais pas franchement surprenant quand tu vois les airs supérieurs qu'il n'a pas arrêté de prendre avec sa banque, et les voilà qui réagissent tous comme si un enfant venait de se faire écraser. Je n'ai pas arrêté de répéter à ma mère « Maman, ce n'est qu'une histoire de boulot », et elle, elle s'est lamentée : « Oh, dans le climat actuel, il ne trouvera jamais rien d'autre, et puis ils ont cet emprunt sur la maison, ils n'ont pas les moyens, et papa et moi nous ne pouvons pas les aider, pas pour le moment, et Petra est anéantie... »

– Ah oui ? fit Sigrid.

– Ah oui quoi ?

– Petra, elle est anéantie ?

– Enfin, dit-il en haussant les épaules, quand j'en ai discuté avec elle, j'ai eu l'impression qu'elle réagissait à la Petra, comme toujours, en restant dans le flou, l'air pas franchement concernée, jusqu'à ce que tout pète et que quelqu'un leur trouve une solution.

– Ah, d'accord.

Edward tendit de nouveau la main pour lui prendre son verre. D'un geste adroit, elle le déplaça, pour le mettre hors de sa portée.

– Va chercher le tien.

Il soupira.

– Ce n'est pas tant Petra. Je veux dire, dans une certaine mesure, si, avec ses manières d'éternelle enfant, de gamine professionnelle, mais c'est aussi de voir mon père et ma mère paniquer, et Ralph au comble de l'impuissance, car il a le sentiment d'avoir géré tout ça tellement mal, ce qui est le cas.

Elle but une gorgée de vin, et lui proposa son verre. Il accepta, avec une expression de gratitude.

– Je les aurais étranglés avec joie, tous autant qu'ils sont.

– Tu as parlé à Luke ?

– Oui.

– Et ?

– Il est encore en pleine lune de miel. Dans sa tête, du moins. Il trouve que c'est un sale coup pour Ralph, et que c'est scandaleux de la part de la banque, mais que Ralph doit affronter la chose.

– Ce qu'il a fait, observa-t-elle.

Il but encore une longue gorgée du vin de Sigrid.

– C'est moi l'aîné, Sigi. J'estime devoir soutenir les parents et venir en aide à mes frères.

– Mais il y a des limites. Tu ne peux pas décider de leur existence à leur place, tu ne peux pas vivre leur vie à leur place, tu ne peux pas empêcher tes parents d'avoir les priorités qui sont les leurs.

– Tu veux parler de Petra.

– En partie seulement.

Il reposa le verre de vin et lui prit la main.

– Et puis, il y a la proximité géographique qui n'aide pas non plus. Le fait qu'ils vivent tous si près les uns des autres et qu'ils soient à ce point liés. J'ai dit une telle stupidité à maman…

– Quoi ?

– J'ai dit, poursuivit-il, l'air malheureux, je lui ai proposé, parce qu'elle m'expliquait qu'elle était vraiment sur les nerfs avec tout ça et qu'elle ne dormait plus, je lui ai dit de me laisser faire, que j'allais réfléchir et la rappeler demain, et tu sais comme elle peut jouer les dures qui ne pleurent jamais et tout ça, mais là, elle a pleuré, enfin, elle était presque au bord des larmes, et elle m'a fait « Oh, merci, mon chéri, merci », sur un ton qu'elle n'emploie jamais, et maintenant, voilà, je suis coincé avec toute cette histoire qui m'épuise et je ne vois pas comment je vais pouvoir trouver une idée un tant soit peu constructive d'ici demain.

Sigrid laissa retomber un silence, mais elle ne retira pas sa main. Au lieu de quoi, elle laissa son regard errer sur les alignements de photographies de famille, sous verre dans leurs cadres chromés, disposées au bord des rayonnages de la bibliothèque, ses parents sur leur bateau, ses parents en grande tenue pour une soirée officielle au Grand Hôtel de Stockholm, son frère en manteau de cuir et lunettes noires, dans une rue de Berlin, Mariella en tutu, sur un vélo, bébé dans son parc, sur une plage, Anthony et Rachel le jour du mariage d'Ed et Sigrid, ses frères et leurs épouses aux leurs, et les petits garçons de Ralph et Petra qui posaient devant la cheminée, avec un jeu de briques en bois multicolores. Puis elle revint à Edward.

— Je songe à une chose. Une chose que tu pourrais tenter.

Il soupira de nouveau.

— Quoi ? lui dit-il, découragé.

— Eh bien, Ralph, il est intelligent, non ? À Singapour, il n'a pas si mal réussi…

— Oui…

— Ils souhaitaient le voir rester.

— Oui…

Sigrid se déplaça vers le bord du sofa, s'apprêtant à se lever et à retourner en cuisine pour dîner.

— Eh bien, dit-elle, pourquoi ne lui proposes-tu pas un poste ?

Ce fut seulement bien plus tard, songeait-elle à présent, en retirant ses bottes pour chausser les sabots ergonomiques en plastique moulé qu'elle mettait pour travailler, qu'Ed lui avait avoué qu'à son avis, Ralph serait quelqu'un de très difficile dans le travail – si tant est qu'on puisse lui trouver quelque chose. Si difficile, en fait, qu'Edward n'était pas du tout certain de pouvoir le supporter. Et c'était à ce moment-là qu'elle avait perdu son calme. Elle lui avait dit quantité de choses sur son attitude envers sa famille, en l'opposant à son attitude à elle envers la sienne, et puis elle lui avait confessé qu'elle aussi, elle aurait du mal à travailler avec son propre frère, mais que si elle décidait de se jeter à l'eau, elle n'hésiterait pas, elle le ferait, un point c'est tout, ne serait-ce que pour des raisons familiales, et elle cesserait de se plaindre, comme tous les Brinkley, qui se plaignaient sans arrêt pour tout, parce que chez eux, tout était un drame, et ensuite, elle était passée dans la salle de bains, elle s'était enfermée et s'était regardée fixement dans le miroir, en se brossant les dents, en se disant que demain elle serait à son laboratoire, avec du travail devant elle, un travail intéressant, impersonnel et, même si elle devait supporter ce Philip, qui était tellement irritant, elle n'aurait pas de Brinkley dans les pattes, pas de conversations qui tournent en rond, et personne ne viendrait solliciter ses conseils à seule fin de mieux les ignorer ensuite.

Et elle était là, maintenant, chaussée de ses sabots, les cheveux noués, prête. Sur la paillasse, à côté de son accélérateur et de ses microscopes, dans une boîte hermétique enveloppée de papier sans acide, était posé un fragment de tissu d'époque médiévale que lui avait envoyé une importante église florentine, qu'elle considéra avec tout l'intérêt et tout le scepticisme d'une athée congénitale. Elle ouvrit la porte d'accès au labo, fredonnant presque en songeant à la journée qui l'attendait, dégagée de tous les miasmes des soucis familiaux, et vit, devant sa paillasse, carrément assis sur son tabouret personnel, la prunelle rivée à l'œilleton d'un de ses microscopes, Philip le rouquin.

Mariella appréciait les rares fois où son père l'emmenait à l'école. Cela lui plaisait que son père soit grand – plus grand que presque tous les autres papas – et elle aimait bien sa voiture noire avec son intérieur crème, et elle aimait bien pouvoir parler avec lui quand elle pouvait profiter de toute son attention. Une attention paternelle très éparpillée, pendant tout ce week-end, et du coup sa mère s'était montrée elle aussi très dispersée (même si elle ne l'aurait jamais admis), ce qui réduisait d'autant la portée de la menue victoire que Mariella avait remportée par la suite, avec l'épisode de la boulangerie américaine et des petits gâteaux. Elles y étaient allées, certes, mais Sigrid n'avait pas cédé de très bon cœur. Comme la plupart des enfants uniques, Mariella percevait les moindres nuances de l'humeur de ses parents.

– Papa, lui dit-elle en s'attachant à l'avant, à côté de lui, Ralph et Petra, ils ne vont plus avoir d'argent du tout, même pas assez pour des corn flakes ?

– Oncle Ralph, rectifia aussitôt son père, en la reprenant mécaniquement. Tante Petra.

– Petra m'a permis de l'appeler Petra. Qu'est-ce que tu fais quand tu n'as plus du tout d'argent, même pas assez pour t'acheter un tout petit morceau de fromage, tellement petit que ça ne suffirait même pas à une souris pour survivre ?

– Ils n'en sont pas là, lui répondit-il. Ils ont encore plein d'argent pour s'acheter du fromage et des corn flakes.

Mariella ouvrit grandes les mains. Elle avait une minuscule décalcomanie de marguerite bleue sur l'ongle de l'auriculaire de la main gauche, qu'elle avait eu l'audace de conserver pour sa journée d'école.

– Alors ça va aller ?

– Tout à fait.

– Tu nous bassines pendant tout le week-end, protesta-t-elle, et ensuite tu me dis qu'il n'y a pas de souci à se faire.

D'une main experte, Edward manœuvra pour s'écarter du trottoir et s'engager dans la circulation.

– Les choses ne sont jamais comme cela, tout noir ou tout blanc. Oncle Ralph va devoir trouver un autre travail.

– Pour quand il n'aura plus d'argent ?

– Enfin, oui, c'est un peu ça…

– Il pourrait être docteur, fit Mariella, ou présenter la météo. Ou alors il n'aurait qu'à travailler à la poste, vendre des timbres. Maman dit qu'il n'y a jamais assez de personnes qui travaillent à la poste, et qu'il y a des files d'attente qui sont épouvantables.

Edward ralentit à l'approche du premier feu rouge.

– Pour former un docteur, il faut six ans.

– Ouah, s'exclama-t-elle, admirative.

– Et pour devenir météorologue, il faut posséder un diplôme scientifique, et vendre des timbres, ça risque de ne pas rapporter assez pour leur permettre de subvenir à leurs besoins à tous.

– Petra n'aurait qu'à travailler, poursuivit Mariella. Comme maman. Maman dit que c'est bien pour les femmes qu'elles travaillent. Elle dit que la mère de Bella passe ses journées à se faire vernir les ongles.

– Je ne crois pas qu'elle ait dit ça…

Mariella rejeta ses cheveux en arrière et sentit sa natte d'écolière se rabattre dans sa nuque.

– En tout cas, c'était comme si elle allait le dire.

– Elle l'a peut-être juste pensé.

Mariella regarda par la fenêtre de la voiture, en silence.

– Ou alors c'est toi qui l'as pensé, ajouta-t-il, quand tu as vu la mère de Bella, et ensuite tu t'es aperçue que tu l'avais dit.

Mariella examina son décalque à la marguerite.

– Tu ne crois pas qu'on devrait passer le week-end prochain à faire à manger et à tout mettre dans un panier et ensuite on irait en voiture dans le Suffolk le donner à Ralph et Petra ?

– C'est une très jolie idée, ça.

– On va demander à maman ?

– D'accord.

Mariella jeta un regard à son père.

– Si vous n'aviez plus d'argent, maman et toi, papa, il faudrait me le dire. D'accord ? Tout de suite.

– Vraiment ? Pourquoi ? Suppose qu'on veuille te protéger ?

Mariella eut un petit rire étranglé.

– Si je ne sais rien, alors je ne peux rien y faire, hein ?

Elle tapa de son talon dans le tapis en caoutchouc qui protégeait la moquette sous ses pieds.

– Ça, ce n'est pas de la protection.

– Ah ?

– Non, insista-t-elle avec fermeté. C'est juste débile.

À l'heure du déjeuner, Edward téléphona à Sigrid. Il lui évoqua sa conversation avec Mariella, il ajouta, espérait-il, qu'elle passait une bonne journée, loin de toute provocation d'origine humaine, et qu'il allait parler de Ralph à son directeur général, car même si la banque n'était pas trop en position d'embaucher, il y avait tout de même quelques opportunités au sein de l'équipe d'analystes. Sigrid lui raconta, au sujet de Philip.

– Et il m'avait apporté des fleurs.

– Quoi ? Des fleurs ?

– Des bleuets. Plutôt jolis, d'ailleurs.

– Que Philip aille se faire foutre…

– J'étais tellement furieuse, fit Sigrid. J'étais dans une telle colère qu'il s'imagine me désarmer, comme ça, avec des fleurs. Je les ai mises dans un mug, dans le petit coin où je prends parfois mon déjeuner. J'espère qu'il saisira le message.

– Tant qu'elles ne te plaisent pas…

– Ah, mais si, elles me plaisent, protesta-t-elle. Seulement, ce qui me déplaît, c'est qu'il me les ait offertes.

– Je suis vraiment désolé pour ce week-end, lui dit-il.

– Ça va.

– Mariella veut qu'on prépare des cookies et des trucs pour Ralph et compagnie.

– Au moins, elle a le sens pratique, remarqua-t-elle.

– Et j'essaie, moi aussi. Juste une réflexion…

– Quoi ?

– Je comprends tout à fait ce qui t'a poussé à me dire un certain nombre de choses que tu m'as dites, hier soir, et tu avais raison sur presque tout, mais…

– Mais quoi…

– C'est beaucoup plus facile de rester détaché et de se conduire en adulte par rapport à sa famille si la famille en question vit bien protégée dans un autre pays. C'est tout.

– C'est un jugement ?

– Non, fit-il, c'est une observation.

– Alors tu n'as pas eu le ton juste.

– Sigi…

– J'aimerais voir ma famille, continua-t-elle, davantage que je ne la vois. J'aimerais avoir la chance de pouvoir m'agacer autant à cause d'eux que toi à cause de la tienne.

Il y eut un bref silence.

– À plus tard, ajouta-t-il ensuite rapidement.

Et il raccrocha.

Les collègues de Sigrid – trois jeunes filles, un homme compétent, d'âge mûr, et Philip – déjeunaient dans le cagibi qu'elle avait décoré de son mug de bleuets, ou ils étaient sortis. Afin de prévenir toute ingérence supplémentaire en son absence, elle écrivit un mot – *À ne toucher sous aucun prétexte, s'il vous plaît* – et le cala sous une agrafeuse, sur sa paillasse, puis elle sortit du labo, récupéra ses bottes et s'accorda une demi-heure dans un café, le temps de se remettre les idées en place – et l'humeur avec. Lorsqu'elle passa devant le cagibi, Philip leva le nez de sa barquette de salade de pâtes qu'il mangeait avec une fourchette en plastique, mais sans prononcer un mot. Elle osait espérer avoir réussi à lui imposer le silence, à lui aussi.

Marchant d'un pas vif, elle traversa Tottenham Court Road et se dirigea vers Charlotte Street, et le salon d'un hôtel où elle aurait la certitude de trouver un café, un sandwich et les quelques instants de paix dans l'anonymat que lui offrirait un lieu public. L'hôtel était branché, mais sans agressivité, et l'essentiel de l'animation se concentrait dans la partie brasserie. Elle vit de la place dans un coin, s'installa dans un fauteuil à accoudoirs, commanda un sandwich au saumon fumé, chaussa ses lunettes et ouvrit un livre, une manière de dissuader toute intrusion – il y avait toute une variété d'hommes qui se figurait apparemment que la blonde qui s'installait seule dans un bar ou un salon d'hôtel était là comme un paquet-cadeau, tout exprès pour se faire ramasser – et elle s'efforça de remettre de l'ordre dans ses pensées.

Ce n'était pas qu'elle n'appréciait pas la famille d'Edward, se dit-elle ; là-dessus, elle était très ferme. Elle les avait toujours appréciés, depuis cette première visite dans le Suffolk, quand Ed avait voulu montrer à ses parents cette belle prise sur laquelle il avait mis le grappin, et elle s'était habituée à eux. Elle avait grandi dans un appartement au premier étage, dans un bon quartier de Stockholm, au milieu d'un mobilier moderne et dépouillé, avec ici ou là quelques meubles élégants d'époque gustavienne hérités de la mère de son père. De ce fait, le côté coloré et spacieux de la maison d'Anthony et Rachel, sur cette côte sans relief du Suffolk, l'avait énormément surprise. Mais à présent elle s'y était habituée, autant qu'à la cuisine roborative de Rachel, à l'énergie affectueuse d'Anthony et à cette conviction qui était la leur que quiconque entrerait du monde extérieur dans cette famille accepterait comme une évidence d'adhérer à la façon de penser et d'agir des Brinkley – puisqu'il n'y avait rien de mieux que leur façon d'exister.

Son sandwich arriva, sur une assiette carrée en porcelaine blanche, garni de pousses de haricots en forme de fronde. Elle contempla son assiette. Du poisson fumé. Ses parents en mangeaient sans doute au moins une fois par jour. S'ils vivaient à Stockholm – Edward, Mariella et elle –, ferait-on pression sur eux, en silence, mais avec fermeté, pour qu'ils en mangent tous les jours, eux aussi ? Ses parents, si préoccupés de leur propre existence et de leur vie professionnelle, mais sans du tout le montrer, insisteraient-ils pour que Sigrid et sa famille mènent la leur en respectant les mêmes règles et en nourrissant les mêmes attentes qu'eux ? Edward avait-il raison ? Avait-elle en un sens idéalisé ses parents parce qu'ils étaient bien tranquilles en Suède, et pas ici, dans leurs pattes ? Elle prit une bouchée de son sandwich. Était-elle injuste ?

Elle se redressa contre le dossier de son fauteuil, et

ferma les yeux en mâchant. Je suis ici, en Angleterre, depuis quatorze ans, songea-t-elle. Je suis à Londres depuis douze ans. J'aime vivre ici, j'aime Londres, j'aime l'Angleterre, je n'ai aucune envie de retourner à Stockholm. Mais – et là, elle respira à fond, comme pour se donner l'énergie d'aller au bout de sa pensée –, même si Edward, Mariella, la plupart des gens que je rencontre et avec lesquels je travaille ne me considèrent pas comme quelqu'un d'extérieur, pour mes beaux-parents, en revanche, je reste une étrangère. Pour eux, je suis « Notre belle-fille suédoise ». J'ai beau être la bienvenue, on a beau faire en sorte que je me sente comme chez moi et m'inviter pour aider Rachel en cuisine, je reste toujours plus ou moins une étrangère, celle qui a fait main basse sur leur fils avant qu'il ne puisse rencontrer une Anglaise, et qui l'a épousé ailleurs, pas chez eux, et selon un rituel qui n'était pas le leur. Et rien ne pourra jamais changer cela, parce que je suis née en Suède, et si bon que soit mon anglais – et mon anglais est bon –, je le parle avec un léger accent chantant, comme le parlent les Suédois, et donc chaque fois que j'ouvre la bouche, je ne peux que le leur rappeler.

Et puis il y a Petra. Petra ne me gêne pas. J'ai beaucoup de tendresse pour elle, en réalité. Elle n'est peut-être pas la personne avec laquelle je suis le plus naturellement faite pour m'entendre, mais elle ne crée jamais de difficultés, elle n'est ni jalouse, ni possessive, ni désagréable, en fait elle est délicieuse, à sa manière singulière, Mariella l'adore et elle adore l'aider à s'occuper de ses deux garçons. Mais on la traite différemment de moi. Rien n'est dit, mais tout est dans l'attitude. Petra est une Anglaise, Petra est une artiste, Petra n'a pas de famille pour la soutenir ou veiller sur elle, Petra peut leur appartenir, ils peuvent la façonner à leur idée et l'inciter à penser comme eux. Mais ce qu'ils oublient, se dit-elle subitement, avec colère, c'est que chaque fois qu'ils attirent Petra un peu plus à eux, ils créent un peu plus de distance entre eux et moi, et, parce que je n'ai pas de famille dans ce pays, cette distance, je la ressens, et dès que je la ressens, cela m'inspire quelquefois de la froideur envers Edward, un moyen pour moi de les punir à travers lui, et ensuite je me sens désolée, furieuse contre moi-même et contre eux, et je finis en larmes dans des salons d'hôtel, où je n'arrive même pas à avaler un sandwich hors de prix.

Elle rouvrit les yeux, renifla, se redressa bien droite et sortit un paquet de Kleenex de son sac à main. Elle se moucha avec vigueur. C'était ridicule. Elle était une grande fille, elle était une scientifique, une épouse et une mère. Ses beaux-parents étaient anglais, certes, mais ils ne manifestaient aucune animosité envers elle. Elle avait une maison ravissante, suffisamment d'argent, et un mari et une fille qui ne juraient que par elle. Son rôle à elle consistait à soutenir Edward dans les situations de crise familiale, surtout quand, en tant que fils aîné, il sentait tout le monde se tourner vers lui dans l'espoir d'une solution, alors qu'il n'en voyait aucune. Ce n'était pas son rôle de l'isoler, de refuser de l'aider ou de l'écouter, pour ensuite lui crier dessus quand il mettait le doigt sur une plaie à vif qu'elle avait en elle, ce qu'il ne faisait jamais par malveillance – mais non, simplement, comme c'était un homme, il était parfois maladroit.

Elle prit son sandwich. Il restait un autre aspect à prendre en compte. Il y avait Charlotte. La superbe Charlotte, la petite dernière de la famille, qu'ils dorlotaient manifestement tous comme un bébé, surtout sa mère qui, depuis la mort du père de Charlotte, s'était consacrée à ses rôles de mère et de grand-mère. Comment

Rachel et Anthony s'entendraient-ils avec Charlotte ? Comment Luke leur résisterait-il, pour la défendre, si c'était ce qu'elle attendait de lui ? Comment Luke allait-il se débrouiller, et préserver un équilibre face à toutes les attentes des Brinkley ? Et quelle relation Charlotte nouerait-elle avec Petra, et la place que Petra occupait au milieu de la famille Brinkley ? Sigrid avala sa bouchée. En un sens, de penser à Charlotte, elle se sentait mieux, moins exclue, plus à même de considérer cette situation comme quelque chose de parfaitement supportable. Elle se moucha de nouveau, se lissa les cheveux et chercha des yeux une serveuse qui lui apporterait un café.

Il y avait un homme, là, debout devant elle. Il avait à peu près son âge, en costume sombre, un verre de vin dans une main et une bouteille dans l'autre. Il portait aussi en bandoulière une besace en cuir noir et, de la main qui tenait le verre, il désigna d'un petit geste le fauteuil voisin de celui de Sigrid.

– Cela vous ennuie si je me joins à vous ? fit-il.

Elle lui lâcha son sourire minimum.

– Non, merci, lui répondit-elle. Je suis sur le point de téléphoner à ma mère, en Suède. Et ensuite à ma belle-sœur. Cela répond à votre question ?

Mariella était assise sur les marches. Elle avait failli se rendre dans la cuisine, sous prétexte d'avoir quelqu'un à qui réciter sa liste de mots, en réalité pour coincer sa mère juste avant qu'on ne l'envoie prendre son bain, mais elle en avait été dissuadée en découvrant ses deux parents qui s'y trouvaient déjà, étroitement enlacés.

Quand Mariella était plus petite – bien plus petite –, elle détestait tomber sur ses parents en train de s'embrasser sans elle, et elle s'était toujours immiscée de force, entre eux deux, pour être au centre de leur attention, au lieu de les laisser se consacrer l'un à l'autre. Mais là, elle avait beau être soulagée de les voir dans une attitude indiquant qu'ils n'étaient sans doute pas au bord du divorce, Dieu merci, elle aurait préféré qu'ils en finissent et se conduisent un peu normalement, parce que franchement c'était un peu gênant, et elle se sentait bizarre. Aussi avait-elle battu en retraite vers cette marche d'escalier, avec son jeu des figures confectionné avec du fil de laine violette, comme on le lui avait montré à l'école, et elle chantonnait toute seule, histoire de couvrir les bruits troublants qui pourraient venir de la cuisine, comme par exemple le bruit des baisers, lorsque le téléphone de la console de l'entrée sonna.

– J'y vais ! cria-t-elle.

Elle abandonna précipitamment son perchoir et fonça au bout du couloir pour s'emparer du combiné. Quand elle décrochait, elle était censée dire « Vous êtes au domicile des Brinkley », au lieu de quoi elle disait toujours « Allô ? », sur une note ascendante, imitant en cela ses parents.

– Mariella ?

– Oui…

– Mariella, c'est Charlotte.

Mariella réfléchit.

– Charlotte ! Ta nouvelle tante, Charlotte.

– Oh ! s'écria Mariella, radieuse. Oh, salut.

– Tu étais tellement mignonne en demoiselle d'honneur, fit Charlotte. Tu étais magnifique. Tout le monde me l'a dit. J'ai beaucoup apprécié que tu sois ma demoiselle d'honneur. Que vas-tu faire de ta robe ?

– Maman dit qu'elle ne sait pas, lui répondit Mariella, en toute sincérité. On ne peut pas vraiment sortir faire du roller en robe de soie rose, hein ?

– Elle a dit ça ?

– Ah oui, fit Mariella.

– Ah.

Mariella retourna s'asseoir sur les marches, avec le téléphone. Et elle continua, sur le ton de la confidence :

– Tout le monde est drôlement inquiet pour Ralph et Petra, maintenant.

– Oui, admit Charlotte, hésitante.

– Papa dit qu'ils ont assez de sous pour s'acheter les petites choses, par exemple les céréales, mais pas les grosses. On va leur préparer un tas de trucs à manger et tout leur apporter ce week-end. Tu vas venir ?

– Non.

– Pourquoi non ?

– Nous allons voir ma mère, lui expliqua Charlotte. Tu te souviens de ma mère ?

– Oui.

– Bon, elle organise un grand déjeuner pour Luke et moi, ma grande sœur Fiona et son mari, et mon autre grande sœur Sarah et son mari, et toutes les petites filles qui étaient mes demoiselles d'honneur, avec toi.

Mariella s'installa plus confortablement.

– Alors ça va être une fête ?

– Oui, fit Charlotte. Ma famille adore les fêtes. Nous en organisons chaque fois qu'on peut. Quand tu viendras à notre prochaine fête, tu pourrais porter ta robe de demoiselle d'honneur, non ?

– D'accord, fit Mariella.

– Ta maman est là ?

– Eh bien, elle est là, mais elle est occupée à faire des choses avec papa.

Ce qui fit un peu pouffer Charlotte.

– Ils auront bientôt fini. Ils sont juste dans la cuisine.

Cela fit rire Charlotte.

– Ne les interromps pas…

– Non, c'est gentil, merci, fit Mariella.

– Tu pourrais transmettre un message à ta maman ?

– D'accord.

– Pourrais-tu lui dire que nous aimerions beaucoup les recevoir, comme elle l'a suggéré, un de ces jours. On serait ravis. Mais pour le moment, nous n'avons pas une minute, nous sommes débordés, c'est tout juste si on trouve le temps de se brosser les dents…

Elle avait l'air un peu surexcitée, songea Mariella, comme si elle ne respirait pas normalement.

– Je vais lui expliquer.

– Merci, lui dit Charlotte, merci. Embrasse-les pour moi. Non, embrasse-les pour nous. Bye !

Mariella raccrocha, et elle resta assise, à contempler le combiné un petit moment. Puis elle releva la tête et appela dans la cuisine.

– Maman ! Charlotte est trop occupée pour te voir en ce moment, mais elle te verra dans pas longtemps !

Là-dessus, elle démêla son jeu de figures, se le retira des doigts et monta lentement l'escalier menant à sa chambre, en chantonnant une chanson polissonne qu'ils avaient inventée à l'école, une chanson sur un de ses professeurs, et qui était censée rester un secret absolu.

Chapitre 5

Quand Ralph avait ses humeurs, il valait mieux ne pas être là, Petra l'avait compris. Elle percevait ses humeurs comme un brouillard, ou une épaisse fumée, dérivant en silence sous les portes fermées de son bureau et s'infiltrant dans chaque recoin de la maison, de sorte que toutes les pièces finissaient par en être envahies, affectées, et même Barney, qui était la bonne humeur et la franchise incarnées, la regardait avec des yeux inquiets et une lèvre inférieure hésitante. En de telles occasions, elle l'avait découvert, la meilleure chose à faire consistait encore à sangler Barney dans son Buggy, à réunir tout l'attirail nécessaire pour le nourrir, à changer les deux garçons et à partir en silence, sans laisser de petit mot, sans claquer la porte, une sortie rapide, sans drame, anonyme, et rien d'autre.

L'hiver, elle se dirigeait en général vers High Street – en passant devant tous ces cottages qui portaient des noms de bord de mer, Shrimper's Cottage, Mermaid Cottage, Gull Cottage –, parce que Kit adorait les vitrines des magasins. Elle n'achetait presque jamais rien, surtout parce qu'elle n'avait jamais contracté la manie du shopping, mais elle aimait faire du lèche-vitrines, en réglant son allure sur celle de Kit, passer devant le minuscule courlis en céramique derrière la petite vitrine de la galerie, proposé au prix faramineux – pour elle – de deux cents livres, et le dentiste dont la plaque affichait une sirène plantureuse accrochée au mur, aux airs de sainte-nitouche, brandissant une brosse à dents et négligemment allongée sur une bouche à la dentition immaculée, et la pharmacie qui vendait des seaux et des pelles, l'été, jusqu'à la boutique d'ambre où Kit bavait devant les phoques et les éléphants miniatures sculptés dans un ambre couleur de sucre d'orge. Et ensuite, ils se traînaient sur le trottoir d'en face, et restaient une éternité devant la boutique de bonbons, qui était immense, avec ses friandises enveloppées de papier argenté dans une vitrine à travers laquelle on pouvait voir de jolis bocaux sur des étagères blanches, et plus de sucreries que l'on n'aurait jamais pu en rêver, ce qui ravissait tout particulièrement Barney. Face à cette devanture, il restait muet. Il redressait juste la tête, dans sa poussette, les bras et ses petites mains potelées tendus vers la vitre, envoûté, comme s'il se prosternait devant un autel.

Mais en été, comme en ce moment, leurs promenades les conduisaient dans la direction opposée. Ils sortaient de leur bout de jardin, devant la maison – Kit remarquant chaque fois avec tristesse que leur maison n'avait pas de nom, juste un numéro, le 31 –, et ils dépassaient l'école primaire où ils s'arrêtaient toujours pour lui laisser le temps d'admirer, à hauteur du pignon, le bas-relief d'un bateau en haute mer et la palissade construite en crayons de couleur géants qui divisait la cour en deux, et ensuite ils continuaient, très lentement, à cause de tout ce qu'il fallait examiner de près sur leur chemin, jusqu'à l'allée piétonne de King's Field qui menait au jardin ouvrier de Petra.

La visite au jardin, Kit approuvait. Il aimait bien les drapeaux que plantaient les autres occupants de ces jardinets, par patriotisme, et il aimait bien le petit appentis de

Petra, où elle rangeait ses outils, les buissons de sureau et de lilas en surplomb, et ce portillon si particulier que l'on franchissait pour y accéder depuis l'allée. Il gardait quelques jouets dans l'appentis, une pelle en plastique, un camion-poubelle, un tracteur, et il les en sortait avec un air sérieux, professionnel, pendant que Petra installait Barney avant d'aller chercher une binette et de redresser les tuteurs de ses plants de haricots. Petra se le répétait souvent, et elle le faisait parfois observer à Ralph – même s'il était difficile de savoir ce qu'il en retenait –, Kit semblait très content d'être avec elle dans ce jardinet, et il paraissait libéré de presque tous les soucis et de presque toutes les appréhensions qui hantaient ses journées.

– Peut-être, avait-elle confié à Ralph, qu'il aime bien se trouver dans un endroit abrité. Il aime savoir où se situent les limites.

Ralph avait lâché un petit jappement de rire.

– Alors c'est qu'il n'est pas comme moi…

Mais personne n'était tout à fait comme Ralph, songeait-elle, en inspectant sous les feuilles raides et râpeuses à la recherche de nouvelles courgettes. À part son allure, c'était cela qu'elle avait apprécié chez lui, la première fois qu'elle l'avait vu ; elle avait aimé qu'il soit différent, le fait qu'il vienne d'un milieu chic, mais qu'on ne l'aurait jamais deviné à sa manière de parler, de s'habiller ou de penser. Après tout, il avait été banquier, en costume cravate, et même, lui avait-il avoué, les ongles manucurés parce que son bureau de Singapour exigeait que vous preniez soin de vos mains, car elles étaient bien visibles lors des réunions, et les ongles rongés ou les peaux en lambeaux donnaient l'impression d'un manque de professionnalisme.

Enfin, à l'heure qu'il était, chez Ralph, tout était un peu en lambeaux. Il aurait eu grand besoin d'une coupe de cheveux, il se rasait à la va-vite, et c'était pire que s'il n'était pas rasé du tout, et il portait le même T-shirt tous les jours, à moins que Petra ne le ramasse et ne le mette dans le lave-linge. Cela ne l'ennuyait pas que Ralph ait l'air en désordre – le désordre faisait partie de sa manière à elle, de sa manière naturelle de penser –, mais malpropre et débraillé, c'était une autre histoire. Et même si Ralph avait été le genre d'individu que l'on aurait pu réprimander ou essayer de changer, il n'était pas dans la nature de Petra de s'y risquer, et puis elle sentait bien, quelquefois, qu'il était l'être humain le moins susceptible de changer qu'elle ait jamais rencontré de sa vie.

Rachel avait souvent essayé de lui parler de cet aspect de sa relation avec Ralph. Elle se montrait compréhensive envers Petra, cette dernière le savait, et elle était désireuse de l'aider et même d'adoucir certaines des exigences qui s'imposent quand vous partagez votre vie avec quelqu'un qui serait capable de pousser l'insensibilité à des sommets. Mais Petra, qui, avant d'avoir des enfants, n'avait jamais éprouvé la moindre parcelle de possessivité, avait conscience de devoir faire preuve de gratitude envers Rachel, d'avoir au moins cette obligeance-là, en se souciant de comment allait Ralph, plus encore qu'elle ne s'en souciait déjà. Elle ne voulait pas se mêler de sa manière d'exister ou de gagner de l'argent pour qu'ils aient de quoi vivre. Elle n'avait pas l'intention de le changer, pas plus qu'elle n'avait envie qu'il l'oblige à changer, elle.

Sauf que – enfin, maintenant, elle avait changé. D'avoir eu Kit et Barney, ça l'avait changée. Désormais, des choses qu'elle n'aurait jamais trouvé inquiétantes la perturbaient, des choses ordinaires comme le besoin de sécurité, la fatigue ou de pouvoir partager de fragiles petits fardeaux, comme cette tendance qu'avait Kit à être malheureux. Elle ne savait pas si c'était à cause des hormones et du fait d'être mère, ou parce que le souci que Rachel et Anthony se faisaient pour elle l'avait contaminée, en l'amenant à croire que certaines réalités comptaient, alors que ces réalités-là n'auraient jamais compté si on les avait laissées là où elles étaient. Ce qu'elle savait juste, et elle en avait le cœur gros, en couchant des courgettes à la peau toute luisante en rang sur le bandeau d'herbe qui bordait son jardinet, c'était que les problèmes actuels de Ralph, ses soucis d'argent et de travail, et l'inquiétude vive, pressante, de sa famille, lui pesaient comme rien, jamais, ne lui avait pesé, et ça lui nouait l'estomac, et ça lui tenaillait l'esprit, et ça la poussait à considérer ses enfants comme si son unique devoir, son devoir le plus impérieux, était de les protéger de tout danger.

Et puis Ralph refusait de lui parler. Avec les enfants, il n'avait pas changé, toujours affectueux et s'intéressant même à eux, à sa manière, par intermittence, mais il refusait de discuter de ses problèmes professionnels avec elle. Petra qui, avant de rencontrer les Brinkley, n'avait jamais eu de compte bancaire, savait que la banque avait privé son mari d'une facilité sans laquelle il ne pouvait pas fonctionner, et il devait sans doute s'agir d'un prêt, mais elle ne savait pas pourquoi ce refus provoquait un tel désastre, ni de quelle ampleur était ce désastre. Quand elle envisageait l'éventualité d'avoir à quitter leur maison, elle ne ressentait que de la peur à l'idée que Kit et Barney perdent l'environnement familier de cette chambre qu'ils partageaient, mais quand elle avait essayé d'exprimer cette inquiétude à Ralph, il s'était contenté de lui répondre, en la regardant à peine :

– Tu peux toujours aller chez maman, non ? Emmener les garçons vivre chez papa et maman.

Elle se redressa, et tourna la tête vers l'autre bout du jardin. C'était une journée lumineuse, un ciel digne d'un conte pour enfants, avec ses petits nuages tout blancs tout dodus festonnant une vaste étendue d'un bleu qui avait de quoi rasséréner. Accroupi à côté de son camion, Kit remplissait la benne de cailloux qu'il empilait soigneusement, un par un. Barney s'était endormi à l'ombre pommelée d'un lilas bleu, les mains confortablement croisées sur le ventre comme une caricature d'échevin municipal. C'était charmant, paisible, un mélange d'assouvissement et de sécurité. Elle baissa les yeux sur ses baskets, sur la tache à l'endroit où Barney avait laissé tomber un biscuit au beurre face contre terre. Tout cela était parfait, mais elle était aussi forcée d'en percevoir toute la fragilité, le côté temporaire, susceptible d'être anéanti par l'idée de rentrer à la maison et d'y être accueillie par la fureur silencieuse de Ralph, fureur dirigée contre lui-même, de n'avoir pas su les protéger, tous les trois. Le cœur soudain serré de nostalgie, elle se demanda ce qu'il était advenu de la sérénité qui était la sienne quand elle n'avait que cinq livres en poche et rien d'autre qu'un cours de dessin en perspective.

Elle traversa le jardin et s'accroupit près de Kit.

– C'est pour quoi faire, ça ?

Il ne la regarda pas.

– Pour faire un mur.

– Quel genre de mur ?

Il continua d'entasser.

– C'est pour que les méchants n'entrent pas.

– Quels méchants ? Qui est-ce qui t'a parlé des méchants ?

Kit haussa les épaules.

– Il n'y a pas de méchants, insista-t-elle.

Elle se pencha vers lui.

– Il n'y a pas de méchants. Et s'il y en avait, je veillerais sur toi. Je ne les laisserais pas entrer.

Il lui lança un bref coup d'œil et continua avec ses cailloux.

– Je suis désolée, reprit-elle, mais il va falloir qu'on y aille, maintenant. Il faut qu'on rentre à la maison…

Il se leva brusquement. Il arma son pied droit et tapa dans son camion, si fort que les cailloux se répandirent sur le carré de fraises de Petra, au milieu des tuteurs qui maintenaient ses pois de senteur.

– NON ! hurla-t-il.

À leur retour à la maison, Rachel se trouvait dans leur cuisine. Ralph était là, lui aussi, avec sa barbe naissante et son T-shirt habituel ; il avait préparé un mug de thé pour Rachel, et il en tenait un en main, avec l'air de celui qui veut se montrer poli et rien d'autre. Sur la table de la cuisine, encore encombrée des restes du petit déjeuner des enfants, il y avait de la moussaka dans un plat en terre cuite, un Tupperware de nectarines et un gâteau au chocolat constellé de Smarties.

– Les garçons ! s'écria Rachel.

Elle posa son mug et contourna la table à toute vitesse, embrassa Kit et souleva Barney de sa poussette. Elle le maintint en hauteur, de manière à ce qu'il puisse découvrir le gâteau.

– Regarde ! s'écria-t-elle. Regarde ! Regarde ce que mamie t'a apporté !

Barney se laissa basculer sur le bras de sa grand-mère et se pencha vers la table.

– Où est papy ? demanda Kit.

– Il peint, fit Rachel. Qu'est-ce que tu croyais ? Papy est toujours en train de peindre, hein ?

– C'est gentil, fit Petra. Je veux dire, toutes ces choses à manger…

– En réalité, on ne manque de rien, fit Ralph.

– Eh bien, fit Rachel, en secouant un peu Barney, après ce week-end, vous ne risquez pas. Mariella est occupée à cuisiner pour vous. Elle m'a téléphoné pour me prévenir. Elle s'est lancée dans un vrai culinathon, et ils vont vous apporter tout cela dimanche.

– Mariella va venir ? s'étonna Petra.

Ralph esquissa un geste pour reprendre Barney des bras de sa grand-mère.

– Maman, nous ne sommes pas des réfugiés, tu sais…

D'un coup, Barney se retourna, pour ne pas perdre le gâteau de vue.

– Non, bien sûr que non. Mais un peu de provisions, ça ne fait jamais de mal. N'est-ce pas, Barney ?

– Qui va venir ? insista Ralph. Ils viennent tous ?

– Eh bien, fit sa mère, avec une insistance légèrement menaçante, Ed et Sigi, Mariella. Mais pas Luke et pas Charlotte.

– Ah, et pourquoi pas eux ? lâcha son fils, sarcastique. Pourquoi ne viennent-ils pas, pourquoi n'apporteraient-ils pas des fringues dont ils ne veulent plus, et des vieilles couvertures et des jouets à moitié foutus ?

– Ne crée donc pas de difficultés, lui dit sa mère. Ils ne viennent pas parce que la mère de Charlotte organise un déjeuner…

– Et alors ?

– Luke, ajouta sa mère, est attendu là-bas.

Kit se dressa sur la pointe des pieds, en se tenant au rebord de la table. Tranquillement, lentement, il enfonça le doigt dans le gâteau au chocolat jusqu'à la première phalange.

– Kit !

Il ne réagit pas, se contenta de rester piqué là, le doigt dans le gâteau. Rachel l'attrapa et l'attira vers elle. Petra laissa échapper un petit cri, presque un sanglot, et s'enfuit de la pièce. Rachel regarda Ralph par-dessus la tête de Kit.

– Tout ça, pour elle, c'est trop…

– Forcément, jeta Ralph avec férocité, vous vous comportez tous comme si c'était la fin du monde.

Rachel ne commenta pas. Témoignant une connaissance des lieux qui fit s'exclamer Ralph dans un souffle et força un Barney très inquiet à scruter le visage furibond de son père, à dix centimètres du sien, elle ouvrit un tiroir, et en sortit un long couteau.

– On va le découper comme il faut, proposa-t-elle à Kit, tu veux ? On va le découper et ensuite, Barney et toi, vous pourrez en avoir un bout.

– Un bout énorme, rectifia Kit.

– La formule magique ?

– Un bout géant ! rectifia Kit.

– Ce ne serait pas plutôt « s'il te plaît », la formule magique…

– S'il te plaît, fit-il.

Barney se rua vers son père, qui le serra dans ses bras.

– Ça va, Barney-kiki, promit sa grand-mère, il y aura du gâteau pour toi aussi.

Ralph tira une chaise et s'y assit, en faisant barrage du bras à Barney.

– Tu ne ferais pas mieux d'aller voir si Petra va bien ?

– Non.

– Ralph…

– Elle va bien. Elle reste dans son coin. Quand elle a besoin de rester tranquille dans son coin, elle reste tranquille dans son coin.

Rachel déposa deux tranches dans deux assiettes. Barney était cramoisi d'envie.

– Tu es sûr ?

– Oui, maman ! s'emporta Ralph.

Kit sursauta. Il lança à son père un regard fugace, terrorisé. Rachel le souleva, l'installa dans un autre siège et posa le gâteau devant lui.

– Ne hurle pas, répondit-elle à son fils.

– Ne me force pas à hurler.

– Là, Barney, là. Empêche-le juste d'ingurgiter toute sa part de gâteau d'un coup ! Rien ne presse, Kit chéri, essaie de manger lentement. En réalité, j'avais une raison de venir ici.

Ralph prit un morceau du gâteau de Barney et l'enfourna.

– Je me figurais, aussi.

– Cela concerne Petra.

– Ah oui ?

– De quand date son dernier dessin ?

Barney repoussa discrètement son assiette sur le côté, hors de portée de son père, et se pencha au-dessus, dans un geste protecteur.

– Je ne sais pas, fit Ralph. Ça fait des siècles, des mois, ça date d'avant Barney peut-être…

– C'est ce que nous pensions. Nous avons estimé que ce dont elle avait besoin, en cette période où tout est tellement incertain, c'était d'avoir l'occasion de dessiner. D'aller passer une journée à observer les oiseaux.

– Rien n'est incertain, protesta Ralph.

Sa mère ignora sa réponse. Elle se rendit à l'évier, en rapporta un torchon et, par petites touches, essuya le chocolat qui maculait le visage de ses petits-enfants.

– Nous pensions emmener les enfants, sans doute pour la journée, la semaine prochaine, comme ça vous auriez un petit moment à vous, Petra et toi, ou alors Petra aurait la possibilité d'aller dessiner un peu.

– D'accord, fit-il. Super. Merveilleux. Vous pourriez faire ça mercredi.

Barney tendit la main, arracha le torchon des mains de

sa grand-mère, et le lâcha froidement par terre. Ensuite, il plongea la tête la première dans le gâteau.

– Barney !

– Mercredi, alors ? fit Ralph, en redressant Barney, mais sans chercher à lui essuyer le visage.

– Pourquoi mercredi ?

– Parce que, fit Ralph, j'ai un entretien mercredi prochain.

– Mon chéri ! s'exclama sa mère. Fantastique ! Quelle nouvelle formidable.

– C'est un entretien, maman. Pas un boulot. Un entretien.

Il contourna la table et posa les deux mains sur les épaules de sa mère.

– Où est-ce ? Où est-ce, cet entretien ?

Il considéra Kit, qui avait décollé les Smarties de sa part de gâteau et les disposait sur le pourtour de son assiette. Il leva brièvement les yeux sur son père, comme pour vérifier qu'il n'y aurait plus de cris.

– À Londres, fit Ralph.

La première fois que Petra était allée chez Rachel et Anthony, étudiante au milieu d'un groupe d'étudiants, elle avait été émerveillée par cet endroit. Vue de l'extérieur, la maison paraissait si solennelle, avec ses vieilles briques et ses fenêtres aux contours blancs, mais l'intérieur dégageait surtout une atmosphère réconfortante, colorée, chaleureuse, avec ses volumes tout de guingois, ses sols penchés, des escaliers inattendus, des poutres apparentes et quelques lambris ici ou là. Elle avait été éblouie par l'atelier d'Anthony, par la cuisine de Rachel, par l'autorité placide qu'ils exerçaient l'un et l'autre sur leurs univers respectifs. Mais à l'époque, évidemment, lors de ses visites suivantes et jusqu'à ce que Ralph rentre de Singapour, elle s'y était toujours retrouvée seule avec Rachel et Anthony, comme si elle était leur seule et unique enfant, comme si on lui réservait le privilège d'être l'unique jeune personne en ces lieux qui avaient surtout existé pour engendrer et nourrir une famille. Aujourd'hui, en revanche, entre sa propre famille, les frères de Ralph et leurs familles, qui tous avaient tant de prétentions à faire valoir sur cette maison et ses principaux occupants, ses visites avaient perdu le côté luxueux qu'elles avaient eu par le passé, perdu toute signification personnelle. Parfois, maintenant, quand elle y allait, quand elle était sur place, elle en oubliait même de parler, elle oubliait de revendiquer son droit à ce qu'on lui adresse la parole, son droit d'y être prise en compte. Parfois, aussi, sur le trajet du retour chez eux, Ralph lui demandait : « Tu boudes ? »

Aujourd'hui, c'était exactement ce qui s'était passé. La maison était pleine de gens, un vrai vacarme. Mariella, arborant une mèche de cheveux soigneusement tressée de fils multicolores et des bracelets de perles aux chevilles, avait lâché un énorme panier de boulangère sur le sol du salon, et procédé à une espèce de cérémonial de bienfaisance, en sortant de ce panier des biscuits, des beignets et des gâteaux, sous les acclamations et les applaudissements de tout le monde. Sauf de Petra. Elle avait beaucoup d'affection pour Mariella, et elle avait été très touchée d'apprendre que cette manne de pain et de pâtisseries était entièrement son idée, qu'elle avait en partie elle-même réalisée, mais, en pareille compagnie enthousiaste et bruyante, elle se sentait tout simplement incapable de parler, car elle n'avait pas du tout la sensation d'être à sa place. C'était trop. Et puis Ralph avait son air buté, récalcitrant.

Et au déjeuner, c'était encore pire, si tant est que ce soit possible. Comme d'habitude, Rachel avait préparé un repas merveilleux, plantureux, et Kit avait mangé trois patates au four, avec du jus de viande, il en avait demandé une quatrième, et Rachel était enchantée. Et puis, quand on avait évoqué l'absence de Luke, et quand on l'avait évoquée de nouveau, et analysée, et disséquée, et quand on eut isolé la cause inévitable de cette absence (la mère de Charlotte), la conversation s'était orientée vers Ralph, et la perspective de cet entretien, à la banque d'Edward apparemment, et avec la complicité de ce dernier, et tout le monde était extrêmement content qu'il ait pu arranger la chose et non moins convaincu que Ralph s'en tirerait à merveille – après tout, il était tellement intelligent, n'est-ce pas ?

– Et si tu obtiens le poste ? avait fait Anthony.

– Qu'est-ce que tu veux dire, si j'obtiens le poste ?

– Bon, avait repris son père, le siège se trouve à la City, n'est-ce pas ? Tu ne peux pas faire l'aller-retour entre la côte du Suffolk et la City tous les jours. Non ?

– Mais si.

– Non, tu ne peux pas, était intervenue Rachel. Tu vas être épuisé. Tu ne verras jamais les enfants.

Et là-dessus Ralph avait répondu calmement, sans regarder ses parents, sans regarder Petra.

– Alors, on va devoir déménager, voilà.

Tout autour de la table, il y avait eu un brouhaha de réactions entremêlées, et il avait levé les deux mains, dans un geste d'autorité.

– Assez de conjectures ! s'était-il exclamé, très fort. Assez de discussions. Stop !

Et Petra avait eu la sensation très nette que, si elle reculait lentement sa chaise vers le mur, elle réussirait à se fondre dedans, disparaître, à passer au travers, à s'enfuir à l'air libre, de l'autre côté, vers la liberté, et personne – excepté Kit – ne remarquerait son absence.

– Tu boudes ? lui répéta Ralph, sur la route du retour.

– Non.

– Alors qu'est-ce qu'il y a ?

– Je suis sidérée.

– Par quoi ? Que j'aie obtenu un entretien ?

Elle jeta un regard par-dessus son épaule. Les deux garçons dormaient, chacun dans leur siège enfant. Barney avait la bouche ouverte.

– Non. Bien sûr que non.

– Alors quoi ?

– Tu as dit, tu as dit que nous devrions peut-être quitter le Suffolk.

– Non, rectifia-t-il, je n'ai pas dit ça. J'ai simplement dit que si je n'arrivais pas à supporter tous ces allers-retours, nous aurions éventuellement à déménager.

– Moi, je ne peux pas.

– Je ne te demande pas de quitter le Suffolk. On aurait toujours la solution de se rapprocher un peu d'Ipswich.

– Non.

– Tu as vécu à Ipswich. Tu connais Ipswich.

– C'était avant.

– Avant quoi ?

– Avant toi. Et les garçons. Et avant d'être au bord de la mer, et tout.

Sur trois ou quatre kilomètres, Ralph n'ajouta plus un mot.

– Il n'y a encore rien de changé, reprit-il enfin. Chaque chose en son temps, non ?

Petra regardait fixement par la fenêtre.

– Ça change sans arrêt. Je me plaisais à Shingle Street. J'ai fini par me faire à Aldeburgh. Je n'ai pas envie de devoir me faire à autre chose.

Il s'engagea dans leur petite rue.

– Il se peut que tu sois obligée.

Elle ne réagit pas.

Alors il répéta, plus fort, et en freinant brusquement :

– Il se peut que tu sois obligée.

– Non, fit-elle.

Plus tard, après avoir baigné les garçons et couché Barney dans son berceau, avec son mobile dinosaure au-dessus de sa tête, Petra lui annonça qu'elle sortait.

– Où ça ? lui demanda-t-il.

Il était en train de lire une histoire à Kit.

– Je vais juste au jardin…

Kit fit mine de s'extraire précipitamment de sous sa couette.

– Je veux venir…

Ralph le ceintura, pour le retenir.

– Non.

– Si, si, je veux…

– Non, fit Petra. Elle se pencha sur lui et, d'une caresse de la main, lui dégagea le front. J'y vais juste en vitesse. Toute seule. Je vais cueillir les fraises.

Kit fondit en larmes.

– Dès que je rentre, je viens te faire un bisou. On va voir si tu arrives à rester éveillé jusqu'à mon retour, on va voir si tu es capable de rester éveillé pendant tout ce temps.

– Reste avec moi, fit Ralph.

– C'est à moi que tu parles ?

– Non, je parle à Kit.

Petra se faufila hors de la maison, et prit l'allée. C'était une soirée douce et calme, sous la lumière abricot du soleil couchant, et un petit souffle d'air vif qui montait de la mer. Elle continua son chemin, dépassa l'école, puis traversa pour emprunter le passage qui descendait vers les jardins, et elle s'aperçut qu'elle avait oublié de prendre un récipient pour y mettre les fraises déjà mûres, se demanda si elle ne pourrait pas les ramasser dans une feuille de courgette, ou confectionner une sorte de poche avec le bas de son sweat-shirt. Avant d'avoir des enfants, elle n'avait jamais eu de sweat-shirt, elle n'avait jamais envisagé de porter un vêtement aussi commode, aussi confortable et aussi facile à laver. Elle n'en avait jamais eu besoin.

Un peu plus loin dans le chemin, il y avait un muret assez bas, au parapet plat, clôturant le jardin d'une maison sur laquelle elle fantasmait. Souvent, en rentrant du jardin, elle bloquait le frein de la poussette, elle asseyait Kit sur le muret, et ils regardaient cet autre jardin, tous les deux, et, comme cela lui arrivait fréquemment, elle avait le sentiment que Kit comprenait ce qu'elle ressentait, car il ressentait la même chose qui, du coup, revêtait un caractère d'évidence. En contrebas de ce muret, il y avait une pelouse qui rejoignait un grand bassin immobile bordé d'arbustes, dont certains avaient des feuilles vertes et violacées et, au-delà, le terrain était très pentu, formant une petite falaise au sommet de laquelle était perchée la maison. Ce n'était pas une belle maison, c'était juste une grande bâtisse accueillante, qui, du haut de son merveilleux emplacement, dominait le jardin et le terrain devant, avec une vue d'ensemble sur ces arbres magnifiques en contrebas et, au-delà, les marais et les roselières, et dans le lointain, la mer scintillante. Cette maison inspirait à Petra une sensation plus profonde encore que de la sérénité, la sensation d'être là, à sa place, d'un retour au foyer, d'un navire qui arrive enfin à bon port. Elle lui donnait en fait l'impression exactement inverse à celle que lui avait inspirée la maison de Rachel et Anthony, aujourd'hui. Rien qu'en la regardant, elle se sentait mieux, alors qu'elle ne lui appartenait même pas. Et qu'elle ne lui appartiendrait jamais.

Elle leva la tête vers le ciel, en clignant des yeux. Quelques oies croisaient à l'horizon, très loin, elle les entendit cacarder faiblement, et des hirondelles plongeaient dans l'air doux. Elle verrait ce qui arriverait après mercredi, se dit-elle, et au moins, maintenant, Ralph savait de quoi elle était capable, et ce qu'elle refuserait de faire, et qu'elle n'était pas si sotte, et pas si désarmée lorsque le soutien des autres dégénérait en une forme de suffocation. Elle respira plusieurs fois, profondément, les mains à plat sur le muret. Elle n'appartenait à personne, même pas à Kit et à Barney, pas plus qu'ils ne lui appartenaient. Elle avait beau s'être sentie couverte de gentillesses et d'attentes, et lestée du fardeau bienveillant de la reconnaissance, elle restait sa propre maîtresse.

Dans son carré de jardin, le camion-poubelle de Kit n'avait pas bougé de là où il l'avait expédié d'un coup de pied sur le flanc, avec tous ses cailloux répandus. Elle se mit à quatre pattes et regroupa les cailloux, les rassembla en un tas bien net, car la prochaine fois qu'il viendrait, il en aurait besoin, avec ce sérieux si propre à l'enfance. Ensuite, avec une feuille de patience, elle dépoussiéra l'engin, puis elle commença de cueillir des fraises, une par une, en les disposant en rangs dans la benne, avec leurs tiges vertes toutes orientées dans le même sens, car elle savait que cela plairait à Kit. Et quand elle eut fini de cueillir celles qui étaient mûres, elle sortit son canif de sa poche, coupa une grosse botte d'œillets de poète rouge sombre et zébrés de blanc et les coucha sur les fraises. Puis elle se releva et contempla le camion. C'était le spectacle le plus satisfaisant de sa journée, et le plus réparateur.

Chapitre 6

Comme d'habitude, Charlotte était rentrée avant Luke. Elle avait des horaires plus lourds, à la radio, mais réguliers, et quand c'était fini, c'était fini, quelqu'un d'autre venait prendre la relève et se charger, comme elle, d'accueillir et de guider les invités, d'apporter des tasses de café et des verres d'eau, de s'organiser pour que les taxis conduisent leurs visiteurs les plus importants là où ils devaient se rendre ensuite. Cela lui plaisait de savoir que nombre d'entre eux, parmi les hommes, et surtout les habitués, exigeaient expressément d'avoir affaire à elle ou faisaient toute une histoire (ce qui était toujours assez flatteur) lorsqu'elle n'était pas de service, et quand c'était Ailsa, une fille séduisante, mais petite et mince, et qui avait tendance à choisir des tenues vestimentaires plus classiques que celles de Charlotte. Parfois, naturellement, les invités allaient trop loin et réclamaient Charlotte de manière carrément sexiste, comme cet acteur connu, un jour, qui s'était exclamé d'une voix forte :

– Et où est-elle, notre merveilleuse Miss Bien Roulée ?

Mais la plupart du temps, c'était tout de même gratifiant de se sentir demandée.

– Tu es bien roulée, ça, c'est certain, lui avait dit la

productrice de l'émission de l'après-midi, sans détacher les yeux d'un tirage papier qu'elle tenait en main. Et il est bien dommage que, de ton côté, tu ne puisses pas lui retourner le compliment, qu'il est pitoyable et qu'il n'a franchement pas ce qu'il faut là où il faut.

– Oh, jamais je n'oserais…

– Je sais, lui fit encore la productrice, cette fois en levant le nez vers elle, tu n'oserais pas. C'est pour ça qu'on te supporte. Si tu n'étais pas si facile à vivre, on serait obligés de te détester.

Et là, debout dans sa salle de bains, elle déboutonna son chemisier et s'inspecta la poitrine. Depuis l'âge de treize ans, elle avait d'assez gros seins, mais là, n'avaient-ils pas encore grossi ? Et, quand elle dégrafa son soutien-gorge et appuya sur les côtés d'un geste un peu hésitant, n'étaient-ils pas légèrement plus mous, comme c'était parfois le cas juste avant ses règles ? C'est-à-dire, la dernière fois qu'elle avait eu ses règles. En réalité, elle n'avait plus eu ses règles depuis presque deux mois ; la dernière fois, c'était avant son mariage, quand elle avait procédé à certains calculs pour savoir si elle aurait ses règles le jour de ses noces ou – pire encore, ou presque – pendant sa lune de miel. Or, en fait, il se trouvait qu'elle n'avait plus eu ses règles depuis – elle prit le temps de calculer la date en comptant les jours sur le bout des doigts – près de huit semaines. Elle n'y avait pas trop prêté attention, ne sachant pas trop quoi penser ; elles avaient été tellement irrégulières depuis qu'elle avait cessé de prendre la pilule, et son médecin l'avait avertie de cette éventualité. Elle se regarda dans le miroir avec une sorte de crainte mêlée de stupeur, et, d'instinct, posa la main bien à plat sur son ventre.

C'était Luke qui lui avait suggéré d'arrêter la pilule.

Elle l'avalait presque sans y penser depuis la classe de première, au lycée, mais un soir, ils étaient attablés tous deux devant un curry vert thaï, et Luke, soudain très sérieux, lui avait dit en la contemplant qu'à son avis elle devrait laisser à son corps toutes les chances que lui offrait la nature et arrêter d'absorber des produits chimiques, si élaborés et si judicieusement dosés soient-ils. Il lui avait assuré qu'il serait très heureux d'endosser toutes ses responsabilités sur le plan contraceptif, en fait ça lui plairait, et donc, une fois à la maison, pourrait-elle avoir la gentillesse de jeter dans la cuvette des toilettes le reste de sa plaquette mensuelle, tirer la chasse et offrir à son corps incroyable toutes les chances de s'engager dans ce processus si merveilleux ?

Charlotte avait été enchantée d'entendre ce discours. C'était électrisant d'avoir à ses côtés un Luke si mûr, si maître de lui, et de voir son corps comme un objet qui inspirait le respect, et qui exigeait que l'on en prenne soin. Après avoir jeté sa plaquette de pilules – Luke lui avait rappelé les effets des contraceptifs sur la fécondité masculine, par l'intermédiaire de la contamination de la nappe phréatique –, elle s'était sentie incroyablement féminine, fertile et forte, et tout cela avait été si gratifiant pour eux deux qu'elle avait fini par croire que, si vous étiez heureux, vous n'aviez tout simplement plus besoin de dormir. Et vous n'aviez plus trop besoin de veiller à faire un usage précis et efficace des contraceptifs, dès lors que votre mari vous avait suggéré, avec une autorité séduisante, de vous en remettre à lui.

Et elle s'en était remise à lui. Et maintenant, elle était là, dans sa salle de bains, son chemisier déboutonné, le soutien-gorge défait, à s'interroger. Rien de plus – juste s'interroger. Ses seins ne paraissaient peut-être pas beaucoup plus gros, mais ils n'avaient sûrement pas rétréci. Et ils étaient un peu mous, très légèrement moins fermes. Elle se passa la langue sur les lèvres. Elle s'aperçut qu'elle retenait son souffle. Et puis elle se souvint, avec une soudaine et joyeuse bouffée de soulagement, qu'en fait, si elle était enceinte, cette fois cela lui était égal, même s'ils avaient prévu de s'accorder deux années de liberté avant d'envisager la venue d'un enfant. Cette fois, songea-t-elle, ce ne serait pas la peine de se précipiter comme une folle à la pharmacie pour s'acheter un test de grossesse, pas de séances angoissées, en catimini, dans la salle de bains qu'ils partageaient, à se répéter, à trois heures du matin, les phrases qu'elle allait dire à sa mère pour lui annoncer la nouvelle, si le test devait se révéler positif. Cette fois, si – et seulement si – elle était réellement enceinte, ce serait une nouvelle qu'ils fêteraient.

Elle tira sur son soutien-gorge pour le remettre en place, ne ferma que les deux boutons de sa chemise qu'elle jugeait nécessaires, et elle en glissa les pans dans sa jupe, cette jupe qui avait poussé Ray, le Noir que tout le monde adorait, à la réception, à lui demander pourquoi elle se donnait tant de mal pour faire semblant : elle n'avait qu'à venir au bureau en petite culotte. Ensuite, elle traversa le salon et se rendit à la cuisine pour ouvrir le sac qu'elle avait laissé sur le plan de travail, qui conte-nait les ingrédients du dîner – des émincés de poulet et un pot de sauce pimentée. Elle mettrait les morceaux de poulet à mariner dans de l'huile d'olive et du jus de citron, la recette de sa mère, laverait les feuilles de salade et compterait les quelques mesures de couscous qu'elle avait choisi pour accompagner le poulet, et ce serait seulement après avoir fini, quand elle aurait mis la table, qu'elle appellerait Luke à son atelier et lui demanderait

– sans rien lui révéler des soupçons qui couvaient en elle – quand il pensait monter dîner.

Luke avait un nouveau logiciel graphique. Cet outil lui permettait non seulement de voir les objets en trois dimensions, mais aussi de les dessiner aussi en trois dimensions, et du coup l'après-midi avait été très prenante. Il avait reçu une nouvelle commande, pour concevoir le logo et le matériel publicitaire d'une petite chaîne de centres de bien-être dans l'Essex et l'East London, et ce logiciel lui permettait, même à ce stade préliminaire, de sortir des idées stupéfiantes qui plairaient à l'équipe marketing, il en était convaincu. Aussi, quand le téléphone sonna, il était persuadé que c'était Charlotte, et il décrocha.

– Je fonce, mon bébé, j'ai un truc à te montrer, fit-il avant que Rachel ait eu le temps de prononcer un mot.

– Oui, mon chou ?

– Ah, maman, fit-il, sur un tout autre ton.

– Ce n'était pas moi que tu avais envie d'entendre, j'ai l'impression…

Il se cala le combiné dans le creux de l'épaule.

– J'ai reçu un nouveau joujou que je veux montrer à Charlotte.

– Un joujou pour ton travail ?

– Oh, maman, s'écria-t-il en riant. Cela va de soi…

– Je ne vais pas te retenir, lui promit-elle. C'est juste que tu n'avais pas téléphoné depuis ce week-end, et comme nous ne t'avons pas vu, je me demandais comment ça allait.

Il ne quitta pas son écran des yeux, et ses mains restèrent sur sa souris et son clavier.

– Super, merci.

– Est-ce que… est-ce que vous avez passé un bon week-end ?

– Fabuleux, fit-il. Déjeuner classe, joué au tennis – on a gagné – avec mes nouveaux beaux-frères et la sœur de Charlotte, Sarah, qui a un coup droit démentiel. Génial.

– Ah, bien, fit Rachel, un peu tiède.

– La journée a été si merveilleuse, continua-t-il allègrement, que nous sommes restés dîner. La mère de Charlotte – je veux dire Marnie, j'oublie tout le temps de l'appeler par son prénom – nous a régalés de tout un tas de fruits et de légumes. Nous avons eu droit à des framboises deux fois par jour.

– J'en ai toute une récolte magnifique, ici, lui rappela-t-elle. Tu aurais pu cueillir toutes celles que tu voulais et tu n'aurais pas vu la différence.

– Tout le monde va bien ? s'enquit-il.

– À qui penses-tu, au juste…

– Eh bien, fit-il, à toi, à papa, à Ed et Sigi, à Mariella, à Ralph et Petra et… au fait, Ralph et Petra, quoi de neuf ?

– Ralph va avoir un entretien.

– Ouah. Fantastique. Super, pour lui. Avec qui ?

– Tu n'as parlé à aucun de tes frères non plus ? s'étonna sa mère.

Il ajusta son combiné.

– Nan. Je n'ai parlé à personne. Entre le travail et le mariage, trop occupé, maman. Vraiment trop pris.

– Ralph va avoir un entretien, grâce à Ed. Ed a été merveilleux. Et Mariella a préparé toute une corbeille de gâteaux et de trucs pour les garçons. Nous avons eu une merveilleuse journée, tous ensemble.

– Bien, fit Luke.

– Tu nous as manqué.

Il ferma les yeux une seconde. Il retira le téléphone du creux de son cou et le plaqua contre son autre oreille.

– Quel soulagement pour Ralph, dit-il.

– Ce n'est qu'un entretien…

– Mais c'est un début.

– Pourquoi ne l'appelles-tu pas ? Pour lui souhaiter bonne chance…

– Maman, protesta-t-il, je sais décider tout seul de qui j'appelle…

– Ralph est ton frère…

– Je sais.

– Il a des ennuis.

– Ça aussi, je le sais.

– Si tu étais venu ce week-end, tu aurais eu l'occasion de lui témoigner ton soutien.

Il referma les yeux. Il se souvenait de Marnie lui tendant ce panier de framboises, dimanche soir, avec un rapide baiser et une petite tape sur l'épaule, et lui soufflant combien elle était contente de confier sa Charlotte à quelqu'un comme lui. Il eut envie de répondre à sa mère qu'il avait une autre famille dans sa vie, à présent, en plus de la sienne, et même si l'ordre de ses priorités ne changerait jamais, ses parents n'étaient pas non plus uniques au monde. Mais il comprit aussitôt la conversation que cela risquait d'engendrer, et se contenta de lui répondre avec bonne humeur :

– Boucle-la un peu, maman. On montera bientôt dans le Suffolk, ajouta-t-il aussitôt, je te le promets. Charlotte meurt d'envie de vous montrer les photos du mariage.

– Charmant, fit froidement sa mère.

– Tu peux les voir sur le site, tout de suite, si tu…

– Je préférerais que tu me les montres, mon chéri.

– Je te les montrerai, maman. Et je vais téléphoner

à Ed, et je vais appeler Ralph, et maintenant je dois y aller, je dois monter retrouver Charlotte.

– Embrasse-la pour moi...

– Bien sûr. Embrasse papa.

– Je t'embrasse, mon chéri. Je t'embrasse.

Il appuya sur la touche de fin. Aussitôt, le téléphone sonna de nouveau.

– Ta ligne était occupée, fit Charlotte, pleine de reproche.

– C'était maman...

– Ça n'en finissait plus.

Il soupira.

– Oh, tu sais. Elle n'a pas arrêté de râler, à propos du week-end dernier...

– Quoi, le week-end dernier ?

– Nous ne sommes pas allés dans le Suffolk...

– Bien sûr que non, fit-elle, nous sommes allés chez nous. Nous avons passé une très agréable journée, chez nous.

– Nous avons eu une très belle journée, c'est vrai. Mon bébé, tu me manques.

Charlotte eut un petit rire étouffé.

– Alors, monte.

– Toi, descends par ici.

– Pourquoi ?

– J'ai quelque chose à te montrer.

– Ça va me plaire ?

– Tu vas être très impressionnée, lui affirma-t-il.

– Et toi aussi.

– Moi, je le suis déjà...

– Non, fit-elle en riant. Non. Pas à cause de ça, enfin, toi, je ne sais pas de quoi il s'agit, mais là, je te parle de moi. Un truc que j'ai à te dire.

– Dis-le-moi maintenant.

– Non.

– Allez...

– Non, répéta-t-elle. C'est le genre de chose qui s'annonce de vive voix.

– Alors amène un peu ta personne en bas !

– D'accord...

Luke lui souffla un baiser au téléphone.

– Je suis impatient de te voir, lui dit-il. Dépêche-toi.

Luke était éveillé. Les yeux grands ouverts. Il était trois heures moins vingt du matin et Charlotte était magnifiquement, profondément endormie à côté de lui, sa tête pâle presque posée sur son épaule nue. Ce qu'elle lui avait annoncé ce soir, à l'atelier, était capital, encore plus essentiel, en un sens, que lorsqu'elle avait accepté de l'épouser, car cela constituait une telle surprise, une telle responsabilité, un tel changement, et une telle joie. Il déplaça la main et la posa sur la cuisse de Charlotte. Il se sentait envahi d'une pulsion immense et primitive de pure virilité.

Quand Sigi était enceinte, il ne l'avait pas vraiment remarqué. Quand Ed et Sigi s'étaient mariés, il avait pris une année sabbatique, il était parti en Amérique du Sud, et après avoir échangé toutes sortes d'informations sur le mariage et les offres de tarifs de billets d'avion, Ed avait téléphoné à Luke, quand ce dernier était sur le lac Titicaca, et il lui avait dit, écoute, nous, on ne voit aucun inconvénient à ce que tu ne reviennes pas pour le mariage, il n'y a que papa et maman qui en font une histoire, en réalité. Reste en Bolivie, et on se réunira tous après ton retour. Et Luke était resté, il avait continuer de tailler sa route jusqu'à la côte chilienne, puis il avait franchi la frontière avec l'Argentine, où il avait séjourné avec un ami de la fac dont les parents possédaient une estancia près de Rosario et, tous les matins, il sortait à cheval dans les champs de cerfeuil des bois. Et quand il était enfin rentré à la maison, quelques mois plus tard, il avait découvert que Ralph n'avait pas assisté au mariage, lui non plus, et qu'Ed et Sigi habitaient dans un appartement de Canonbury, tellement installés, si adultes, lui avait-il semblé, que c'en était impressionnant, comme s'ils étaient mariés depuis des années.

À l'époque, Sigrid venait de dénicher un nouveau boulot dans un laboratoire rattaché à une unité de la police scientifique, et elle avait exercé ce métier quelques années avant d'annoncer, à sa manière si posée et si peu spectaculaire, qu'elle était enceinte et, à cette époque, Luke était profondément immergé dans sa vie à la fac, et pour lui cette grossesse n'était guère qu'une nouvelle réjouissante de plus à caser au milieu de toutes les autres préoccupations pressantes qu'il avait en tête. Celle de Petra avait eu plus d'impact, bien sûr, parce que cette dernière n'était pas aussi conventionnelle que Sigrid, et Ralph non plus, et, apparemment, on ne leur avait jamais permis de garder la maîtrise de leur avenir, ni de celui de leur bébé, car c'était devenu l'affaire de la famille Brinkley, qui les accaparait tous, bien que Luke n'ait pas cessé de répéter à Ralph : « Tu n'es pas obligé, frangin. Tu n'es pas obligé de te marier si tu n'en as pas envie. Même si tu ne te maries pas, cela ne t'empêchera pas d'être un bon père. »

Mais Ralph était comme un somnambule. Ralph, qui avait toujours eu l'esprit de contradiction, toujours été obstiné, récalcitrant, semblait presque paralysé à l'idée de ce bébé, paralysé mais heureux, comme s'il voulait agir au mieux pour ce petit être qui allait arriver, confiait-il à Luke avec des accents émerveillés qui ne lui ressemblaient pas. Et quand Luke en avait parlé à ses parents, il avait découvert qu'ils ne voulaient pas d'un mariage socialement acceptable, mais qu'à leurs yeux, Petra était la seule personne susceptible de comprendre la singularité de Ralph, la seule qui serait disposée à le soutenir, et – sans que cela ait jamais été exprimé ouvertement – ils avaient trop investi en elle, comme dans une enfant qui avait adouci le choc du départ des leurs, pour avoir envie de la laisser partir.

Luke se retourna vers Charlotte, pour admirer son visage endormi, les éventails épais de ses cils effleurant délicatement ses joues. Il y avait eu tellement d'agitation autour de Ralph et Petra, autour de leur mariage, que l'arrivée du pauvre Kit était presque survenue comme un incident, effleuré comme la scène finale d'un drame qui dérange. Luke avait roulé jusqu'à Ipswich, jusqu'à l'hôpital, pour aller voir Petra et Kit. Petra était allongée dans un lit, l'air d'avoir quatorze ans, les cheveux relevés, ramassés dans une pièce de brocart, elle avait ses mitaines de dentelle noire, et Kit était emmailloté comme un paquet, comme une robuste larve blanche dans un berceau en Plexiglas, le visage rougeaud, surmonté d'une explosion de cheveux noirs. Luke se souvenait s'être penché sur lui et s'être dit, quel drôle de petit môme. Il ressemble déjà à Ralph. Mais il ne s'était pas dit, ouah, c'est une toute nouvelle vie, c'est un être véritable que Petra and Ralph ont créé, à eux deux, c'est l'avenir.

Or c'était exactement ce qu'il pensait, à cette minute. Sa main était chaude sur la jambe si chaude de Charlotte. Quelques centimètres à peine au-dessus de l'endroit où était posée sa main, quelque chose remuait désormais – enfin, sans doute –, et pour le moment ce n'était qu'un petit assemblage de cellules qui évolueraient pour se transformer en un bébé, avec des yeux, des doigts et des orteils et, surtout, un esprit bien à lui. Il en avait les larmes aux yeux, des larmes qui débordèrent, qui roulèrent, impossibles à réprimer, et qui lui dégoulinèrent de part et d'autre du visage jusque dans les oreilles. Je vous en prie, faites que ce soit vrai, se dit-il en silence dans la pénombre de sa chambre, faites que ce soit vrai. Je vous en prie, faites qu'il y ait un bébé.

Le médecin avait confirmé que Charlotte était bel et bien enceinte. Enceinte d'environ neuf semaines. Elle l'avait observée par-dessus ses lunettes de lecture, et précisé qu'elle avait l'âge idéal pour mettre au monde un premier enfant. Elle avait présenté la chose comme si Charlotte avait pris une initiative particulièrement intelligente, et la praticienne avait eu un grand sourire, elle les avait regardés tous les deux, elle avait fait « Eh bien, ce sera un enfant charmant », et ensuite elle s'était levée, leur avait serré la main avec chaleur, et ils étaient ressortis dans la rue, dans un halo d'autosatisfaction et d'excitation teintée d'appréhension, pour aller fêter cela dans un café (à partir de maintenant, côté stimulant, ce serait le maximum toléré pour l'organisme de Charlotte). En buvant leur capuccino – un décaféiné, pour elle –, ils discutèrent du conseil que leur avait donné le docteur d'attendre pour l'annoncer à leurs familles respectives que le seuil des trois mois de grossesse soit franchi.

– Bon, pendant que tu téléphones à tes parents, je peux appeler les miens, non, fit Luke.

– Non, plus tard, lui répondit-elle en portant sa cuiller à la bouche et en buvant un peu de café.

– Qu'est-ce que tu veux dire, plus tard ?

– Je veux dire que je vais d'abord appeler ma mère

et mes sœurs, et quand j'aurai fini, tu pourras téléphoner à ta famille.

Luke posa sa tasse.

– Pourquoi pas en même temps ?

– Parce que, lui dit-elle, comme si ce qu'elle lui
disait là était d'une parfaite évidence, la mère de la
future maman est toujours la première à savoir. C'est
la famille de la maman qui vient en premier.

– Quoi ? s'écria Luke.

– La mère de la future maman, répéta-t-elle, est la
première des grands-mères. C'est comme ça que ça
fonctionne. Mes sœurs l'ont d'abord dit à ma mère,
et ensuite à leur belle-mère.

Il se pencha vers elle.

– Mais cet enfant, c'est à moitié moi, c'est à moitié
le mien. C'est autant le petit-fils ou la petite-fille de
ma mère et de mon père que de ta mère à toi.

Elle le dévisagea. Son regard était limpide et confiant.

– Non, pas du tout.

– Mais il va s'appeler Brinkley…

– Ne sois pas si vieux jeu, fit-elle. Ce n'est pas une
question de nom. Il est question… d'ordre naturel, là.

– Eh bien, c'est la première fois que j'entends parler
de ça…

– Tu n'as pas de sœurs, lui dit-elle, et tes parents
ont eu beaucoup de chance, parce que la famille de
Sigrid vit à Stockholm et Petra n'a aucune famille.

Il réfléchit un moment.

– Tu es sûre ? lui demanda-t-il ensuite.

– Oh oui.

– Cela ne me semble pas du tout juste…

– La nature n'est pas juste… souligna-t-elle avec
sévérité.

– Pourrais-tu… pourrais-tu envisager de remettre en

cause cette histoire d'ordre naturel, et qu'on fasse les choses à notre manière à nous, en appelant tous les deux nos parents, ensemble ? Tu ferais ça pour moi ?

Elle but une gorgée de café.

– Non, lâcha-t-elle avec fermeté.

Et elle n'ajouta pas qu'elle était « désolée ».

Ce dialogue l'avait étrangement perturbé. Il était fou de Charlotte, et il trouvait sa famille formidable, et si différente de la sienne que c'en était rafraîchissant, avec leur manière bien à eux, si sportive et si déliée, d'aborder la vie, et les travaux de peinture de sa belle-mère, si propres et si nets, confinés à une table parfaitement rangée, dans le salon, une peinture qui ne suscitait aucun désordre, d'où ne se dégageait aucune odeur, aucune atmosphère Mais il n'empêche, ils étaient le contraire de sa famille et, malgré tout ce qu'elle pouvait avoir d'exaspérant, d'exigeant et de désordonné, elle était aussi enracinée en lui que pouvait l'être son ADN, et rien que de penser à ce que ressentiraient ses parents si jamais ils apprenaient que l'ordre des préséances qui prévalait entre grands-parents les plaçait bons seconds, cela lui déchirait tout simplement le cœur.

Il savait, sans l'ombre d'un doute, et il l'avait su depuis toujours, que ses parents étaient de son côté, comme ils étaient du côté d'Edward, et de Ralph. Au collège, et plus tard à la fac, il avait pu constater que certains de ses amis ne bénéficiaient pas d'un amour et d'un soutien sans réserve, comme ses frères et lui, et lorsqu'il lui arrivait de réfléchir à son enfance, il se remémorait une incontestable période de sécurité, sans être non plus, constat inévitable, celle d'un bonheur improbable et sans mélange. Maintenant qu'il y pensait, il songea aussi que ses parents étaient d'assez bons grands-parents, de merveilleux grands-parents pour Kit et Barney, et même aussi merveilleux pour Mariella que le permettaient la distance et la différence des modes de vie. Réfléchissant à l'injustice implicite de l'attitude de Charlotte, il s'échauffa franchement, et s'il lui était quasi impossible de s'imaginer se fâcher contre Charlotte, il lui était en revanche très facile de se mettre en colère contre la stupidité d'une classe ou d'une habitude sociale qui avait permis à un tel mode de pensée de se cristalliser au point de passer pour une coutume parfaitement acceptable.

Ce fut à la fin d'une longue journée passée à ruminer toutes ces idées que Rachel le rappela.

– Je me demandais juste, lui dit-elle, si nous ne pourrions pas nous organiser pour que vous veniez dans le Suffolk ?

– Oh, bien sûr…

– Nous sommes à la table de la cuisine, lui expliqua-t-elle, avec l'agenda, et apparemment les trois prochains week-ends sont libres, à part quelques petites obligations, alors choisis n'importe lequel – ou même retiens-les tous –, veux-tu ?

– Je peux te rappeler un peu plus tard ? lui demanda son fils, un peu sur ses gardes, sans quitter Jed de l'œil, très absorbé par son écran, à l'autre bout de l'atelier.

– Pourquoi pas tout de suite ?

– Eh bien, je travaille, là, et j'aimerais consulter Charlotte.

Il y eut une fraction de seconde de silence, à l'autre bout du fil. Dans ce silence, Luke entendit son père dire « Arrête, Rachel », puis sa mère reprit la parole.

– Laisse-moi juste noter une date au crayon…

Jed leva la tête et lança un regard furtif à Luke.

– D'accord. Au crayon, tu nous notes dans deux week-ends. Je te rappellerai plus tard.

Il reposa le combiné sur sa base. Revenant à son écran, Jed lui fit cette remarque :

– Tu aurais dû rester célibataire, mon pote.

– Oh, non, je n'aurais pas dû. Aucun type sain d'esprit n'aurait pu laisser filer une femme comme Charlotte…

– Exact. Mais il y a tout le bagage qui vient avec. Toutes ces mamies et ces papys et ces rivalités.

– Il n'y a pas de rivalités, rectifia Luke. Je ne le permettrai pas.

Jed sourit à son écran.

– Bonne chance, mec.

Plus tard, là-haut, dans l'appartement, en servant un verre d'eau à Charlotte et en prenant un Coca light pour lui, il lui annonça qu'il avait accepté pour tous les deux d'aller en week-end dans le Suffolk, d'ici deux semaines. Charlotte était dans le canapé, les pieds sur la table basse, tout miel et l'air aussi relax qu'un chat sauvage d'Afrique se prélassant nonchalamment sur une branche. Elle accepta son verre d'eau, auquel il avait ajouté quelques glaçons et une rondelle de citron vert.

– Ce serait plus amusant de les recevoir ici, dit-elle.

Il s'installa à côté d'elle et glissa un bras sur le dossier du canapé, derrière les épaules de Charlotte.

– Tu es adorable. Mais ils tiennent à nous avoir là-bas, histoire de nous préparer quelques repas et de s'extasier devant les photos – oh ! ah !

Elle but une longue gorgée d'eau.

– Mais je n'ai pas envie de ça, mon ange, lui répondit-elle avec douceur.

Il posa la main contre sa joue.

– Je pensais que ça te plairait d'aller dans le Suffolk.

– Ça me plaît. J'adore cet endroit. J'aime surtout l'atelier de ton père.

– Bon, alors.

Elle tourna légèrement le visage vers lui.

– C'est la première fois que nous les reverrons depuis notre mariage, et je veux que ce soit ici.

– Pourquoi ?

– Je veux m'en charger…

– Que veux-tu dire ?

– Je veux qu'ils voient que j'en suis capable. Que je peux te créer un foyer. Je veux que ta mère voie que je suis capable de cuisiner.

Il retira sa main.

– Cela risque d'être un peu compliqué, lui laissa-t-il entendre, sur un ton prudent.

– Pourquoi ?

– Eh bien, nous n'y sommes pas allés le week-end dernier, et nous sommes mariés depuis cinq semaines, et il y a toute cette histoire avec Ralph. Et puis je pense que maman a envie de recevoir sa belle-fille, de la gâter un peu, tout ça. Je crois qu'à sa manière, elle veut être aux petits soins avec toi.

Charlotte regarda droit devant elle.

– Jusqu'à présent, cela n'a pas été beaucoup le cas… fit-elle, sur un ton léger.

– Non, mais maintenant que tu es mariée avec moi, c'est une affaire réglée. Ce sera différent, tu vas voir. Elle mérite qu'on lui accorde cette chance, mon bébé, surtout que nous sommes déjà retournés chez tes parents. Il faut être équitable.

Elle s'écarta imperceptiblement de lui.

– Ma mère ne demande rien, lui dit-elle.

Il lâcha un éclat de rire moqueur assez déplacé.

– Oh, allons, mon bébé ! Elle ne demande rien de façon directe, comme ma mère, mais elle n'arrête pas de faire des sous-entendus et des allusions…

– Tais-toi ! s'écria-t-elle brusquement.

Il y eut un silence soudain, inquiétant. Il lui prit la main, celle qui ne tenait pas le verre d'eau. Elle la lui arracha. Il attendit quelques secondes.

– Désolé, lui murmura-t-il ensuite.

Elle ne dit rien.

– Désolé, répéta-t-il, désolé. C'était complètement déplacé.

– Oui, fit-elle avec insistance.

– On ne peut pas se disputer à cause de cela. On ne doit pas. Il ne faut pas laisser cette histoire de rivalité familiale s'interposer entre toi et moi…

– Non, admit-elle, d'une voix nettement hostile, il ne faut pas. C'est pour ça que je n'irai pas dans le Suffolk avant que tes parents ne soient venus à Londres voir où et comment nous vivons, et fêter notre mariage et notre manière de prendre en charge notre existence.

– Papa déteste Londres, lui dit-il, l'air malheureux.

– Eh bien, il faudra qu'il s'y fasse. Il ne va jamais chez Ed ?

– Pas souvent, fit-il. D'ordinaire, Ed et Sigi vont dans le Suffolk.

Elle changea légèrement de position, afin de l'avoir bien en face d'elle.

– Nous, ce sera différent, lui affirma-t-elle.

– Je l'espère…

– Nous ferons les choses à notre manière. Nous allons nous créer notre propre existence.

– Cela s'applique aussi à ta famille ? lui demanda-t-il, avec circonspection.

Elle prit une profonde inspiration. Elle se pencha

vers la table basse et y posa son verre. Puis elle se tourna de nouveau vers lui.

– Je crois que tu ne saisis pas. Jamais ma famille ne me demanderait de me comporter d'une manière que j'estimerais ne pas me convenir. Ils s'abstiendraient, voilà.

– Ah.

– J'imagine que cela tient au fait que nous n'étions que des filles, ajouta-t-elle. Papa répétait toujours que nous lui appartenions, mais maman, elle, considérait que ce serait jusqu'à ce que nous appartenions à quelqu'un d'autre.

– C'est une allusion à quoi ? À mes parents ?

– Je suis juste en train de t'expliquer, reprit-elle, que maintenant que nous sommes mariés, nous n'appartenons plus à nos parents comme nous leur appartenions avant de nous marier. Et je veux marquer la chose en invitant tes parents à venir ici, leur préparer un délicieux déjeuner, leur montrer des photos et, si c'est un dimanche, en les emmenant au marché aux fleurs.

Luke se tassa contre le dossier du canapé.

– Je ne sais pas pourquoi, mais cela ne me rassure pas...

– Et moi cela ne me rassure pas que tu refuses de montrer à tes parents notre nouveau domicile et notre nouvelle vie ici.

– Ce n'est pas ce que je voulais dire...

Elle s'appuya des deux mains pour s'extraire du canapé.

– C'est exactement ce qui se passe.

Luke leva les yeux vers elle. Vue de sa place dans ce sofa, elle était superbe, grande et forte, un peu terrifiante, et même un peu plus que cela. Il avait perdu cette habitude de se laisser terroriser par elle, depuis ces journées de discussions cocaïnées qui lui paraissaient si lointaines, et il était horrifié à l'idée de renouer avec ces moments-là. Il se sentit saisi de panique.

Il ne voulait pas avoir l'air de jouer l'apaisement, mais il eut bien conscience que sa réponse n'avait pas d'autre signification.

– Pourquoi n'allons-nous pas dans le Suffolk pour un week-end, histoire de leur donner satisfaction, et ensuite, à partir de là, on fera ce qu'on voudra comme on voudra.

– Non, insista-t-elle.

Elle croisa les bras.

– Mais nous sommes allés chez ta mère…

Elle s'emporta, elle criait presque.

– Je t'ai dit pourquoi ! Je t'ai dit que pour la fille de la famille, c'était différent ! Nous n'irons pas, ni là-bas, ni ailleurs, et en tout cas je n'irai pas dans le Suffolk tant que tes parents ne nous auront pas vus sous notre toit, point final.

– Final…

– Oui, jeta-t-elle.

Elle décroisa les bras, se prit le visage dans les mains, et il s'aperçut qu'elle pleurait. D'un bond, il quitta sa place et l'attira dans ses bras.

– Non, mon ange, non, ne pleure pas, je t'en prie, ne pleure pas…

Elle prononça quelques paroles indistinctes.

– Quoi ? Quoi, dis-moi…

– Elle me considère tellement comme une cruche…

– Qui ça ? Qui peut penser quoi que ce soit de ce genre ?

– Ta mère, fit-elle.

Elle vint nicher son visage baigné de larmes au creux de son épaule.

– Pas du tout, elle ne pourrait pas…

– Ne me force pas à aller là-bas… fit-elle, assez injustement.

Il soupira. Il lui fit un baiser sur la tempe.

– Il faudra bien, à un moment ou un autre…

– Je sais. Seulement, pas cette fois.

– D'accord.

– S'il te plaît, téléphone-leur. Téléphone-leur et invite-les ici. Dis-leur que cela compte énormément pour nous.

– D'accord.

Charlotte retira son visage du creux de l'épaule de Luke et le regarda. Elle eut un sourire hésitant.

– Si tu les invites dans trois semaines, ajouta-t-elle, j'aurai mon échographie à douze semaines et nous pourrons leur annoncer la nouvelle pour le bébé.

– Je ne peux pas leur demander d'attendre trois semaines…

Elle s'interrompit un instant.

– Pourquoi pas ? dit-elle enfin.

– Il se sera écoulé deux mois après le mariage !

– Oui, admit-elle, puis elle retomba dans le silence.

L'étreinte des bras de Luke se relâcha. Son regard s'attarda un instant au-delà d'elle, puis ses yeux refirent le trajet inverse, pour venir se poser à nouveau sur son visage.

– D'accord, fit-il.

Chapitre 7

Dans son atelier, Anthony dessinait au crayon 4B. Quelques jours plus tôt, il était passé devant un cottage près de Woodbridge et, ayant aperçu une dizaine de poules naines picorant devant, sur un carré d'herbe pelée, il avait arrêté sa voiture et il était allé frapper à la porte pour demander s'il pouvait observer et dessiner ces poules un petit moment. Il y avait dans cette maison un couple âgé qui gardait un bambin, leur petit-fils, et ils lui avaient dit « Oui, oui, bien sûr », l'air occupé, comme s'il était exclu qu'ils se laissent distraire de leur mission de garderie pour s'intéresser le moins du monde aux sollicitations ou aux activités des autres. Anthony avait donc enjambé une clôture en fil de fer à moitié affaissée, il s'était tapi à proximité des poules naines, armé de son carnet de croquis, et les volatiles avaient continué de caqueter autour de lui en piquant la terre de leur bec, comme s'il n'avait pas plus d'importance qu'un arbre.

Anthony donnait encore son cours d'art plastique. Il n'enseignait plus qu'un jour par semaine à présent, mais il n'avait pas envie de s'arrêter et d'affronter la fin du chapitre enseignement de son existence. Il avait souvent été frappé de constater que les oiseaux domestiques offraient de parfaits modèles aux nouveaux étudiants qui apprennent à dessiner des créatures volantes, car ils ont des contours très marqués et des mouvements bien plus faciles à suivre qu'un autre spécimen ailé, la barge, avec ses postures d'équilibriste. Et puis les poules étaient des animaux comiques et pleins de tempérament, elles acceptaient de se laisser approcher par les humains, comme avec Anthony en cet instant, et deux ou trois poules naines vinrent même droit vers lui, la plus intrépide allant jusqu'à inspecter ses lacets, qu'elle prit dans son bec avant de les laisser retomber avec de petits piaillements exaspérés. Et maintenant il était de retour dans son atelier, à travailler sur une série de croquis qu'il emporterait après l'été pour son premier cours de la rentrée universitaire et qu'il ferait circuler ; un moyen de rompre la glace, parmi les étudiants dont certains auraient des airs un peu revêches, tant ils appréhendaient cette rentrée.

En tout cas, les poules naines étaient un réconfort. Elles n'étaient pas romantiques, sauvages et libres comme ses échassiers bien-aimés, mais elles avaient quelque chose de familier qui le rassérénait, et c'était bien de réconfort qu'il avait besoin, en cette après-midi, après une conversation lamentable qu'il avait eue avec Rachel à l'heure du déjeuner. C'était en effet l'heure du déjeuner, mais pas au déjeuner. Elle avait confectionné l'une de ses merveilleuses salades, semées de graines et de fleurs de capucine, mais leur dispute l'avait privé de l'envie d'y goûter, et le fait qu'il refuse de toucher à ce plat qu'elle avait préparé, évidemment, c'était l'apothéose.

Le cœur du problème, c'était qu'il avait défendu Charlotte. Rachel était remplie d'indignation à l'idée que l'on refuse de venir passer tout un week-end dans le Suffolk, pour préférer un trajet en voiture, épuisant, inopportun et inutile, jusqu'à Londres pour se rendre à un déjeuner dans un appartement sombre et exigu, goûter de la cuisine d'amateur pour ensuite être forcés d'admirer le quartier insalubre et branché où Luke et Charlotte avaient pris la décision incompréhensible d'élire domicile. À quoi Anthony avait répondu d'un ton posé :

— Je crois que nous devrions y aller.

— Quoi ?

— Je pense que nous devrions y aller.

— Quoi ?

— Je pense que nous devrions accepter avec enthousiasme et y aller de bonne grâce.

— Quel esprit de contradiction tu peux avoir.

— Non, avait-il corrigé. Il avait regardé sa salade posée devant lui, si joliment décorée, si colorée, dans son bol en poterie, et il avait subitement compris qu'il lui serait impossible de la manger. Ils veulent nous faire admirer leur appartement, ils ont envie qu'on le voie...

— Je l'ai vu, leur appartement, lui avait-elle rétorqué, fâchée, en lui coupant la parole. Je l'ai vu quand Luke l'a trouvé...

— Mais maintenant ils s'y sont installés, c'est leur tout premier foyer de jeune couple, et ils veulent nous le faire admirer.

Elle n'avait plus rien répondu. Elle avait sorti d'un tiroir une paire de couverts à salade en bois noir africain et les avait sèchement plaqués sur la table devant son mari.

— Ils veulent, avait-il continué, qu'on les voie en couple, en jeunes époux. Ils veulent être pris au sérieux, maintenant qu'ils sont mariés.

— Tu veux dire qu'elle en a envie...

– Possible. Fort possible, et c'est sans doute aussi lié à toi.

– Ce qui signifie ? lui avait-elle rétorqué, l'air venimeux.

– Ce qui signifie, lui avait dit Anthony, car au point où il en était cela lui était égal, que tu considères que Charlotte ne se rend pas compte de la chance qu'elle a.

Rachel avait respiré à fond. Puis elle s'était assise à table, face à Anthony, et elle lui avait répliqué, en évitant de s'adresser directement à lui, mais en fusillant la salade du regard :

– Tu es un vieil imbécile. Tout ça parce qu'elle est jolie.

Sur quoi il avait reculé sa chaise et s'était levé.

– Et ne va pas t'imaginer que je me suis donné le mal de préparer ce déjeuner pour le plaisir, avait-elle encore ajouté.

Il avait encore patienté une seconde ou deux, pour voir si une réplique cinglante lui venait à l'esprit, mais rien ne venant, il était sorti de la cuisine et de la maison, il avait traversé le terre-plein gravillonné jusqu'à son atelier, pour retrouver le réconfort de son crayon 4B et de ses poules naines. Rachel ne l'avait pas suivi. Et il ne s'attendait pas à ce qu'elle le rejoigne.

Ce à quoi il s'attendait, c'était qu'elle reste dans la cuisine, et qu'elle regrette amèrement. Elle ne savait jamais très bien – elle n'avait jamais su – réfréner ses pulsions violentes et viscérales et convertir cette énergie naturelle en quelque chose de plus mesuré et de plus constructif. Quand les garçons étaient petits, elle se comportait en vraie tigresse, pas nécessairement surprotectrice, mais farouchement partisane dès qu'ils étaient confrontés à la moindre injustice ou à la plus infime déloyauté. Cela faisait d'elle une mère tout à fait digne de confiance, à l'évidence, mais en même temps, cela décourageait un peu les perspectives de liens d'amitié avec les autres mamans. Cela lui était égal, avait-elle souvent répété à Anthony, elle n'avait aucune envie de se faire des amies rien que pour combler un vide, et ces gens qui n'étaient pas fichus de voir que ses garçons passaient en premier, une évidence instinctive et parfaitement justifiable, ne l'intéressaient pas. Elle était si étonnée, si stupéfaite, si satisfaite d'avoir des fils, et d'en avoir trois, elle qui était issue d'une toute petite famille, avec juste une sœur sensiblement plus âgée. Dès la naissance d'Edward, il était évident que Rachel n'avait pu s'empêcher de sentir que le fait d'être la mère de garçons lui imposait certaines obligations singulières, viscérales. Elle adorait cela et elle estimait avoir lutté pour en être digne, en n'exagérant pas sa féminité ou ses sautes d'humeur, en se montrant extrêmement accueillante avec tous les amis de ses fils, en les soutenant sans relâche à travers toutes les expérimentations de leur adolescence et face à tout ce que cette période de leur existence pouvait avoir de changeant. Mais les filles – les femmes de ses fils –, c'était autre chose. Ces filles exigeaient de ses garçons qu'ils fassent preuve de loyauté, cette loyauté qu'elle avait elle aussi espérée – et obtenue – de la part d'Anthony. Pour des raisons complètement différentes, Sigrid et Petra avaient en un sens réussi à éviter toute confrontation sur la question de savoir qui appartenait à qui, mais avec Charlotte, ce ne serait pas aussi simple. Anthony soupira et ajouta un petit œil en bouton de bottine à la poule en train de couver qu'il était occupé à dessiner. Charlotte avait l'habitude d'agir avec la famille à sa guise, et pour l'heure, sur le plan de la famille, c'était Luke qui

134

figurait en tête de sa liste. Rachel allait s'apercevoir que la dernière de ses belles-filles ne craignait pas du tout de lui résister.

La porte était ouverte sur l'extérieur. C'était une chaude journée, et d'ordinaire Anthony l'aurait laissée entrebâillée, mais cette altercation avec Rachel l'avait conduit, par réflexe, à la fermer.

– Je viens juste de parler à Petra, fit-elle sur le seuil de la pièce.

Il ne se retourna pas.

– Ah ?

– Elle amènera les enfants vers neuf heures et demie demain. Apparemment, il faut empêcher Barney de manger du pain. Il en mange la moitié d'une miche par jour et elle m'a dit qu'il avait le bidon tout distendu, comme s'il était enceinte.

– Il adore sa petite bedaine…

Rachel s'avança en silence sur le sol de brique, et s'arrêta pour regarder les dessins de son mari.

– Ceux-là sont super.

– Un bon sujet.

– Oui, admit-elle. Je me demande pourquoi nous n'avons jamais élevé de poules…

– À cause de Maître Goupil ?

– À cause des renards ? Peut-être.

Il dessinait une poule en pleine course, les pattes écartées, les pieds tournés en dehors.

– C'est exactement ça, fit-elle, en le regardant dessiner.

– Elles peuvent être tellement drôles…

– Pour le moment, je m'inquiète juste… pour Ralph…

– Je sais, dit-il.

– Et tu penses que je me défoule sur Charlotte…

135

– Mmh.

– Elle n'est pas très futée…

– Tu n'en sais rien.

Elle soupira.

– Ce que je sais, c'est qu'elle a mis la main sur Luke, et du coup, il n'est plus assez lucide.

Anthony continua de dessiner.

– Eh bien, fit-elle.

Elle lui effleura brièvement le bras, d'une main légère.

– Demain, nous avons les petits, il y a l'entretien de Ralph et une journée de congé pour Petra. Dieu merci, il y a Petra.

Anthony traça une ombre sur certaines plumes du cou.

– Oui, dit-il. Dieu merci.

Petra ne croyait pas être revenue à Minsmere depuis la naissance de Kit. Si elle avait souhaité y aller, Ralph aurait toujours pu veiller sur les garçons, et ses beaux-parents aussi, mais d'une certaine manière, depuis qu'elle était maman, c'était comme si une autre région de son cerveau avait pris l'ascendant et, quand elle songeait à dessiner, elle visualisait le dessin comme appartenant à cette autre Petra, la Petra qui avait travaillé au bar du club de football et dans ce café pour se payer son loyer, les ingrédients de sa cuisine si insolite et si inventive et ses cours de dessin. Elle n'avait pas été élevée dans l'idée que l'art était une vocation, un aspect central de l'existence. En fait, jusqu'à ce qu'elle rencontre Anthony, elle n'avait jamais croisé personne qui considère l'art comme autre chose qu'un privilège complaisant réservé au très petit nombre. Aussi, lorsque dans son existence l'art avait été supplanté par les bébés, la tenue de la maison et la nécessité de s'adapter aux exigences arbitraires de la vie avec Ralph, elle l'avait accepté, tout comme elle avait accepté de vivre au jour le jour, à l'époque où elle était étudiante à Ipswich.

Mais maintenant, subitement, et à cause de cet entretien où se rendait Ralph, qui lui semblait aussi plein de choses à redouter qu'à espérer, elle avait une journée à elle, une journée qu'elle devait consacrer, lui avait-on fermement signifié, à dessiner. Elle avait déposé les garçons – sans criailleries effrénées de Kit, elle était heureuse de le remarquer – et elle se dirigeait vers le nord, dans la voiture d'occasion qu'Anthony et Rachel leur avaient donnée pour remplacer la vieille chignole de Ralph, qui n'était pas sûre, et qu'Anthony lui avait appris à conduire, en cadeau pour son vingt et unième anniversaire. Elle était bonne conductrice, meilleure que Ralph, mais il lui était difficile de se concentrer, seule au volant, sans les babils de la banquette arrière, sans Kit lui demandant comment ça volait, les oiseaux, ou si elle pouvait empêcher Barney de porter la main sur lui. Elle aurait dû être aux anges d'être ainsi libre pour une journée, mais elle se sentait seulement perdue, et un peu nue, comme si elle était sortie sans préparation et sans défense.

Ses carnets de croquis étaient dans un sac en toile, sur le siège passager. Anthony lui avait glissé quelques crayons dans la poche et Rachel lui avait préparé un pique-nique dans un sac en tissu imprimé de slogans écologiques, et ils lui avaient fait signe de la main, avec chacun un petit bonhomme dans les bras, et un enthousiasme, une vigueur qui la faisaient culpabiliser. Elle était très fortement tentée de ne pas s'approcher de Minsmere, mais de simplement s'aventurer au bout d'une allée anonyme, de trouver une entrée assez longue pour y garer la voiture, puis d'aller juste se coucher quelque part dans un champ, de fixer le ciel et de laisser tous ces tracas, Ralph, Kit, l'argent et leurs espérances, filtrer de son esprit et s'évaporer dans les airs, où ils se dissoudraient d'eux-mêmes.

Mais il fallait aller jusqu'à Minsmere. On s'occupait de ses garçons sur la base d'un arrangement tacite, mais ferme, selon lequel elle dessinerait, toute la journée, en faisant preuve d'une concentration qui la regonflerait et la revitaliserait. Elle n'avait pas d'autre choix que de se rendre en voiture jusqu'à la longue entrée boisée de Minsmere et de la laisser dans le parking en pente situé au-dessus de l'accueil des visiteurs, de louer une paire de jumelles pour deux livres cinquante et de se mettre en route vers les marais et les roselières bruissant de soupirs de l'East Hide, et là elle pourrait éventuellement trouver une forme de consolation et de distraction, en observant les avocettes qui se frayaient délicatement un chemin autour du Scrape.

La réserve était animée. C'était l'été, en pleines vacances scolaires, et des enfants cheminaient en traînant les pieds dans les sentiers sablonneux en direction de la mer. Petra se dit qu'à leur place, habituée à l'agitation spectaculaire des jeux informatiques, cette journée de sortie dans un sanctuaire aux oiseaux, où il était interdit de courir et de crier, où tous les adultes avaient l'air bizarrement distraits et se déplaçaient au ralenti, aurait quelque chose de très déroutant. Et même d'exaspérant. En fait, se dit-elle, en s'arrêtant près de l'entrée ingénieusement camouflée de l'East Hide, je ne suis pas sûre d'en être capable, pas aujourd'hui. Je ne suis pas sûre d'être capable d'entrer, de trouver une place sur le banc, de m'asseoir là en silence avec ma paire de jumelles, d'observer, d'attendre, d'observer jusqu'à ce que ma main prenne un crayon sans presque y penser et que je me retrouve à dessiner à tout va, comme si je n'allais plus jamais m'arrêter. Je pourrai peut-être y arriver, mais plus tard. Peut-être que je pourrais marcher un peu, et me défaire en partie de cette nervosité. Peut-être que j'irai jusqu'à la mer, m'asseoir dans les dunes, regarder le ciel et me vider un peu la tête.

C'était apaisant, le bord de mer. Elle traversa le chemin sablonneux, meuble et profond, qui courait parallèlement au rivage, et elle escalada les pentes glissantes des dunes, qui n'étaient pas très hautes, jusqu'à ce que l'eau soit visible, une eau instable et gris-bleu sous un ciel zébré de nuages. Il y avait là quelques visiteurs dispersés, leurs jumelles braquées vers le ciel, et, plus à l'écart, un jeune homme en sweat-shirt RSPB, la Royal Society for Protection of Birds, occupé à rouler un long filet que l'on avait à l'évidence tiré sur une portion de la plage. Elle s'assit pour le regarder. Il se déplaçait lentement, avec régularité, sans se presser, en se baissant pour empiler des piquets sur d'autres déjà entassés, et se redressant pour attirer le filet à lui. C'était apaisant de le regarder faire, cette silhouette trapue, ces gestes rodés, sur cet arrière-plan de mer et de ciel, avec la silhouette de sa tête et de ses épaules se détachant contre l'arrière-plan de cette eau argentée, presque invisible à présent par rapport au sable et aux touffes d'ammophila. Elle se souvenait d'une visite précédente à Minsmere avec Anthony, au printemps. Il y avait des orchidées violettes, à cette période, des iris jaunes des marais, et elle avait entrevu une petite aigrette, aussi élégante et exotique qu'une gravure japonaise, qui chassait des grenouilles dans les hauts-fonds.

Elle s'allongea dans le sable. En surface, il était chaud, mais si vous creusiez plus profond avec vos doigts, il devenait plus frais. Le ciel au-dessus d'elle était rayé de drôles de lambeaux de nuages diaphanes, et puis il y avait les bruissements immuables et insistants de la mer, et le vent, les mouettes en vol stationnaire au-dessus des dunes, alors qu'ici, en contrebas, l'air était immobile. Elle tortilla les épaules pour leur ménager de confortables petites cavités, elle respira profondément, inspira, expira, inspira, expira. Puis elle se relâcha, dans ces cuvettes qu'elle venait de creuser, ferma les yeux et s'endormit.

Steve Hadley finit de rouler les filets et de les empiler en un tas informe qu'il viendrait récupérer plus tard, après le départ des clients, quand la réserve serait déserte. Ces filets avaient servi à clôturer certaines parties de la plage, au début de l'été, pour empêcher les visiteurs de marcher par mégarde sur les nids des petites hirondelles de mer, un accident particulièrement tragique lorsqu'il se produisait, car les petites hirondelles ne pondaient que deux œufs. Et les hirondelles adultes étaient si minuscules, à peine une vingtaine de centimètres, avec leur bec jaune à bout noir et leur tête noire, épurée, en hiver. Steve les adorait. Mais enfin, il aimait presque tous les oiseaux, sinon pourquoi serait-il ici, à travailler dans leur proximité, par tous les temps, au lieu de rejoindre son père et son frère dans le magasin de lunettes que la famille possédait à Birmingham, une affaire florissante.

Il s'arrêta, le temps de sortir un paquet de chewing-gums de sa poche. Il avait parcouru toute la plage pour vérifier que tous les nids étaient intacts, que tous les œufs sains étaient éclos, et maintenant il allait remonter à la base, boire un café et avaler quelque chose avant d'aller vérifier le garde-fou d'une des deux tours d'observation, sur la passerelle suspendue. Hier, des gamins s'y balançaient – des gosses lourds et costauds –, et s'ils s'étaient arrêtés dès qu'on le leur avait ordonné, on les y avait revus plus tard, juste histoire de montrer qu'ils étaient les plus forts et n'en avaient rien à fiche, s'était dit Steve. Le sentier suspendu, c'était intéressant, mais sans commune mesure avec les marais et le littoral. Steve n'était jamais plus heureux que lorsqu'il arrivait à portée d'oreille de la mer.

En remontant vers le chemin à travers les dunes, il passa devant une fille assoupie dans le sable. À en juger par sa posture, les mains complètement relâchées, elle était profondément endormie. Elle portait la tenue habituelle des ornithologues amateurs, le T-shirt, le treillis à poches et les baskets, elle avait des jumelles du RSPB pendues autour du cou, et une besace en toile à côté d'elle, et le coin d'un carnet de croquis qui en dépassait, mais elle avait quelque chose qui retint son regard, autre chose que la petite hirondelle tatouée dans son cou ou que le méli-mélo de rubans multicolores noués à son poignet. Cela ne tenait pas tant à son apparence, songea-t-il, qu'à son attitude. Elle paraissait totalement à l'aise, allongée là dans le sable, complètement chez elle, complètement naturelle. Elle avait l'air d'être venue à Minsmere dans le seul but de s'endormir là, dans les dunes, au-dessus de la mer.

Il se dit qu'il devrait la réveiller. Elle ne dérangeait rien ni personne, et elle ne perturbait certainement pas les oiseaux, mais c'était une réserve naturelle, pas un endroit de détente et de loisir, et les visiteurs étaient censés être ici pour observer les oiseaux, pas pour somnoler. Il se pencha, avec l'intention de poser une main délicate sur son épaule et de la réveiller, et s'aperçut qu'il en était incapable. Après tout, elle ne dormirait pas comme cela si elle n'en avait pas besoin. À la voir, on aurait cru qu'elle n'avait pas eu de sommeil plus agréable et plus réparateur depuis une éternité. Quoi qu'il en soit, quelqu'un viendrait arpenter ces dunes d'ici peu, c'était certain, et de toute manière ça la réveillerait, donc il était inutile de faire de l'excès de zèle, de se montrer trop formaliste, et de la réveiller sans bonne raison. Il se redressa. Il allait sans doute avertir ses collègues de sa présence. « Sur la plage, aujourd'hui, j'ai trouvé la Belle au bois dormant », leur expliquerait-il. Sauf que ce n'était pas vraiment une beauté. Un visage sympa, assez plaisant, mais pas une beauté.

— Dors bien, fit-il en silence, du bout des lèvres, puis il continua sa progression à travers les dunes et rejoignit le chemin.

Plus tard, Petra s'offrit une tasse de thé à la cafétéria de l'accueil des visiteurs, et l'emporta dehors, à l'une des tables de pique-nique, sur l'herbe. Elle déballa les paquets enveloppés de papier alu que Rachel lui avait donnés et découvrit des sandwiches œuf-mayonnaise, des concombres taillés en bâtonnets, des galettes d'avoine et des abricots séchés. Elle étala toutes ces victuailles sur la table et les contempla. Si délicieux. Et tellement attentionné. La récompense d'une longue journée de croquis. Sauf qu'elle n'avait rien dessiné, elle n'avait même pas sorti l'un des crayons d'Anthony de sa poche, elle n'avait rien fait d'autre que dormir dans le sable chaud, jusqu'à ce que deux enfants la réveillent en cavalant tout près d'elle, lui faisant gicler du sable au visage par inadvertance. Elle avait merveilleusement dormi. Elle ne pensait pas avoir connu de sommeil pareil depuis des années, plus depuis la période où elle habitait avec Ralph dans ce cottage complètement dépouillé de Shingle Street, où elle dormait fenêtre ouverte sur les rumeurs de la mer, le vent et les mouettes, tout comme ici.

Elle bâilla. Elle avait dû s'assoupir deux heures ou davantage, en plein jour. Du coup, elle se sentait beaucoup plus légère et plus libre, presque heureuse. Elle était presque certaine de pouvoir dessiner – il lui restait encore plusieurs heures de lumière –, après avoir mangé, elle réussirait à dessiner, assez pour démontrer à Anthony et Rachel qu'elle avait respecté les conditions de leur marché tacite, et gagné sa journée de congé. Elle sortit le téléphone de sa poche et consulta l'écran. Il n'y avait pas de signal. Elle fut envahie d'une sensation ténue de soulagement. Elle ne pouvait pas prendre des nouvelles des enfants, ou de Ralph. En d'autres termes, elle ne pouvait assumer toutes ces responsabilités envers les autres qui faussaient son existence et lui pesaient parfois à un point tel qu'elle avait beaucoup de mal à le supporter. Si Ralph avait ses humeurs, par exemple, elle savait que ce n'était ni sa faute ni son problème à elle, mais elle ne pouvait éviter de s'y voir associée d'une manière ou d'une autre et, par conséquent, impliquée, entraînée, au point d'être vidée de son énergie, de la sentir s'écouler d'elle comme si le sol la buvait sous ses pas. Mais aujourd'hui, assise à cette table de pique-nique, réchauffée par un soleil intermittent, occupée à déguster les délicieux sandwiches de Rachel, elle s'offrait une petite journée de vacances, un bref répit auquel la capacité réseau de son opérateur de portable avait gentiment bien voulu conspirer.

Elle finit les sandwiches et le concombre, et son thé, puis elle enveloppa le reste dans la feuille d'alu. Barney serait content, tout à l'heure, de voir ces abricots séchés, et surexcité de découvrir les galettes d'avoine. Kit gein-

143

drait devant son dîner comme il geignait devant chacune de ses assiettes ou presque, rebuté par tous les plats qui étaient nouveaux, colorés ou d'aspect naturel. Mais elle n'avait pas besoin de penser à cela, pas encore, et pas davantage à l'entretien de Ralph. Elle n'avait besoin de penser à rien, si ce n'était à ces quelques heures lentes et silencieuses dans l'East Hide, les yeux rivés à l'œilleton de ses jumelles, et son carnet de croquis ouvert contre le large rebord, sous la fenêtre, où Anthony, la toute première fois, lui avait montré, en dessinant avec des gestes rapides et dans un complet silence, que les prémices d'un dessin d'oiseau étaient entièrement contenues dans un triangle.

Elle s'installa à l'extrémité du banc, pour avoir une vue dégagée, sur la gauche et droit devant elle. Il y avait là un monsieur très absorbé, avec son appareil photo monté sur trépied, et quelques personnes munies de carnets, mais à part cela, les autres visiteurs entraient dans l'abri d'observation ou en ressortaient avec le mélange de respect et d'absence de naturel des visiteurs de cathédrales ou d'églises. Quoi qu'il en soit, elle oublia vite de prêter la moindre attention aux allers et venues de ces gens, elle oublia même de remarquer la présence de ces corps qui venaient s'asseoir un court instant sur le banc à côté d'elle. Il ne lui fallut qu'une demi-heure à rester assise là, à observer, en respirant de plus en plus lentement, avant de se retrouver crayon en main, et de dessiner.

Elle dessinait un chevalier gambette, émerveillée par ses pattes orange, quand elle entendit une voix derrière elle.

– Désolé de vous interrompre, ma chère, mais il est cinq heures moins cinq.

Petra leva les yeux en sursaut. Un homme âgé, une

144

épingle d'avocette en émail piquée à son gilet agrémenté de poches, et qui portait d'épaisses lunettes, se tenait debout à sa hauteur, carnet en main.

– Je vous ai observée, reprit-il. Mon épouse aussi. Nous venons ici toutes les semaines, quand le temps est beau, et cela nous enchante. Et je vous avoue que nous sommes très impressionnés.

Il désigna le carnet de croquis de Petra.

– Oh...

– Mais peut-être aviez-vous oublié que l'endroit fermait à cinq heures ? J'ai dit à Beryl, suis-je un vieil enquiquineur, si je vais la prévenir, et elle m'a répondu qu'il valait mieux que ce soit moi qui vous avertisse, au lieu d'un membre de l'équipe, et de toute manière cela me donnait l'occasion de vous dire à quel point nous les trouvons bons, vos dessins.

Petra baissa les yeux sur sa page. Son chevalier gambette mâle était en plein vol, et il révélait les bords blancs de ses ailes.

– Merci...

– Mais je vous en prie, ma chère. Il n'y a rien de tel que les oiseaux, n'est-ce pas, rien de tel. Nous y avons puisé tant de réconfort, depuis la mort de notre fille.

Petra le dévisagea.

– Oh, je suis navrée...

– Cela vient de leurs ailes, j'imagine. Les oiseaux et les anges. Beryl me répète toujours qu'il n'est pas bon de toujours se créer trop de liens de cette sorte, mais moi, je trouve que cela aide.

Petra se mit à rassembler ses affaires, qu'elle fourra dans sa besace en toile. Elle était incapable de soutenir le regard de cet homme.

– Oui, dit-elle, oui. J'en suis sûre.

Elle passa la bandoulière à son épaule.

– Merci de m'avoir prévenue. Pour l'horaire, je veux dire. Merci.

Et puis elle lui passa devant, franchit la porte, déboucha dans le corridor bordé de roseaux qui ramenait au chemin, et fila.

Au parking, elle ne retrouvait plus ses clefs. Elle retourna la besace, les poches de son gilet et son sac de pique-nique, mais pas de clefs, nulle part. Elle sautilla deux ou trois fois sur place, pour voir si rien ne tintait dans une poche qu'elle aurait oubliée, mais non, rien, pas même dans les grandes poches boutonnées de son pantalon de treillis. Elle consulta sa montre. Il était cinq heures et quart. Rachel et Anthony l'attendaient vers cinq heures et demie, et elle n'avait pas de réseau, donc elle ne pouvait les appeler pour les prévenir de son retard. Elle brandit le poing et frappa la voiture, sur le toit, en vain, impuissante.

Elle avait dû les perdre en bas, au milieu des dunes. Elles avaient dû glisser pendant qu'elle dormait dans le sable, et leur tintement avait dû être masqué par les cris des mouettes et le fracas de la mer. Elle allait devoir y retourner, dépasser l'étang en courant et longer le mur nord jusqu'à ce que le chemin oblique vers le sud, parallèlement à la mer, et retrouver l'endroit où elle s'était allongée – avec tant d'insouciance, dégagée de toute préoccupation – pour livrer son regard au ciel vaste et vide.

Elle posa sa besace en toile par terre, à côté de la voiture, puis, réflexion faite, elle la poussa dessous, avec le sac du pique-nique. Le parking était presque désert à présent, si l'on exceptait les véhicules appartenant aux quelques employés qui s'attardaient encore à l'entrée de l'accueil des visiteurs. Elle partit au pas de course, pensant poser la question à l'accueil, pour voir si quelqu'un ne leur aurait pas remis les clefs, mais ils avaient fini leur journée, l'accueil et tous les objets et services qu'il renfermait étaient inaccessibles, son énorme porte vitrée était fermée, aucun signe de vie à l'intérieur ni au café, où l'on avait rangé les tables et les chaises, dans le respect d'une symétrie très professionnelle.

Elle continua de courir, arrachée brusquement à la sérénité de cette après-midi, se creusant la tête pour trouver une solution au problème d'une voiture fermée à clef, d'un téléphone inutilisable et de deux petits garçons qu'il fallait aller chercher à une demi-heure d'ici. Quand elle atteignit les dunes, elle retrouva l'endroit où elle avait dormi, elle s'y laissa tomber à genoux, racla le sable entre ses doigts, espérant, espérant entrevoir un scintillement métallique.

Et puis quelqu'un l'appela. Ce n'était pas un hurlement, mais plutôt le son qu'émettrait celui qui essaierait d'attirer son attention le plus discrètement possible. Elle leva les yeux. Tout en bas, en lisière de la plage, un quad tractant une remorque était stationné, des rouleaux de filets étaient entassés dans la remorque, et le jeune homme qu'elle avait aperçu tout à l'heure lui faisait signe de la main.

Petra se releva précipitamment. Elle courut vers lui, en trébuchant dans le sable, il s'avança vers elle lui aussi et, quand il ne fut plus qu'à sept ou huit mètres, elle entendit ce qu'il disait.

– Je les ai, je les ai.

Il lui tendit les clefs. Elle était essoufflée, et radieuse.

– Oh, merci, merci, lui dit-elle, haletante, vous ne pouvez pas imaginer, je croyais les avoir perdues, je ne peux pas téléphoner, je ne savais pas quoi faire…

– Je les ai repérées en descendant par ici avec le quad. Elles étaient dans le sable.

Il avait une voix paisible, avec un accent des Midlands.

– Je suis passé devant, avec le quad. J'ai pensé qu'elles devaient être à vous. J'allais les leur remettre, à l'accueil, demain.

Il lui sourit.

– Je vous ai vue dormir, tout à l'heure.

Elle hocha la tête. Elle serra les clefs contre elle, très fort.

– Je ne sais comment vous remercier...

– Vous n'avez pas besoin...

– Vous m'avez sauvé la vie, lui dit-elle.

Il haussa les épaules.

– Content de vous avoir aidée. En réalité, c'est juste de la chance.

– Quelle chance, oui...

– Vous aviez l'air de bien dormir...

Elle hocha encore la tête.

– C'était merveilleux.

– Dormir en plein air, il n'y a rien de mieux. Au bord de la mer.

Elle regarda au-delà de lui, vers le bord de l'eau.

– J'aime la mer, lui avoua-t-elle.

– Moi aussi. Et les oiseaux marins.

Il y eut un petit silence. Et puis elle reprit la parole.

– Que puis-je faire, pour vous remercier ?

– Ce n'est pas nécessaire.

– J'aimerais bien.

– Eh bien, dit-il, en mettant les mains dans ses poches, je pense que vous pourriez verser une donation, par exemple.

– Oui, dit-elle, oui. C'est ce que je vais faire. Cela

m'irait assez de faire ça. Et quel est le nom que je dois indiquer ? Qui m'a aidée ?

Il regarda ses souliers.

– Ce n'est pas la peine…

– Mais si.

Il haussa les épaules. Il lui lança un regard. Elle avait la respiration plus régulière, à présent, et ses cheveux, qui s'étaient échappés de son espèce de foulard, étaient retombés de part et d'autre de son visage.

– Je m'appelle Steve.

Elle acquiesça d'un signe de tête.

– Et moi Petra.

– Un prénom pas très courant…

– Je vis à Aldeburgh, dit-elle, et j'ai deux petits garçons.

Elle brandit les clefs.

– Que je dois aller chercher, maintenant. Merci à vous.

Elle s'éloigna vers le chemin derrière les dunes, s'arrêta après un ou deux pas.

– Et vous, Steve, où vivez-vous ?

Il leva un instant les yeux vers le ciel. Puis il posa brièvement le regard sur elle.

– À Shingle Street, lui répondit-il.

Chapitre 8

Ralph, en conclut Edward, avait réussi son entretien. C'était un soulagement. En fait, c'était un énorme soulagement car Edward, qui avait organisé cette entrevue, avait eu ensuite de graves appréhensions quant à la manière dont Ralph risquait de se présenter, et simultanément un pincement de cœur de culpabilité, pour avoir fait preuve de déloyauté envers son frère et cru qu'il pourrait le décevoir. À dire vrai, il n'était pas trop possible de compter sur l'orthodoxie de Ralph, ni même, quelquefois, pour qu'il se montre particulièrement poli. Il était capable de débarquer pas rasé, dans des vêtements pas repassés, en baskets, et de se comporter comme s'il s'agissait d'un entretien pour jouer dans un groupe avant-gardiste diffusé par un label indépendant, et non pour intégrer le groupe d'analystes d'une petite banque suisse qui avait su rester intègre et éviter toutes les dérives face aux secousses provoquées par ce que les collègues francophones d'Edward appelaient la *crise*.

Mais Ralph avait enfilé un costume, noué une cravate, et sa clarté d'esprit, la rapidité de sa pensée avaient suffi à faire oublier à Aidan Bennett, le meneur de jeu de cet entretien, ses cheveux longs jusqu'au col et bizarrement hirsutes, et ses poignets de chemise apparemment dépourvus de boutons ou de boutons de manchette. Et, à en croire Aidan, qui en avait touché un mot à Edward, Ralph avait aussi été d'une extrême franchise concernant ses antécédents, expliquant qu'il avait investi la quasi-totalité de l'argent gagné à Singapour dans sa start-up, et qu'il avait tout perdu ; il l'avait admis sans détour, notamment à cause du retournement de l'économie et du comportement de sa banque, mais aussi, estimait-il, parce qu'il avait surtout les facultés intellectuelles d'un catalyseur, et pas trop de savoir-faire managérial. Il l'avait reconnu, il aimait bien les problèmes, il aimait dénouer les difficultés et découvrir les raisons qui en étaient la cause. Les problèmes, les problèmes d'ordre mental, étaient tout à fait à sa mesure, avait-il souligné.

– Il m'a plu, avait confié Aidan à Edward.

Edward avait approuvé d'un signe de tête, tâchant de prendre l'air de celui qui avait eu cette certitude depuis le début.

– Il s'intégrerait bien à l'équipe d'analystes sud-est-asiatique, surtout en rapport avec notre activité aux États-Unis, lui expliqua Aidan. Nous ne sommes pas hostiles à son mode de pensée de type sudoku.

Il lança un regard à Edward.

– Ce serait des horaires à rallonge, évidemment. Pas vraiment possible de faire l'aller-retour tous les jours depuis la côte est, à moins d'être un accro de la route.

– Je ne pense pas que ce sera un problème, lui avait répondu Edward, ce qui était un mensonge.

– Il n'est pas du tout comme vous.

– Non…

– Sur aucun plan.

– Qu'est-ce que c'est censé vouloir dire ? avait répliqué Edward, un peu agacé.

– Simplement que je ne m'attendais pas à cela.

– C'est un compliment ? À mon intention, j'entends.

Aidan l'avait scruté une seconde. Puis il avait rapidement posé une main manucurée sur l'épaule de son interlocuteur.

– Pas vraiment, avait-il fait.

Edward retrouva Ralph au bar à vin voisin de la banque, avec deux jeunes membres de l'équipe d'analystes. Ils buvaient des Peroni au goulot, et Ralph paraissait aussi à l'aise avec eux que s'ils travaillaient ensemble depuis des années.

– Comment ça s'est passé ?

Ralph inclina la bouteille vers son frère.

– Bien. Je suis bien, là.

– Il a tout à fait plu à Aidan, fit l'un des jeunes. Il ne s'est pas donné la peine de le charmer. C'est signé Aidan, ça. Il vous fait du charme uniquement quand il s'apprête à vous remonter les bretelles.

Edward opina.

– Bon, je ne pense pas que tu doives déjà te considérer comme embauché…

– Je ne considère rien, grand frère.

– Cela peut prendre quelques jours. Il y a des gens à consulter…

– Je sais. Tu veux un verre ?

– Euh, lui répondit Edward, je pensais rentrer à la maison. Tu seras des nôtres, ce soir ? Je crois que Sigrid compte sur toi.

Ralph reposa sa bouteille.

– Désolé…

– Tu ne dois pas rentrer ?

– Plus tard, fit Ralph.

– Rejoins-nous au moins pour le dîner.

L'un des deux jeunes fit signe au barman, pour une autre tournée.

– Je crois, fit Ralph, que je vais m'en tenir là. En tout cas, merci.

Edward hésita. Il avait envie de demander à son frère s'il ne voulait pas lui raconter un peu plus en détail comment s'était déroulé l'entretien. Il voulait aussi lui demander s'il n'avait pas envie de voir sa belle-sœur, et sa nièce, mais il se sentait trop exposé, surtout devant deux garçons qui faisaient partie de l'équipe d'Aidan Bennett, et qui se situaient à un échelon très inférieur au sien. Il planta son regard dans celui de Ralph.

– Sûr ?

Ralph lui sourit. Il avait l'air de quelqu'un qui vient de traverser une crise importante et que l'on vient de récompenser, contre toute attente, en lui promettant un avenir plus favorable.

– Tout à fait sûr. Merci, grand frère.

Edward recula d'un pas. Étaient-ce des remerciements pour l'entretien, ou pour l'invitation à dîner – ou ni l'un ni l'autre ? En fait, Ralph ne venait-il pas de le prier de le laisser tranquille ? Face au manque d'élégance de son frère, il se sentit pris d'un petit accès de fureur.

– Je vais te laisser à tes nouveaux amis, lâcha-t-il, avec un regard courroucé.

– À la minute où je suis sorti sur le trottoir, confia-t-il à Sigrid une heure plus tard, j'ai regretté de ne pas l'avoir forcé. J'ai regretté de ne pas l'avoir obligé à rentrer avec moi.

Sigrid mettait la table. Les jours de semaine, pendant le trimestre universitaire, elle tâchait d'insister auprès de lui pour qu'il soit à la maison à sept heures et demie, afin que Mariella prenne son dîner avec eux et qu'ils puissent lui demander comment s'était passée sa journée d'école. Bon, elle n'avait pas nécessairement envie de leur raconter grand-chose. Chez Mariella, l'école continuait de faire partie des obligations de tous les jours, comme se brosser les dents ou nourrir son poisson rouge, mais ce n'était pas une composante de la vraie vie, de celle qui vous attendait en dehors des horaires scolaires. Et, pendant les vacances, comme par exemple en ce moment, elle passait ses journées avec son amie Indira, dont la mère travaillait aussi à plein-temps, et qui la faisait garder par une étudiante qui gagnait un peu d'argent pendant ses congés, et, avec elles deux, Mariella inventait des jeux aussi futiles qu'élaborés, de ceux qui ne lui valaient jamais de questions inquisitrices de ses parents à la table du dîner. Chaque soir, tout ce que Mariella avait envie de savoir, c'était si sa mère allait prendre sa journée – comme cela lui arrivait parfois – et se consacrer à sa fille, depuis son réveil jusqu'à ce que ce soit de nouveau l'heure de dormir, et avec son téléphone portable sur silence, par-dessus le marché. Et si, au dîner, on lui promettait l'une de ces rares journées-là, Mariella était tout excitée, elle inventait toutes sortes d'aventures et d'histoires extraordinaires qu'elle aurait échangées avec Indira, malgré la présence oppressante de cette Tanya qui n'avait qu'une envie, rentrer à Leeds avec son petit ami et ne plus avoir à s'encombrer de deux fillettes aux airs de conspiratrices qui prétendaient que leurs parents ne les obligeaient jamais à prendre leurs repas à table. Mais si le lendemain Sigrid travaillait, comme d'habitude, Mariella se contentait de la dévisager tristement pendant tout le dîner, pour voir si elle ne réussirait pas, d'une manière ou d'une autre, à la faire changer d'avis.

– Ton frère, je ne l'attendais pas vraiment… lui avoua Sigrid en installant les bougies qui, chez elle, quand elle mettait la table, faisaient partie intégrante du décor.

– J'aurais plus ou moins espéré, tu sais. Après lui

avoir obtenu cet entretien. Est-ce que Mariella répète son violoncelle ?

– Elle fait ses arpèges, lui répondit Sigrid, sans s'étendre.

– Ralph...

– ... est un grossier personnage, compléta-t-elle.

Edward haussa les épaules.

– Peut-être qu'il était simplement ravi de ne pas avoir à rentrer chez lui pour le dîner, le bain, le dodo. Un peu de temps libre.

Sigrid plaça des serviettes propres en coton à côté de leurs trois assiettes.

– Il a reçu la même éducation que toi. Mais il n'est pas pareil.

– Pas conventionnel...

– Pas très capable de nouer une relation, nuança-t-elle. Un peu autiste, je dirais.

Il ouvrit la porte du frigo et en sortit une bouteille de vin à moitié vide. Il la leva en direction de sa femme, d'un air interrogateur.

– S'il te plaît, oui, fit-elle.

– Si maman appelle, reprit-il en ouvrant une porte de placard à la recherche de verres, je lui dirai juste qu'il faudra qu'elle lui demande comment s'est passée sa journée.

– Ou alors tu ne décroches pas...

Il se tourna vers elle, pour mieux la regarder.

– Ah, ça, je ne pourrais pas...

Elle soupira.

– Tu en as fait plus qu'assez. Tu lui as obtenu un entretien pile pour l'emploi qu'il lui faudrait, et il semblerait qu'il s'en soit très convenablement tiré, mais il ne t'a pas remercié et il n'avait aucune envie de t'en parler, il a préféré rester boire un verre avec des inconnus.

– Tu es fâchée ?

– Vis-à-vis de lui, oui, avoua-t-elle. Avec ta famille, parfois. Avec ta mère plus souvent qu'avec ton père.

– À cause de… ?

– Peut-être bien, oui.

– Sigi, fit Edward, c'était il y a si longtemps. Et nous ne leur avons jamais rien dit. Pas véritablement, en tout cas. Tu ne peux pas leur en vouloir d'ignorer une chose qu'on ne leur a jamais dite.

Dans le salon, les arpèges cessèrent subitement d'égrener leurs notes.

– Elle s'est exercée un quart d'heure, lui dit Sigrid, comme je le lui ai demandé.

La porte de la cuisine s'ouvrit.

– Fini, s'écria Mariella, triomphante.

– Quelques gammes, maintenant ?

– Ah, non alors.

– Cinq minutes…

– Oh non, s'il te plaît, oh s'il te plaît, non, oh non, non…

– Cinq minutes, insista sa mère. Je vais venir t'écouter.

– Tu vas rester pendant tout le temps ?

– Oui.

– Chaque seconde, jusqu'à ce que j'aie terminé ?

– Oui, promit Sigrid.

Mariella regarda son père.

– Si jamais elle revient par ici, dit-elle en s'adressant à lui, l'air sévère, tu me la renvoies tout de suite.

Son verre de vin à la main, Edward franchit les portes vitrées qui, dans le fond de la cuisine, ouvraient sur une terrasse en contre-haut du petit jardin dallé où Mariella avait un arceau de netball boulonné au mur qui donnait sur la maison située derrière la leur. Quand elle était bébé, ils avaient discuté de la possibilité de s'installer plus loin, dans une maison plus grande, en périphérie, avec une pelouse où elle pourrait jouer, et pourquoi pas un arbre où accrocher une balançoire, et une clairière entourée d'arbustes où dresser un campement. Mais Edward avait vite compris qu'un tel projet ne serait jamais qu'un sujet de conversation, qu'ils tourneraient autour, et qu'à sa manière, Sigrid voulait lui faire plaisir en s'efforçant d'être normale, de le convaincre – et de se convaincre – qu'au lieu de passer la première année de la vie de Mariella à combattre la plus profonde et la plus effrayante des dépressions, elle avait réussi à intégrer tous ces changements avec facilité, sans du tout se laisser démonter – ce qu'elle aurait bien aimé.

Les portes vitrées étaient ouvertes sur la terrasse. Il y avait là deux fauteuils en bois, mais Edward resta sur le seuil, appuya l'épaule contre l'encadrement, la main qui ne tenait pas son verre glissée dans la poche de son pantalon, et manipulant sans cesse sa menue monnaie. Il but une gorgée. Cette première année avait été terrible. Enfin, c'était plus qu'une année, en réalité, si vous preniez en compte la fin d'une grossesse difficile et la lente et malheureuse remise en ordre hormonale de Sigrid, et son insistance, son insistance absolue pour que Rachel et Anthony ne sachent rien de ce qui lui arrivait, ne sachent pas que la mise au monde de Mariella avait été une épreuve épouvantable, interminable, qui s'était s'achevée sur une césarienne pratiquée en urgence parce que le moniteur cardiaque indiquait l'état de détresse fonctionnelle aiguë du bébé – détresse que l'appareil avait affichée beaucoup trop longtemps, d'après Edward.

– Plus jamais, avait-elle décrété.

Elle était allongée sur le côté, dans son lit d'hôpital, et elle lui tournait le dos.

– Non…

– Je suis peut-être d'une grande lâcheté, mais jamais je ne pourrais recommencer, je ne peux pas…

L'obstétricien avait expliqué à Edward qu'une première naissance compliquée affectait rarement les suivantes. Mais le moment était mal choisi pour faire ce genre de remarque, selon lui. Sigrid était en sanglots. Elle n'avait apparemment pas envie de nourrir Mariella au sein. Elle sanglotait, sanglotait, et elle répétait à Edward qu'elle était une mauvaise mère, elle le savait, elle était mauvaise en tout, et il n'y avait rien de plus mauvais qu'une mauvaise mère, et elle ne pouvait rien y faire, rien, et s'il vous plaît, ne lui donnez pas le bébé, ne lui donnez pas, sinon elle se sentirait encore plus mal, et elle se rendrait compte à quel point elle était mauvaise, mauvaise et mauvaise mère.

La maman de Sigrid, la doctoresse, avait accouru de Stockholm. Edward lui avait été reconnaissant, tout simplement reconnaissant, de sa présence. Elle avait été très gentille avec lui, et posée, et très ferme avec l'hôpital, elle avait mis Sigrid et Mariella dans un avion, elle les avait ramenées toutes les deux à Stockholm, où elles avaient séjourné trois mois. Edward les avait rejointes, presque tous les week-ends, pour tenir sa fille dans ses bras, la nourrir et la changer, et s'entendre dire par Sigrid qu'il ne fallait pas qu'il l'approche, parce qu'elle était une mauvaise mère.

– Plus jamais, lui répétait-elle sans relâche.

Et pendant tout ce temps, pendant tous ces mois si alarmants, il avait été confronté à la nécessité de protéger Sigrid de ses parents, afin qu'ils ne sachent rien de ce qui n'allait pas, et de protéger ses parents, qu'ils ne sachent pas qu'on les excluait de ce qui n'allait pas.

– C'est à cause de son espèce de mère, avait décrété

Rachel. Quelle femme glaçante. Elle était glaciale, au mariage, tu te souviens ?

– Mettre au monde un enfant dans une langue qui n'est pas la vôtre, c'est difficile, surtout un premier enfant…

– Elle nous a, nous, lui avait-elle rétorqué.

Elle avait dévisagé Edward.

– Et elle t'a, toi.

– Un accouchement, c'est autre chose…

Rachel s'était tournée vers Anthony.

– Qu'est-ce que tu en penses ?

– J'espère, lui avait-il répondu, qu'elle sera bientôt de retour à la maison. Nous pourrons veiller sur elle, ici. Nous adorerions veiller sur elle, ici. Nous adorerions prendre le bébé avec nous.

– J'imagine qu'elle est jalouse, avait fait Rachel. J'imagine que le mariage de Sigi avec un Anglais, et qu'elle ait une famille anglaise, cela la contrarie. Et d'ailleurs, Sigi ne semble pas trop enchantée d'avoir une famille anglaise, elle non plus. Elle a tellement l'air d'insister pour rappeler qu'elle est suédoise, quand elle est chez nous…

– Mais elle est suédoise, avait souligné Edward.

Il songeait avec bonheur, et en même temps non sans un certain regret, au calme ordonné de l'appartement de Stockholm, à ces longues fenêtres, aux planchers et au mobilier de couleur claire, et à la manière à la fois apaisée et décidée dont la mère de Sigrid s'adressait à sa fille. C'était si différent de la maison où il avait grandi, si différent de l'hospitalité enthousiaste et débridée dont ses parents faisaient preuve envers tous ses amis, si différent des couleurs, du chaos et de ces conversations sonores où s'exprimaient des opinions si arrêtées. Il mourait d'envie de voir Sigrid revenir à la maison, et, en même temps, il redoutait de la voir

159

quitter Stockholm. Il observait sa mère, qui servait à la louche un ragoût d'inspiration hispanique dans des bols en terre cuite, et il était pris de l'envie impérieuse de lui révéler que Sigrid était très malade, et qu'elle avait refusé que tout le monde le sache en Angleterre, tout le monde sauf lui.

– Il s'imagine que nous ne savons rien, avait glissé Rachel à Anthony, plus tard.

– Eh bien, nous ne savons rien…

– Moi, si, je sais, s'était-elle écriée. Nous n'avons pas le droit d'aller à l'hôpital, Sigrid se fait transporter à Stockholm, Edward a une mine de déterré et il a visiblement envie de nous confier des choses qu'on lui a interdit de mentionner. Mais enfin, qu'est-ce que ça peut être, à part que Sigrid traverse une passe épouvantable et qu'elle fait un méchant baby blues ?

– Peut-être, avait avancé Anthony à contrecœur, y a-t-il quelque chose avec le bébé.

Rachel avait secoué la tête.

– Mais non. C'est du côté de Sigrid. Cela ne s'est pas déroulé comme elle l'aurait voulu, et elle refuse que nous soyons tenus au courant.

Il s'était levé, s'était approché de Rachel, et lui avait planté les deux mains sur les épaules.

– Rachel…

– Quoi ?

– Rachel, si Sigrid et Edward nous font clairement comprendre qu'ils ne veulent pas que nous le sachions, nous ne savons rien. Est-ce que tu m'entends ? Nous ne savons rien du tout.

Elle avait conservé sa position, tout à fait immobile.

– Nous ne savons rien, avait-il répété.

– D'accord, avait-elle admis, bien malgré elle. Même

160

s'il est évident qu'Edward a envie de nous tenir au courant ?

– Il n'en a pas envie non plus.

– Je n'en ai pas envie, lui avait confirmé Edward, une semaine plus tard, quand sa mère s'était confrontée à lui à ce sujet.

– Il n'y a pas de quoi avoir honte, avait insisté sa mère. La majorité des femmes ressentent la même chose, après un enfant. C'est absolument normal. C'est à cause des hormones. Il ne faut pas parler de dépression.

Edward avait détourné le regard. Il se sentait dévoré d'un violent besoin de protéger Sigrid et d'une fureur redoublée contre lui-même, d'avoir laissé filtrer son angoisse, et que sa mère n'ait pas su se taire.

– Il n'y a rien, lui avait-il soutenu. Elle voulait juste avoir sa mère près d'elle, après la naissance de Mariella, et maintenant elle a envie de rester encore un peu là-bas. C'est exactement ce que disait papa, à propos du fait de mettre au monde un enfant dans un univers où l'on parle une langue qui n'est pas la vôtre. C'est tout.

Rachel lui avait glissé un petit sourire.

– Je ne te crois pas, lui avait-elle fait, et son fils, piqué par la perspicacité de sa mère et l'incapacité de cette dernière à éviter d'en faire étalage, en avait perdu son sang-froid.

– Occupe-toi de tes affaires, bordel ! avait-il beuglé.

Cela aurait pu encore être acceptable, songeait Edward à présent, en buvant son vin et en jonglant avec sa monnaie, si l'affaire en était restée là, si Rachel s'était contentée de cette victoire à la fois très nette et non reconnue comme telle. Mais elle avait été incapable de se réfréner, incapable de s'empêcher de signifier clairement à Sigrid, après son retour de Suède avec le bébé, que ses parents n'étaient pas les seuls grands-parents de cet enfant, et qui plus est que Mariella, qui étant la première née des petits-enfants, des deux côtés de la famille, revêtait de ce fait une importance et une signification particulières. Ensuite, elle avait continué en lui proposant son aide, son soutien, et pourquoi pas de faire du baby-sitting, et Sigrid, furibonde et catégorique, avait menacé Edward, si sa mère ne sortait pas de leur maison à la minute, et peut-être même pour ne plus y remettre les pieds, elle repartait directement pour Stockholm, en emmenant Mariella avec elle. Et puis, une fois Rachel enfin partie, Sigrid s'était tournée vers Edward et l'avait accusé de déloyauté, d'avoir révélé à sa mère des choses qu'il avait promis de ne jamais confier à personne, et d'être plus attaché à sa famille qu'il ne l'était à sa femme et son enfant.

Et donc il ne lui avait rien confessé. Il ne lui avait pas avoué, sur le moment, combien sa souffrance à elle l'avait effrayé, qu'il était prêt à tout pour ne rien envenimer ou pour que cela ne se reproduise plus jamais, par sa faute, et que, Mariella n'ayant alors que dix semaines, il avait pris rendez-vous au Marie Stopes International pour se faire pratiquer une vasectomie, et il leur avait versé ses trois cents livres d'honoraires avec la conviction bien arrêtée d'avoir fait ce qu'il fallait, pour les bonnes raisons, et de la bonne façon.

La procédure avait pris dix minutes.

– Votre appétit sexuel n'en sera pas affecté, lui avait affirmé un médecin d'à peu près son âge. Vous produirez la même quantité de fluide, mais il ne contiendra pas de sperme. Nous effectuerons un test de contrôle dans six mois.

Au bout de six mois, il ne l'avait toujours pas annoncé à Sigrid. À dire vrai, il n'en avait pas eu besoin, car elle se mettait au lit dans une tenue sans concession, un pyjama, et lui laissait entendre, sans équivoque possible, qu'elle n'avait aucune envie qu'il la touche. Il avait supporté cela jusqu'à ce que Mariella ait un an, et jusqu'à ce que ses séances en solitaire sous la douche aient atteint des sommets de vacuité et de dégoût, et là, il lui avait annoncé, il lui avait lâché la chose en bredouillant à toute vitesse, il lui avait révélé que son compte de spermatozoïdes avait été réduit à zéro, et qu'il devenait fou.

Elle avait pleuré. Elle avait tellement pleuré depuis la naissance de Mariella qu'au début, Edward était tellement épuisé et tellement affolé qu'il avait cru que l'on retombait dans la même ornière. Mais elle lui souriait. Ou du moins, elle essayait de lui sourire, et elle lui avait sorti un tas de trucs en suédois, et puis elle avait ajouté, en anglais, qu'il était merveilleux, qu'elle appréciait tellement la décision qu'il avait prise, mais pour le moment, elle avait autant de libido qu'une serpillière. Il pouvait user d'elle comme bon lui semblait, l'avait-elle averti, entre les rires et les sanglots, mais il allait devoir supporter qu'elle reste allongée là, comme un poisson sur un étal, un poisson avec une cicatrice qui lui barrait le ventre.

Il acheva son vin. Seigneur, ça lui avait pris un temps fou. Des années, probablement. Des années de patience et de frustration, en sachant qu'aller chercher du sexe ailleurs lui procurerait cette sensation de délivrance à la fois grisante et fugace qui va de pair avec une perte totale de maîtrise, aussitôt suivie d'un long sillage gris de remords, de regrets et de déceptions. Il avait essayé de ne pas se remémorer la Sigrid qu'il avait rencontrée au cours d'une soirée déchaînée, à l'université de Loughborough, la Sigrid qui l'avait poussé à dire, sidéré mais heureux : « C'est normal – je veux dire, c'est tolérable –

de baiser autant ? » Il s'était efforcé de se concentrer sur son amour, sur son amour pour elle, sur l'adoration qu'il éprouvait envers Mariella, sur l'éventualité de vivre comme un homme qui ne serait pas enchaîné à une cinglée – c'était la formule qu'avait employée quelqu'un, un jour, à propos du désir sexuel permanent.

Et maintenant, ils étaient tous là. Mariella avait huit ans et elle répétait ses exercices de violoncelle. Sigrid était numéro deux d'un laboratoire très sérieux et très réputé. Il était bien payé, bien considéré sur le plan professionnel, et leur mariage, sans être ce qu'il promettait initialement d'être, restait une histoire sans laquelle il ne s'imaginait pas exister. Peut-être était-ce la force de l'habitude. Ou peut-être était-ce juste… le mariage. Peut-être les chocs sismiques du couple laissaient-ils une sorte de tissu cicatriciel émotionnel, tandis que le corps, lui, continuait de fonctionner, en surmontant les saillies et les bosses, en les contournant avec cet optimisme indéfectible qui est le propre de l'espèce humaine.

Edward retourna dans la cuisine. Sigrid était près de l'évier, elle lavait une laitue, et Mariella s'était plaquée contre elle, dans son dos, comme pour s'assurer qu'elle ne s'en irait pas. Il se sentit subitement assez instable, et il eut l'impression que s'il disait quoi que ce soit, sa voix sortirait étouffée, et un peu éraillée, alors il resta simplement là, son verre de vin vide à la main, en songeant que s'il fallait de l'amour et rien d'autre, c'était vraiment là une recette de survie humaine à la fois très exigeante et très compliquée.

Plus tard, Mariella le convoqua pour qu'il vienne lui souhaiter une bonne nuit. Elle traversait une phase où elle les tannait pour avoir un chien, elle s'était acheté un sifflet pour chien avec son argent de poche, elle l'avait attaché à un lacet tout scintillant et pendu à un pommeau de sa tête de lit suédoise peinte en blanc, et dès qu'elle était prête pour son baiser de bonne nuit, elle sifflait dedans avec une énergie péremptoire.

Elle était assise dans son lit, en pyjama à pois, les cheveux coiffés en un rideau lisse et blond. Son lit était rempli de tous ses animaux en peluche et une lampe de chevet rotative projetait des formes étoilées sur les murs et au plafond.

– Papa, fit-elle.

Il s'assit sur le bord du matelas.

– Ouille, s'écria-t-elle, en retirant ses pieds.

– Tu ne préfères pas t'allonger ?

Elle se glissa plus au fond de son lit, avec précaution, afin de ne pas bousculer ses animaux.

– Papa…

– Oui.

– Ce chien…

– Chérie, nous t'avons expliqué. Plusieurs fois. Pour un chien, ce ne serait pas juste, alors que nous sommes dehors toute la journée. Les chiens détestent être privés de compagnie.

– Alors d'accord, dit-elle, en croisant les mains, donc on va devoir réfléchir à quelque chose qui vous obligerait à rester à la maison. Et si on avait un bébé.

– Chérie…

– Écoute, reprit-elle, je sais ce que vous serez forcés de faire. J'irai dormir chez Indira et comme ça vous pourrez faire tout ce qu'il faut, maman et toi. J'ai vraiment, vraiment envie d'avoir un bébé.

Edward lui posa une main sur le ventre, sous la couette.

– Ma chérie, ce n'est pas aussi simple…

– Tu me répètes tout le temps ça.

– Parce que c'est vrai.

— Maman m'a dit qu'elle n'avait plus d'œufs de bébés…

— C'est à peu près cela.

— Et si ça ne me plaît pas, à moi, d'être enfant unique ?

— Alors, lui répondit-il, non sans injustice, en la dévisageant, je serais vraiment très triste.

Elle soupira. Elle leva les mains et les croisa devant son visage.

— Est-ce qu'on est obligé de tout dire à ses parents ?

— Tant que tu es une enfant, c'est plutôt une bonne idée de tout leur dire ou presque. Pour qu'ils puissent t'aider.

— Mais en fait vous ne m'aidez pas, protesta-t-elle. Vous me dites juste non, ça, c'est pas possible, et puis ça non plus, c'est pas possible, vous ne faites pas les choses qui m'aideraient, je le sais.

Il se pencha vers elle. Il lui prit la tête entre les mains, et la lui enfonça dans le creux de l'oreiller.

— Tu es une coquine, Mariella Brinkley.

Elle leva sur lui ses yeux pétillants.

— Quand je serai grande…

— Oui.

— J'aurai des bébés et des chiens et sûrement un singe.

— Et moi, j'aurai envie de venir habiter avec toi ?

Elle tendit le menton, pour un baiser.

— Tu seras forcé. Pour garder tout le monde pendant que je serai partie travailler.

Il allait s'approcher d'elle pour l'embrasser, mais se figea dans son mouvement.

— Travailler ? Tu travailleras ?

Elle ferma brièvement les yeux, comme s'il était vraiment trop pénible à supporter.

— Bien sûr que oui.

Dans la cuisine, Sigrid était debout, le téléphone en main.

– Mariella a l'intention de faire une carrière et comme elle sera très occupée nous devrons garder son singe.

– J'en serai très heureuse, fit Sigrid.

Elle laissa retomber le combiné sur son chargeur.

– C'était Charlotte.

– Qu'est-ce que…

– Au téléphone. Pendant que tu étais avec Mariella.

– Ah ?

– Elle veut nous avoir à déjeuner. Quand tes parents seront là, pas le week-end prochain, le suivant.

– Grands dieux. Nous n'avons pas été habitués à…

– Elle avait l'air très survoltée.

– Quoi, de nous avoir tous à déjeuner ?

– Eh bien, fit Sigrid, je ne sais pas pourquoi. Je n'en sais rien. Ça ne pouvait pas être à cause de Ralph.

– Pourquoi Ralph ?

Elle commença de débarrasser la table.

– Ralph était là-bas.

– Chez Charlotte et Luke ?

– Oui.

Elle lui lança un regard.

– Je crois qu'il était un peu ivre.

Edward se colla les poings contre le front.

– Donne-moi de la force…

– Charlotte m'a dit qu'ils allaient lui préparer un lit dans le canapé. Elle avait l'air de trouver ça drôle.

– J'aurais aimé pouvoir trouver ça drôle, moi aussi…

Le téléphone sonna de nouveau. Il allait décrocher, mais elle fut plus rapide que lui, en posant une main sur son bras au passage, afin de l'en dissuader.

– Oui ? fit-elle dans le combiné. Oh. Rachel, ajouta-t-elle d'une voix neutre et circonspecte.

Edward tendit la main pour lui prendre le téléphone, un geste réflexe. Sigrid lui sourit, et lui tourna le dos.

– J'ai bien peur de ne pas savoir, dit-elle à sa belle-mère. Non, Edward est à un dîner d'affaires et Mariella est au lit…

Il y eut un bref silence, puis Sigrid reprit la parole.

– Edward s'est tellement démené pour obtenir cet entretien à Ralph. Et ce n'était pas facile, dans ce climat.

Edward s'approcha d'elle, dans son dos, et lui glissa les bras autour de la taille. Au bout de quelques instants, il fut soulagé de la sentir se détendre contre lui. Il entendait la voix perçante de sa mère dans l'appareil, c'était comme s'il l'écoutait à travers un mur, ou sous des draps.

– Je ne crois pas qu'il ait remercié Edward, fit Sigrid. Je ne crois pas qu'il ait bien mesuré quel service on lui a rendu là.

Edward vint nicher son visage au creux du cou de Sigrid.

– Je ne peux pas vous aider, j'en ai peur, fit cette dernière. Je suis désolée que Petra soit dans le flou, elle aussi. Je suis sûre qu'il finira par revenir. Il fête peut-être ça. Oui, oui, bien sûr. Je vais le dire à Mariella. Elle vous embrasserait, elle aussi, si elle ne dormait pas. Oui, merci. On vous embrasse fort, et Anthony aussi.

Elle appuya sur la touche pour couper la communication.

– Tu m'as sauvé, lui fit Edward dans le cou.

– Ce n'est qu'un tout petit sauvetage…

– Pourquoi n'as-tu pas suggéré qu'elle appelle Luke ?

Elle se retourna sans quitter l'étreinte de ses bras.

– Parce que, dit-elle, je ne le sentais pas.

Chapitre 9

Pour la route de Londres, Rachel proposa de prendre le volant. Anthony accepta, et cela ne l'avait pas étonnée, ainsi il pourrait s'installer à côté d'elle, écouter à moitié Classic FM en regardant les nuages par la fenêtre et le paysage qui défilait – et même l'environnement urbain du nord-est de Londres – et elle pourrait conduire en réfléchissant.

Elle avait besoin de réfléchir. Depuis des jours, elle avait essayé de réfléchir, soit toute seule, soit à haute voix devant Anthony, mais Anthony n'avait pas voulu prendre part à sa réflexion, et il l'avait évitée, parce qu'il ne savait pas quoi penser lui-même, supposait-elle, ou parce qu'il n'était pas d'humeur à compatir et n'avait aucune envie de lutter avec elle sur ce terrain. De toute manière, Anthony n'avait jamais eu l'esprit analytique. Depuis tout ce temps qu'ils vivaient ensemble, chaque fois qu'ils étaient confrontés à un problème relationnel, Anthony avait affiché l'expression traquée d'un chien à qui l'on impose de marcher sur ses pattes de derrière, une expression de perplexité oppressée, et il se repliait vers son atelier. Au maximum, ce qu'il pouvait dire, si Rachel le traquait avec son besoin de disséquer et d'aller à la pêche aux explications, c'était : « Et si on

169

attendait juste de voir ce qui va se passer ? On ne peut pas juste attendre ? »

Rachel savait que l'attente n'était pas son fort. Toute sa vie, dès ses tout premiers moments de prise de conscience, dans l'enfance, elle avait compris que le revers de cette merveilleuse énergie qu'elle possédait en elle, c'était son impatience. Les problèmes avaient pour effet de la mettre à feu, comme une fusée, de la pousser à se creuser la tête, à mentalement foncer dans tous les sens, à rechercher une solution qui impliquerait nécessairement sa participation zélée. L'activité, les réponses pratiques et immédiates aux dilemmes les plus insolubles, tout cela réussissait à l'esprit et au corps de Rachel et, quand elle était privée de l'occasion de proposer une solution instantanée, elle se sentait totalement anéantie, du fait de sa propre impuissance. C'était dans ces instants-là, même au bout de quarante années où elle avait connu et expérimenté la déception, qu'elle se tournait vers Anthony qui, comme d'habitude, lui signifiait clairement qu'il ne pouvait l'aider.

Quand les tracas venaient de Ralph, c'était encore pire. Par comparaison, pour Rachel, l'orthodoxie d'Edward et la jeunesse et l'optimisme relatifs de Luke constituaient moins une source d'anxiété que ce n'était le cas de Ralph. Mais ce dernier était voué à susciter l'anxiété, et il était aussi voué à complètement oublier sa capacité à être pour elle un menu motif de tracas permanent, une sorte de rage de dents affective, qui demeurait supportable la plupart du temps, mais avec une propension à s'enflammer et à lui causer d'atroces angoisses, sans préavis. Il avait ainsi causé l'une de ces crises douloureuses quand la banque lui avait coupé sa ligne de crédit et, même si la perspective de cet entretien d'embauche avait pu calmer cette angoisse, elle s'était rallumée dès que Ralph avait disparu, après cette offre d'emploi, et personne n'avait pensé à prévenir Rachel qu'il dormait à poings fermés, cuvant sa séance de beuverie dans le canapé de Luke, et qu'il n'avait pas la moindre idée de la manière dont il allait bien pouvoir gérer une vie professionnelle requérant un minimum de douze heures de présence quotidienne dans un bureau situé à presque trois heures de trajet de son épouse et de ses enfants.

Rachel avait essayé de parler à Petra. Depuis le début, sa belle-fille avait pris cet entretien avec beaucoup de détachement, c'était le moins que l'on puisse dire. Elle était dans sa cuisine, elle préparait un thé pour Rachel, l'air tellement absorbée que c'en était exaspérant, pendant que Barney rampait paisiblement par terre en portant à sa bouche toutes sortes de petits détritus pas du tout recommandables qu'il s'empressait d'avaler.

– L'argent, ça ne m'intéresse pas, lui avait expliqué Petra. Cela ne m'a jamais intéressée. J'ai l'habitude de vivre sans.

Rachel avait pris une profonde inspiration, et cessé de surveiller Barney, toujours assis par terre.

– Ça, c'était avant, avait objecté Rachel. Tu étais étudiante, et tu n'avais à te soucier que de toi. Maintenant tu as des enfants. Tu as une maison. Tu as des responsabilités. Tu n'es pas libre de te complaire à raconter que tu te moques d'avoir de l'argent.

Petra n'avait pas répondu. Elle avait reposé le thé de Rachel devant elle, puis s'était penchée pour extraire un bouchon de bouteille en plastique de la bouche de Barney, mais sans précipitation aucune. Toute sa posture, chacun de ses mouvements signifiaient à Rachel qu'elle n'avait aucune intention de poursuivre cette conversation, pas plus que de discuter de l'éventualité d'avoir à déménager plus près d'une gare, afin de faciliter les trajets de Ralph.

– Je suis incapable de m'éloigner de la mer, lui avait-elle dit. J'aurais pu, si je n'étais pas venu vivre au bord de la mer, mais maintenant, je suis incapable d'en repartir. Jamais je n'ai habité dans un lieu aussi idéal que Shingle Street. Pour Ralph aussi, l'endroit était parfait. Nous étions vraiment heureux, à Shingle Street. Nous avions presque la mer dans le salon.

À force de tension, Rachel avait senti tout son corps se tétaniser. Elle avait tant à dire, tant de remarques à formuler sur l'aspect pratique, le bon sens, la responsabilité, la maturité, mais il était inutile d'en proférer la première syllabe. Elle avait bu son thé, et elle était allée voir Kit assis devant la télévision, rivé à l'écran, pour lui dire au revoir avec un baiser, et puis elle était rentrée chez elle en voiture, dans un état d'agitation extrême, et elle avait pu constater qu'Anthony était bien déterminé, lui aussi, à ne pas s'engager dans une conversation avec elle.

– Nous parlons de ton fils ! s'était-elle exclamée. Ton fils et ta belle-fille qui évitent – non, qui refusent – de faire face aux aspects pratiques et aux conséquences de leur existence future !

Anthony était dans son atelier, il dessinait une taupe morte qu'il avait piégée alors qu'elle sillonnait la pelouse en éjectant une succession de monticules, une véritable chaîne de montagnes miniature. Le rongeur à peu près intact gisait sur une feuille de papier jaunâtre, les pattes de devant recroquevillées, dans une position farouchement déterminée, comme si elle était encore occupée à creuser.

– C'est leur vie, lui avait répondu Anthony, sans s'arrêter de dessiner.

– Mais ils ont des enfants, ça, ils ne peuvent pas l'ignorer, et s'ils ne déménagent pas, Ralph ne sera jamais rentré le soir et ensuite…

– Arrête, lui avait-il fait.

– Je n'arrive pas à croire que cela ne te tracasse pas…

Il avait estompé son tracé du bout de l'index.

– Cela me soucie. Cela me tracasse autant que toi. Mais s'en soucier ne nous donne pas le droit de nous immiscer.

– Comment oses-tu…

– Je ne vais pas en discuter davantage. Ni maintenant, ni demain, et certainement pas sur la route de Londres, où je vais me retrouver piégé dans un siège de voiture à côté de toi.

Et les voici tous les deux dans cette voiture, avec la radio allumée, un moyen de neutraliser les choses, et Rachel au volant, sachant qu'Anthony observait sa manière de conduire tout en s'abstenant de commenter. Elle avait décidé de se taire, sachant fort bien qu'après ces dizaines d'années de vie avec elle-même, la peur lui donnait simplement l'air d'être en colère et si elle ajoutait à la colère suscitée par son anxiété concernant Ralph et Petra son ressentiment d'être forcée d'aller déjeuner un dimanche à Shoreditch, au lieu de recevoir tout le monde autour de sa grande table de cuisine qui lui était si familière, elle savait qu'elle devait se méfier de ce qu'elle pourrait dire, car elle aurait ensuite toutes les raisons de le regretter. Et du coup elle conduisait à tombeau ouvert, et Anthony, à côté d'elle, s'efforçait de penser à autre chose qu'au silence de sa femme, ce silence pétri de violence, à autre chose que son propre tourment intérieur face aux orages qui menaçaient

173

la vie de la famille, en scrutant les nuages et en se demandant comment Constable, Turner ou Whistler les auraient peints.

Luke avait dressé une table assez grande pour accueillir sept personnes à déjeuner en recouvrant leur petite table de salle à manger noire d'un panneau d'aggloméré qu'il avait conservé après le réaménagement de son bureau. Charlotte aurait aimé avoir onze personnes à table, et non sept, mais après la deuxième nuit de Ralph et ses relents d'alcool au fond de leur canapé, Luke s'était lassé de courir après son frère et Petra pour obtenir une réponse un tant soit peu sensée à leur invitation, avant de finalement décider qu'ils feraient sans eux, un point c'est tout.

– Mais j'aurais voulu avoir les enfants, protesta Charlotte.

– Mais non, tu n'aurais pas voulu avoir Barney qui te ratiboise tout l'appartement et Kit qui pleurniche en faisant toute une histoire pour manger.

– Cela ne m'ennuie pas…

– Moi, si.

Il y eut une courte pause.

– Que ta mère vienne, c'est ça qui t'inquiète, fit Charlotte, non sans une certaine perspicacité.

– Je ne suis pas…

– Luke chéri…

– Je n'ai jamais reçu mes parents à déjeuner. Pas une seule fois. De toute ma vie.

– Eh bien…

– Nous allions toujours à la maison. Nous allons déjeuner à la maison. C'était toujours la tradition. Toujours.

– C'est pour cela que ça vaut la peine de faire un effort...

– Je fais un effort !

Charlotte attendit quelques secondes, avant de répliquer :

– Ne t'en prends pas à moi, mon bébé.

Il la regarda. Il lâcha une espèce de petit piaulement exaspéré, et ouvrit grandes les mains.

– Ça n'a rien à voir avec toi...

– Et alors ?

– C'est... enfin, c'est juste toutes ces histoires, ces derniers temps. Ralph, et le fait de ne pas aller dans le Suffolk, et de ne rien dire du bébé à maman et papa...

– Nous leur dirons aujourd'hui. Ils le sauront aujourd'hui.

– Tu l'as déjà annoncé à ta mère la semaine dernière, lui rappela-t-il, l'air attristé.

– Je suis allée la voir, rectifia-t-elle. Je voulais le lui dire de vive voix, et je suis allée la voir.

– Trois week-ends de suite, à voir ta mère...

– Tu tiens le compte ?

– Non, se défendit-il, mais maman, elle, si, elle va les compter.

Elle déplia un grand drap blanc de lit double, le déploya devant elle, il gonfla et retomba au-dessus de la table.

– Tu as pris du Coca ou autre chose, pour Mariella ?

– Tu changes de sujet ?

Elle se pencha pour lisser le drap. Elle portait une blouse grise courte sur un short en dentelle blanche. Elle avait des jambes absolument sublimes. Luke eut soudain la vision de ces jambes-là arpentant la pièce sous le nez de son père et de son frère aîné.

– C'est ce que tu as prévu de mettre ?

Elle se redressa. Elle s'était tiré les cheveux, les avait attachés, et elle avait mis d'énormes boucles d'oreilles.

– Bien sûr. C'est tout nouveau.

Il soupira, l'air malheureux.

– C'est superbe. Tu es superbe. C'est juste que…

Elle eut un petit rire. Elle contourna la table et se pendit à son cou.

– C'est pour les distraire du déjeuner répugnant qu'on va leur servir. Tu crois que ça va marcher ?

– S'il n'y a pas de bébés au déjeuner, protesta Mariella, je ne vais rien avoir à faire du tout.

– Emporte un jeu, ou un livre, lui proposa Sigrid.

Elle était dans sa salle de bains, elle se maquillait, et Mariella s'était assise tout habillée dans la baignoire vide, à côté de sa mère, sur un tabouret qu'elle avait apporté à cet effet.

– Si nous allons dans le Suffolk, reprit la fillette, il faut que je fasse des tas de sable. Il faut toujours que je fasse des tas de sable, dans le Suffolk.

– Eh bien, tante Charlotte…

– Elle a dit de l'appeler Charlotte…

– Charlotte tient à nous montrer son nouvel appartement et à nous faire goûter sa cuisine.

– Ça va être bizarre, fit Mariella.

– Pas forcément.

Mariella leva le nez, lorgna vers sa mère.

– La mère d'Indira se peint des petits traits sur les yeux, jusqu'au coin, et ça se termine comme des petites ailes. Des petites ailes qui battent.

– La mère d'Indira a le sens du spectaculaire.

– Elle a un million de bracelets, s'exclama la fillette, tout le long des bras. Elle nous donne la permission de jouer avec ses bijoux, on a le droit de mettre ses bagues de doigts de pied, et les trucs qu'elle met aux chevilles, et tout, et aussi on a le droit de courir en s'enroulant dans ses saris. Elle ne dit jamais oh quel désordre rangez-moi tout ça s'il vous plaît et ne sautez pas sur mon lit attention de ne pas mettre du vernis à ongles sur le tapis. Jamais elle ne nous dit ça.

– Pourquoi ne passes-tu pas plus de temps là-bas, alors, au lieu de m'embêter ?

Mariella inclina la tête de côté.

– J'aime bien t'embêter.

– J'ai remarqué, lâcha sa mère.

Elle se pencha vers le miroir, son recourbe-cils à la main.

– Pourquoi on ne peut pas avoir de bébé ?

Sigrid s'appliqua le recourbe-cils sur un œil, et serra les deux branches.

– Malheureusement, je crois que je ne sais pas très bien m'y prendre.

– Mais si. Tu m'as eue, moi.

Sigrid rouvrit l'instrument avant de l'appliquer à son autre œil.

– En effet. Mais cela n'a pas été facile. Certaines femmes ont des bébés facilement et elles savent très bien s'y prendre. Leur corps sait très bien s'y prendre. Nous sommes toutes faites un peu différemment, tu vois.

– Mais, insista Mariella, décidément très raisonneuse, les docteurs, ils t'aideraient. Les docteurs des bébés. Ils sont là pour ça.

– Oui, mais quand même.

– C'est quelle partie de toi qui n'a pas marché ?

Sigrid reposa le recourbe-cils et prit son mascara.

– Ma tête, ma chérie.

– On ne fait pas des bébés dans sa tête.

– Mais tu as des pensées et des sentiments, dans ta

177

tête. Surtout quand tu as un bébé qui pousse dans ton ventre. Tu ne te limites jamais à un corps, tu as aussi une tête. Après tout, tu as tout le temps des pensées en tête, non ? Et tu dois comprendre que certaines personnes ont des pensées et des émotions compliquées, que tu n'auras peut-être jamais toi-même, et malgré ça, tu dois te montrer compréhensive envers elles.

Mariella se redressa et sortit de la baignoire.

– Comme mamie ? fit-elle, l'air de rien.

Sigrid cessa d'appliquer son mascara. Elle se retourna.

– Quoi ?

Sa fille se pencha pour attraper son tabouret.

– Eh bien, mamie a eu trois bébés, donc elle a dû trouver ça facile.

– Je pense que oui.

Mariella posa le tabouret sur le sol de la salle de bains. Puis elle grimpa dessus, pour être plus grande que sa mère. Elle baissa les yeux sur Sigrid, et sa position de supériorité lui tira un sourire.

– Alors parfois, conclut-elle, mamie oublie d'être compréhensive avec quelqu'un comme toi. C'est ça ?

– Bon, fit Charlotte, nous avons quelque chose à vous annoncer.

Elle rougissait un peu. Tout bien considéré, le déjeuner avait été assez réussi et, même si Rachel n'avait émis à peu près aucun commentaire, elle avait mangé tout ce qu'il y avait dans son assiette et s'était même exclamée, quand elle avait vu la garniture de la salade de pommes de terre, « Oh ! du cerfeuil ! », sur un ton surpris mêlé de plaisir. Mariella s'était montrée adorable et drôle, elle les avait distraits avec des histoires invraisemblables sur ses amies, Anthony, en quelques coups de crayon, avait croqué tous les invités en personnages de dessins animés – rien que des oiseaux, notamment Charlotte en autruche extrêmement ravissante, avec des faux cils et des bas résille –, tout le monde s'était extasié sur l'appartement et les photos du mariage, Charlotte avait croisé le regard de Luke, et il reconnaissait, elle l'avait bien senti, qu'elle avait eu raison d'insister pour recevoir tous ces convives à déjeuner, raison de démontrer à ses parents que l'on pouvait organiser des réunions familiales tout à fait réussies loin de leur base du Suffolk. Et donc la voici qui tapotait de sa cuiller à thé contre son verre d'eau en prononçant ces quelques mots sur un ton un peu précipité.

– Bon. Nous avons quelque chose à vous annoncer...

Assise à côté de Luke, Rachel tendit la main et la lui posa sur l'avant-bras.

– Oh, mon chéri, lui dit-elle, un peu trop vite. Tu vas percer dans ta profession...

Luke dévisageait Charlotte. Il avait l'air un peu tendu, comme s'il retenait en lui quelque chose qu'il serait soulagé de pouvoir exprimer.

Cette fois, Charlotte se fixa sur Rachel.

– Non, rectifia-t-elle sur un ton décidé.

Rachel se tourna pour la toiser du regard.

– Pas...

– Pas quoi, fit Charlotte, l'air mauvais.

– Je t'en prie... glissa Anthony à son épouse, assise en face de lui.

– Pas un enfant, lâcha Rachel avec désinvolture.

– Rachel ! s'exclama Anthony.

Charlotte se leva. En un éclair, elle venait de perdre son sang-froid.

– Oui, hurla-t-elle. Un enfant ! Nous allons avoir un enfant ! Qu'est-ce qu'il y a de mal à avoir un enfant ?

Rachel riposta sans faiblir.

– Vous êtes mariés depuis à peu près dix minutes. Vous n'auriez pas pu attendre ?

Et là, ce fut une éruption. Luke se leva et, dans sa hâte à faire le tour de la table pour rejoindre Charlotte, il renversa sa chaise, mais Sigrid y fut avant lui, et elle serra sa belle-sœur dans ses bras. Edward et Anthony se tournèrent vers Rachel.

– Comment as-tu osé ?

– Qu'est-ce qui te prend ? Tu as perdu la tête ?

– En quoi est-ce que ça vous regarde…

– Mon Dieu, ce que tu peux être pénible…

Mariella observait la scène. Elle resta dans sa chaise, de l'autre côté de la table, face à sa grand-mère, et elle observait. Elle vit sa mère et son oncle Luke serrer Charlotte dans leurs bras, et, elle avait beau ne voir que les cheveux de sa tante et ses jambes, elle savait qu'entre tous ces bras qui l'étreignaient, elle pleurait, et qu'elle pleurait parce que mamie avait dit quelque chose qu'elle n'aurait pas dû dire, et mamie restait assise là, les yeux baissés sur ses genoux, et son père et son grand-père chuchotaient après elle, d'une voix rauque, l'air très en colère. Mariella se demanda si mamie n'aimerait pas dire qu'elle s'excusait, et puis elle se demanda si sa mère consolait Charlotte à cause de toute cette histoire de bébé que l'on a dans sa tête, et puis elle se souvint que c'était Charlotte qui avait tout commencé en annonçant que Luke et elle allaient avoir un bébé, et Mariella sentit une bouffée de ravissement monter en elle, la soulever carrément de son siège, au point qu'elle se retrouva plus grande que tout le monde, comme dans la salle de bains de sa mère, quelques heures auparavant.

Elle frappa dans ses mains.

– Arrêtez, tout le monde ! cria-t-elle.

180

Personne n'y prêta attention.

– Taisez-vous ! Taisez-vous ! hurla-t-elle de plus belle.

Elle considéra son père de haut. Il avait cessé de pester contre mamie, et il s'était assis, la tête entre les mains. Mariella inspira à fond, avant de crier à nouveau :

– Il y a un bébé qui va arriver !

Anthony avait proposé de conduire. Il avait sorti les clefs du sac de Rachel, lui avait ouvert la portière côté passager, elle s'était installée sans un mot, elle avait bouclé sa ceinture et ne l'avait pas regardé prendre place côté conducteur et régler les rétroviseurs. Elle lui avait demandé s'il voulait qu'elle le guide en direction de l'autoroute A12, il lui avait répondu merci, mais il y a des panneaux parfaitement lisibles, ensuite il avait allumé la radio, très fort, et ils avaient roulé dans un silence misérable jusque dans le Suffolk.

Il leur avait fallu deux heures et demie. Pendant la quasi-totalité du trajet, Rachel s'était renfoncée dans son siège, calée contre l'appui-tête, les yeux clos, le visage tourné à l'opposé d'Anthony. Elle ne voyait pas comment engager la conversation et son mari donnait l'impression que pareille éventualité aurait été des plus mal venues. Elle l'avait rarement vu en colère. Il n'était pas homme à céder à la colère, et surtout pas envers elle. En fait, avec les années, elle avait fini par accepter l'idée qu'avec lui, elle pouvait se permettre à peu près n'importe quoi, qu'il accordait le plus grand prix à sa vitalité peu commune et à son goût des certitudes, à ce parti pris qu'elle manifestait quand elle défendait les hommes de sa vie, son aptitude à passer à l'action, et même par considérer que c'était devenu chez lui une forme de dépendance. Elle tournait et retournait dans son esprit certaines circonstances de leur vie commune où il avait souhaité qu'elle le rassure, qu'elle agisse en compagne compréhensive, des circonstances comme le mariage d'Edward, comme Ralph s'évadant à Singapour ou les errances peu communicatives de Luke durant son année sabbatique, et elle essayait de se consoler en se disant que son mari avait alors eu besoin d'elle, s'était reposé sur son intuition, sa franchise, sa capacité à ne pas se laisser effaroucher par des songes creux. Elle essayait de se dire que ce qu'elle avait osé exprimer aujourd'hui relevait du pur bon sens, et que tout le monde pensait la même chose, sans oser le formuler, mais elle n'y arrivait pas. Elle essayait de se dire que la réaction d'Anthony était exagérée, injuste et biaisée par son tragique engouement de mâle pour les formes de Charlotte, mais elle n'y arrivait pas. Et donc, kilomètre après kilomètre, sur cette longue route en direction de l'Est-Anglie, dans le soleil las d'un dimanche après-midi d'été, elle était là, le visage détourné, les yeux fermés, assaillie de pensées comme une invasion de vermine détalant derrière ses paupières.

Dans l'allée, chez eux, il attendit qu'elle soit descendue avant de rentrer la voiture à l'intérieur de la petite grange qui servait de garage.

– En fait, lui dit-elle, je prends la voiture.

– Tu la prends ?

– Oui.

– Pour aller où ?

– À Aldeburgh.

Il regarda droit devant lui à travers le pare-brise.

– Tu t'imagines que tu trouveras là-bas une oreille plus compréhensive ?

– Ce n'est pas ça...

– Non ?

– J'ai besoin de parler à quelqu'un, lui avoua-t-elle, un petit peu au désespoir. J'ai besoin de parler. Et à toi, je ne peux pas parler.

Il ouvrit la portière de son côté, et sortit.

– Non. Tu ne peux pas, en effet.

Elle se glissa à la place du conducteur, en se contorsionnant sans élégance par-dessus le levier de vitesse. Le siège conservait la chaleur du corps d'Anthony, et cette chaleur lui donna subitement l'envie de pleurer, plus encore que toutes les pensées qui avaient pu lui traverser l'esprit sur la route du retour. Elle démarra, et elle avait à peine avancé quand elle se rendit compte que le siège était trop reculé et que les rétroviseurs étaient mal orientés, et elle dut donc stopper, un mètre après l'emplacement où Anthony s'était arrêté, et prendre le temps de tout ajuster, et lui, il resta là à l'observer, avec une expression impénétrable, mais franchement pas encourageante. Elle avança au pas sur le gravier, franchit le portail et déboucha sur la route, et c'est seulement quand elle fut hors de vue de la maison et quand Anthony se fut réduit à une silhouette, immobile et silencieuse, qu'elle se laissa aller à fondre en larmes.

Anthony avait grandi dans la compagnie des chiens. Son père était un amateur d'épagneuls, des épagneuls springer au pelage brun roussâtre et blanc, qui couraient ventre à terre ou qui dormaient ventre à terre, et il était parti du principe que toutes les maisons, toutes les familles avaient des chiens, tout comme elles avaient des réfrigérateurs, des voitures et, à l'époque, leurs premières télévisions. Mais enfant, Rachel avait été méchamment mordue par une chienne, une vieille femelle labrador à demi aveugle qui avait cru qu'elle lui barrait l'accès à son dîner. À la suite de cela, Rachel n'avait jamais pu renouer de relation facile avec les chiens. Elle avait toléré le dernier springer d'Anthony, au point de veiller cet animal avec lui durant les longues et ultimes nuits de son existence, gisant sur un vieil édredon, la respiration sifflante, mais après cela, elle lui avait confié qu'elle lui serait reconnaissante de pouvoir lui ménager une période sans chien, période qui s'était prolongée, à cause de l'arrivée d'Edward, puis avec celle de Ralph, et ainsi de suite jusqu'à ce qu'Anthony finisse par accepter de vivre sans présence canine. En fait, les chiens, il n'y pensait plus guère, et c'était seulement en des moments comme celui-ci, alors qu'il descendait à pied vers le quai pour longer la rivière parallèle à la mer, qu'il songeait qu'un toutou lui procurerait une compagnie agréable et sans complications, le distrairait de ce qui lui encombrait la tête, car on pouvait lui confier, à voix haute et en toute sécurité, toutes sortes de choses qui réclamaient à grands cris d'être exprimées, tandis que les proférer devant un autre être humain ne ferait qu'envenimer considérablement la situation.

Le chemin longeait une digue entre la plaine sur la gauche, et l'étendue rectiligne de la River Orde sur la droite. C'était une promenade qu'il connaissait depuis toujours, en commençant par le quai avec ses plans d'eau tranquilles et abrités, ses langues de basse terre et ses grappes de petits voiliers au mouillage avec leurs gréements qui claquaient dans la brise légère. Depuis le quai, le chemin longeait des hangars en bois où l'on vendait du poisson frais les jours de semaine, un petit salon de thé joliment aménagé avec sa véranda et le petit cube blanc du club de voile – et tout cela lui était si familier, c'était tellement intemporel, aussi intemporel que les contours de l'église et du château qu'il apercevait un peu plus loin, s'il se tournait vers l'intérieur des terres, au milieu des arbres et des haies. Les garçons l'avaient tous aimé, ce château, quand ils étaient plus petits. Ralph l'avait choisi pour sujet d'exposé, à l'école ; un texte très équilibré, consciencieusement rédigé, qui commençait en ces termes : *Le château a été construit, À GRANDS FRAIS, par Henry II.* Luke, lui, avait abordé les chroniques de la Seconde Guerre mondiale, et il était profondément jaloux de ces moments excitants qu'avait pu connaître Anthony, alors tout jeune garçon, lors du démantèlement des défenses de plages ou la récupération des mines et des bombes qui n'avaient pas explosé. Edward, désormais si urbain, si cosmopolite, était celui qui s'intéressait à l'histoire naturelle de l'endroit, le collectionneur de cristes-marines et d'arméries, celui qui identifiait les différentes variétés de mouettes à la couleur de leurs pattes, ou qui restait tapi des heures dans ces champs sans relief à proximité de la digue en attendant que des lièvres bruns se livrent aux matches de boxe de leurs rituels d'accouplement printaniers.

Enfin, songea Anthony, en descendant le flanc escarpé de la digue du côté de l'intérieur des terres et en se tournant vers la lame blanche d'une voile défilant sereinement côté mer, on n'avait rien à gagner à comparer ces temps-là avec les temps actuels. À l'époque, cela concernait trois garçons âgés de douze ans. À l'heure actuelle, on avait affaire à trois garçons qui avaient plus de trente ans, tous les trois ou presque. À petits enfants, petits problèmes, à grands enfants, grands problèmes. Il se sentait dégoûté de cette journée, de tous ces drames, de ces trajets fastidieux, de l'insouciance de Luke et Charlotte sur le plan contraceptif, de l'égoïsme d'un Ralph, toujours tellement centré sur lui-même, de l'incapacité de Rachel à maîtriser ses réflexions, sa langue et son comportement. Il se sentait sali par tout cela, aigri et souillé, et il mourait d'envie d'avoir à ses côtés ce chien qui n'existait que dans son imagination, qui courrait devant lui dans le chemin bordé d'épis de blé, totalement absorbé, à la poursuite d'un fumet si prégnant qu'il aurait fait abstraction de tout le reste. De par sa pure simplicité, ce serait pour lui un réconfort. Cela lui rappellerait que la vie n'est pas seulement peuplée de moments de colère et de confusion, et de sentiments blessés.

À un petit mètre de lui, l'appel d'un oiseau, aigu et soudain, interminable et décroissant, jaillit des rangs de blé. Il s'arrêta, resta immobile. Là, perché sur un épi de blé, et non au faîte d'un roseau, ce qui aurait été son choix habituel, il vit un bruant des roseaux, plus petit que sa main, avec son corps aux rayures et aux mouchetures audacieuses et sa tête d'un noir de charbon ornementée d'un col blanc et d'une moustache de comédie. Anthony attendit. L'oiseau l'avait sûrement repéré. L'oiseau et l'homme restèrent l'un et l'autre complètement immobiles dans cette soirée d'été, pendant ce qui lui sembla une poignée de secondes miraculeuses, puis l'oiseau laissa de nouveau échapper son curieux petit cri et s'envola sans se presser vers les bancs de roseaux, par-delà la digue. Anthony le regarda s'éloigner. Il prit une respiration.

– Merci, dit-il, en s'adressant à l'air vide.

Rachel ne rentra qu'après la tombée de la nuit. Anthony s'était servi un verre de whisky allongé d'eau, qu'il avait emporté en face, dans son atelier, avec l'intention de s'immerger dans son antre, comme à son habitude, mais il s'aperçut qu'il en était incapable et retourna donc dans la cuisine, où il étala les journaux du dimanche qu'il tenta de lire, en évitant de trop souvent consulter sa montre et de se verser un deuxième whisky.

Elle lâcha les clefs de voiture sur le comptoir de la cuisine avec fracas.

– Je suis franchement désolée, dit-elle, sans le regarder.

Il ne quitta pas son journal des yeux.

– Moi aussi.

– Je n'ai pas vraiment envie d'en parler...

– J'aurais cru que si...

– J'en avais envie, lui confia-t-elle, mais cela m'a en quelque sorte passé. J'étais là, dans leur cuisine, et tout ça m'a fatiguée, j'étais fatiguée de moi-même – oh, fatiguée de me comporter de la sorte. Ce qui n'était pas plus mal.

Il leva les yeux. Elle était debout, là où elle s'était immobilisée en entrant. Elle avait l'air épuisée et toute fripée, des mèches collées au front, comme si elle s'était endormie les cheveux encore mouillés.

– Que veux-tu dire ?

Elle se tourna lentement vers lui, pour le regarder. Elle eut un sourire un peu forcé.

– Eh bien, ça ne les a pas trop intéressés, voilà...

– Qu'est-ce que...

– Je suis arrivée là-bas juste à l'heure où ils allaient leur donner le bain. C'était Ralph qui s'en chargeait. Alors je les ai plus ou moins aidés, à ceci ou à cela, et puis j'ai lu une histoire à Kit et je suis descendue au rez-de-chaussée, Petra dessinait à la table de la cuisine et Ralph était dans son bureau. J'ai parlé à Petra du bébé, elle n'a pas relevé les yeux, elle m'a juste répondu : « C'est venu vite. » Et moi, j'ai dit stupidement « Pour toi aussi », et elle n'a rien répliqué, elle a juste continué de dessiner, et puis Ralph est descendu et il m'a dit « Merci d'être venue, maman », et j'ai compris qu'on me… en un sens on me signifiait de m'en aller.

Anthony se leva lentement de la table.

– Alors tu es allée où ?

– Au bord de la mer…

– Où…

– Je me suis garée dans Shingle Street. Là où Petra disait avoir été si heureuse avec Ralph.

Anthony vint s'asseoir à côté d'elle.

– Une journée qui a bien mal tourné… lui fit-il.

– Ah ça, c'est sûr…

Il eut l'idée d'ajouter « Il faut que tu lâches prise », mais ensuite il songea qu'ils étaient tous les deux trop fatigués pour ce qui s'ensuivrait inévitablement et, de toute manière, ça, Rachel le savait sans doute, mais elle n'avait aucune envie de s'y confronter, en tout cas pas au terme d'une journée pareille. Et donc il resta là, en l'observant à moitié.

– Quelqu'un a téléphoné ? lui demanda-t-elle au bout d'un moment.

– Les garçons ? Non.

– Je pensais que Luke aurait pu appeler.

– Non.

– Ou Edward.

– Non.

– Sigi…

– Arrête, lui fit-il. Je me suis servi un whisky. Tu en veux un ?

Elle secoua la tête. Elle jeta un œil sur la cuisine, les couleurs, les objets accumulés, les rangées de mugs suspendus à leur crochet en bois, la grande coupe de fruits en poterie, les planches à découper tout éraflées.

– Tout cela m'a l'air assez vieillot, non…

– Rachel, ne commence pas. Il est trop tard. Nous sommes trop fatigués…

Elle lui lança un rapide regard, et il entrevit l'image fugitive de la jeune fille à laquelle il avait offert une bague montée d'une aigue-marine, qui avait jadis appartenu à sa grand-mère, la jeune fille qui avait su comment le prendre, comment prendre le Dépotoir, comment prendre la maison de ses parents qui tombait tranquillement en ruines.

– Au lit, fit-il.

Il lui posa la main sur l'épaule.

– On ne peut rien faire de plus de cette journée, si ce n'est y mettre un terme.

Elle s'écarta, de sorte que la main d'Anthony retomba. Elle attrapa les clefs de voiture et les lança dans la coupe de fruits, au milieu des bananes.

– D'accord, dit-elle.

Chapitre 10

Pendant que Petra était encore dans son carré de jardin avec les garçons, Ralph sortit tous ses vieux costumes du placard de leur chambre. Ces vieux costumes, il ne les avait jamais transférés de son ancienne chambre, dans la maison de ses parents, jusqu'au cottage de Shingle Street, mais lorsque le moment était venu de déménager à Aldeburgh, Rachel était arrivée avec tout le lot, protégé par un assortiment de bâches en plastique et en toile, et elle lui avait annoncé qu'à présent, puisqu'il s'engageait dans la vie de famille pour de bon, il fallait qu'il range ses affaires chez lui.

Ralph n'en avait été que faiblement surpris. Rachel lui avait apporté ses costumes, mais pas ses livres d'enfant, ni son château fort ni son râtelier à clefs, fabriqué lors de son tout premier atelier bois, à l'école secondaire. Il avait accepté les costumes, supposant qu'elle lui signifiait par là que l'imminence de la paternité requérait plus de sérieux dans la démarche, et il les avait fourrés un peu n'importe comment dans le fond de la penderie trop petite qu'ils partageaient, Petra et lui, où il les avait oubliés, tout comme il avait oublié les objets enfantins que sa mère semblait encore souhaiter conserver. En fait, il les avait oubliés si complètement que, pour le mariage de Luke, il avait loué un costume, avant que Petra ne lui rappelle tranquillement : « Mais tu as un costume. Tu en as plusieurs. »

Et ils étaient tous là, maintenant, bleu foncé, gris foncé, tous serrés les uns contre les autres sur des cintres inadaptés, portant les étiquettes de tailleurs singapouriens qui avaient si magnifiquement copié les deux costumes anglais avec lesquels il était arrivé. Ils n'avaient pas belle allure, ses pauvres costumes, tout froissés et négligés, avec leur doublure malpropre, des saletés dans les poches de pantalon et des poignets sans boutons. Il laissa tomber son jean au sol et attrapa le premier pantalon de la rangée, en fine laine anthracite rayée de gris perle. Il l'enfila prestement, le remonta sur son vieux caleçon et ses fines chaussettes achetées sur un étal de marché. Il le boutonna à la taille et zippa la braguette. Il lui allait à la perfection, lui épousant le ventre bien à plat, lui effleurant la ligne des cuisses, assez ample pour qu'il puisse glisser les mains dans les poches et y retrouver la moitié d'une carte d'embarquement de Singapore Airlines et un billet de cinquante dollars de Singapour tout fripé. Il considéra ce billet de banque dans sa main, et se souvint. Il repensa à son appartement, dans un immeuble immense sur Orchard Road, le vaste atrium au sol rutilant en pierre polie et un ascenseur qui s'élevait en silence dans une colonne de verre, au milieu des arbres d'une jungle intérieure aux verts éclatants. Il repensa à la salle des marchés de la banque, où ils criaient tous dans des microécouteurs dix heures par jour. Il repensa aux plages le week-end, où il était resté assis seul dans le sable, à regarder le soleil se coucher soudainement dans le détroit de Singapour, songeant que tout là-bas, à l'autre bout de cette mer indigo, il y avait la première de ces îles innombrables de l'archipel indonésien. Il ferma les yeux. Une aspiration subite à la liberté s'empara de lui avec une telle force qu'elle lui coupa presque le souffle.

Il remit le billet de cinquante dollars dans sa poche et rouvrit les yeux. Il se regarda dans l'étroit miroir qu'il avait cloué derrière la porte de la salle de bains, et dont Kit avait décoré le bas du cadre d'autocollants de Bob le Maçon. Il avait une tout autre allure, en pantalon de costume, malgré un T-shirt vert foncé qui avait connu trop de lessives et de repassages et une barbe de deux jours. Il trouva la veste qui appartenait au même costume et la passa. Même avec le T-shirt et malgré l'état quelque peu froissé de la veste, l'ensemble était impressionnant. Il redressa les épaules. Ce costume le définissait, il lui conférait une autorité. Il gonfla les poumons. Il se demanda s'il avait encore des chemises – et des chaussures. Il s'était juré de ne plus jamais porter de cravate, mais la cravate, cela avait un effet sur la chemise, c'était comme une sorte de touche finale. Comme les boutons de manchette. Les gens portaient-ils encore des boutons de manchette ? En possédait-il encore ?

En chaussettes et en costume, il se rendit à pas de loup dans la cuisine. Il remplit la bouilloire. Il n'avait pas précisément faim, ou soif, mais il sentit très nettement en lui le frémissement du souvenir, le rappel de quelque chose qui n'allait pas – qui n'était pas allé – sans excitation, quelque chose de stimulant, et qui méritait au moins d'être célébré avec un café. Il songea à l'insouciance de sa vie à Singapour, combien il était facile d'y exercer ses talents sans aucune autre responsabilité que celle d'exploiter ce pour quoi il était naturellement doué, avant de se retrouver ensuite livré à lui-même, le soir, le week-end, autorisé à filer, en toute liberté. Il se demandait maintenant s'il n'avait pas fini par se sentir blasé, gagné par l'ennui, et comment il avait pu tourner si délibérément le dos à tout cela. Il se rappelait avoir laissé tomber sa cravate – il s'agissait peut-être même d'une cravate Hermès, achetée à l'aéroport de Changi – dans une corbeille à papier de l'entreprise, et s'étonna de cette lubie. Qu'est-ce qui avait bien pu lui passer par la tête ?

Il regarda autour de lui dans la cuisine. Ce n'était pas la cuisine de Petra, comme la cuisine de sa mère pouvait être celle de sa mère. En un sens, c'était leur cuisine, ou du moins celle que Petra et lui avaient peu à peu transformée, à partir d'une agréable pièce carrée dotée d'un évier et d'une cuisinière. Il avait peint les murs en bleu pour qu'elle puisse y ajouter des oiseaux, des nuages, des constellations, et ils avaient aménagé les éléments de mobilier qu'ils avaient négligemment achetés ici ou là, de manière assez confortable, mais sans esthétique particulière. Ensuite ils y avaient tout simplement vécu, et la pile de linge sale avait trouvé sa place, tout comme la bouilloire, les paquets de céréales et les mugs en plastique dans lesquels buvaient les garçons. Cela lui manquerait-il ? Il se posa la question. S'ils devaient abandonner cette cuisine, cette maison, et déménager ailleurs afin qu'il puisse effectuer le trajet en train, tous les jours, dans son costume, avec sa chemise, sa cravate et ses boutons de manchette, vers un monde de verre et d'acier qui, en cet instant précis, possédait à ses yeux tout le charme nostalgique de Singapour, y accorderait-il vraiment de l'importance ?

La porte de la cuisine s'ouvrit, celle qui donnait vers l'extérieur. Dans son T-shirt Spider-Man, Kit entra en brandissant une carotte toute terreuse et un bâton. Il tendit la carotte vers lui.

– Regarde !

– Je regarde…

– C'est moi qui l'ai arrachée.

– C'est bien. Et maintenant, tu vas la manger ?

Kit jeta le légume par terre.

– Non.

– Ouah, fit Petra sur le seuil. Non mais regarde-toi…

Ralph prit la pose.

– Qu'en penses-tu ?

Petra tenait Barney dans ses bras. Elle se baissa pour le poser par terre. Il se rua tout droit vers la carotte que Kit venait de laisser tomber.

– Pas vraiment mon style, fit Petra. Mais c'est sympa.

– Tu pourrais me le repasser un peu ?

– D'accord…

– Je n'ai pas de chemise…

Petra ressortit et refit son apparition avec une corbeille de jardinage pleine de légumes.

– Regarde.

– Kit m'a dit ça…

– Kit se contente de tirer dessus. Moi, je les fais pousser. Carottes, épinards, radis, laitue.

Ralph traversa la cuisine et scruta le contenu de la corbeille.

– Très impressionnant.

– J'aime bien, fit Petra.

– Le jardin ?

– Faire pousser des choses.

Ralph alla vers la bouilloire.

– Peut-être que nous trouverons une maison avec un jardin. Un jardin assez grand pour qu'on y fasse pousser des trucs.

– Mon carré de jardin me plaît bien, lui avoua-t-elle.

Barney croquait la carotte toute terreuse de Kit. Kit, lui, se tenait debout près de la table, son bâton entre les jambes, comme un cheval de bois, et insérait des pièces de Lego dans un grille-pain. Sur cette table, il y avait aussi le carnet de croquis de Petra et plusieurs journaux, des bocaux, une brique de lait, un marteau et quelques bols restés du petit déjeuner, les bords ourlés de céréales desséchées. Elle posa la corbeille de jardinage sur le cahier.

– Cette maison me va très bien, dit-elle.

Ralph renversa le paquet de café au-dessus de la cafetière. Il y versa de l'eau bouillante, et remit le piston en place sur le réservoir. Puis il appuya dessus, lentement, prudemment, avant d'ajouter un mot.

– Je vais gagner au moins soixante mille livres par an. Juste pour commencer. Et encore plus après mes trois mois de période d'essai.

– Je suis incapable de penser à cela.

– Eh bien, tu devrais.

Elle se baissa, retira la carotte de la menotte de Barney qui s'y agrippait, en essuya presque toute la terre sur l'ourlet de son T-shirt, et la lui rendit.

– Ça ne compte pas.

– Qu'est-ce qui ne compte pas ? fit Ralph.

– L'argent.

Il laissa le café, traversa la cuisine, et se retrouva tout près d'elle.

– Nous avons besoin d'argent, mon chou.

– Juste un peu…

Il tendit les bras vers elle et l'obligea à se tourner face à lui.

– Petra. Leçon numéro un. Si tu n'as pas d'argent, tu n'as nulle part où vivre, tu n'as rien à manger, tu n'as pas de quoi t'habiller. Leçon numéro deux, si tu n'as pas de travail, tu n'as pas l'argent qu'il faut pour tout ce que je viens de mentionner. D'accord ?

Elle ne le regarda pas. Elle hocha la tête.

– Tu ne travailles pas… dit-il.

– Je pourrais. J'ai déjà travaillé.

– Oui. Mais pour le moment, tu ne travailles pas. Depuis Kit, tu ne travailles plus. Cela ne me gêne pas. Cela ne m'ennuie pas que tu ne travailles pas. Mais il faut bien que l'un de nous deux travaille. J'ai déjà travaillé, et je vais m'y remettre.

– Oui.

– Et je ne peux plus travailler en continuant d'habiter ici.

Elle ne répondit rien. Il se pencha vers elle, pour la regarder dans les yeux.

– Maintenant, je vais devoir aller travailler. Je vais devoir aller à Londres.

Elle recula d'un pas, hors de sa portée.

– Croque-monsieur, pour le dîner ?

Kit se concentrait sur ses Lego, en respirant fort. Il ne remarquait rien.

– C'est ce qui va se passer, et c'est tout, insista Ralph.

Petra enjamba Barney pour aller au frigo, elle l'ouvrit et en sortit des œufs.

– Pourquoi faut-il que nous choisissions toujours des choses qui nous font du mal ? s'interrogea-t-elle, sans âpreté.

Ralph se figea.

– Tu veux parler de moi ?

Elle ne répondit pas.

– Tu veux dire, insista-t-il, que j'essaie de te faire du mal ?

Elle se redressa, une boîte d'œufs dans la main.

– Ce n'est pas que tu essaies. Mais c'est pourtant ce qui se passe.

– Comment suggères-tu que je subvienne à vos besoins à tous les trois, sinon ? lui demanda-t-il, déjà plus tendu.

– Il se présentera bien quelque chose…

– Mais pas forcément une chose dont j'aurais envie.

Elle trouva un paquet de pain en tranches, recouvert par les journaux posés sur la table.

– Alors, ce travail, tu en as envie ?

– Oui, fit-il.

Elle le dévisagea. Elle avait l'air complètement abasourdie.

– Tu as envie de porter un costume et d'aller à Londres en train, de travailler toute la journée dans un bureau et de ne jamais voir la lumière du jour en hiver ?

– Oui, lui dit-il.

– Tu veux que ça finisse comme c'était à Singapour ?

Il prit la cafetière et se servit un mug de café.

– Oui, dit-il.

– Que t'est-il arrivé ?

– On m'a donné une nouvelle chance de faire une chose que je sais faire, et bien.

– Nous avions de l'argent, avant…

– Mais je n'ai pas su me gérer moi-même, lui rappela-t-il. Je croyais que j'en serais capable, mais je n'y suis pas arrivé. Je ne suis pas un gestionnaire. Je suis bon en équipe, quand ce n'est pas moi qui dirige, je suis un créatif. Je vais leur taper sur le système, mais je vais obtenir des résultats. Si j'ai ma liberté d'action, j'obtiendrai des résultats.

– Ta liberté…

– Oui.

Elle sortit des tranches de pain du paquet.

– Alors, prends-la, ta liberté.

– Merci.

Il lui tendit le mug qu'il venait de remplir.

– Café ?

Steve Hadley avait fini par très bien connaître Alde-burgh. Depuis que la carte de Petra était arrivée – une carte sur laquelle elle avait peint un vanneau mâle avec sa crête pointue, et dans laquelle elle avait glissé un billet de dix livres –, il avait consacré une bonne partie de son temps libre à Aldeburgh, à la chercher. Elle lui avait dit qu'elle avait deux petits garçons, et même s'il avait vu un assez grand nombre de jeunes femmes assez menues avec des enfants, rares étaient celles qui n'avaient que des garçons. Mais Steve n'était pas pressé. Il avait eu tout l'été pour arpenter la côte d'un bout à l'autre d'Aldeburgh, depuis la grande sculpture en forme de coquille Saint-Jacques dédiée à Benjamin Britten jusqu'à la pointe sud de la ville, où les hautes maisons mitoyennes du front de mer décrivaient une pente déclinant avant de se fondre dans les portions de marais où se mêlaient les eaux de la rivière et de la mer. Il avait en poche la carte de Petra. Elle l'avait envoyée au directeur de la réserve naturelle, avec cette somme d'argent en guise de donation, et le directeur l'avait remise à Steve, en lui disant : « Puisque tu es le seul Steve, elle avait sans doute l'intention de te l'adresser à toi, une jolie petite peinture. » C'était une jolie petite peinture, en effet. Sans elle, et le mal qu'elle s'était visiblement donné pour l'exécuter, il n'aurait probablement pas pris la peine d'essayer de la retrouver. Mais cette peinture et le souvenir de la jeune femme endormie dans le sable s'associèrent pour la lui loger dans la tête de manière à la fois agréable et intrigante. Aussi, après son travail, ou pendant ses jours de congé, il déambulait dans Aldeburgh, déjeunait de fish-and-chips assis sur les galets, et il attendait.

Il la vit enfin, alors qu'il était sur le point de rentrer chez lui, par une après-midi libre. Il se trouvait devant l'école primaire, admirant le petit bateau de couleur vive moulé contre le mur blanc, quand elle passa, avec une poussette où était installé un gros bébé, et avec un petit garçon qui marchait à sa hauteur, traînant les pieds en s'accrochant un peu à la poussette, en lâchant le genre de gémissement sourd et régulier qui lui était familier, car il l'avait déjà entendu chez les enfants de son frère.

Il descendit du trottoir, s'engagea sur la chaussée, devant elle.

– Salut, fit-il.

Petra le regarda sans comprendre, puis son visage s'éclaira. Elle lui sourit. Elle portait une tunique indienne brodée sur un jean, des baskets aux pieds, avait les cheveux attachés en une longue queue-de-cheval, rejetée sur une épaule.

– Salut...

Il lui tendit la main.

– Je m'appelle Steve. De Minsmere. Vous vous souvenez ?

Elle opina.

– J'étais allée dormir dans le sable, expliqua-t-elle en s'adressant à son petit garçon, et mes clefs de voiture étaient tombées de ma poche. Ce monsieur me les a retrouvées.

Kit cessa de geindre. Il regarda Steve, l'air hésitant. Ce dernier s'agenouilla sur la chaussée, devant lui.

– J'ai des neveux de ton âge...

– J'ai trois ans, lui fit Kit, sur ses gardes.

– Ah oui, au moins !

– J'ai une pelleteuse.

Steve se redressa.

– Petit veinard.

– Qu'est-ce qui vous amène à Aldeburgh ? lui demanda-t-elle.

199

Il lui sourit.

– Je vous cherchais.

– Ah oui ?

Il sortit de sa poche la carte, sa petite peinture.

– Je la garde sur moi depuis des semaines…

– Je n'ai pas envie que vous me suiviez à la trace, lui dit-elle.

– Non, fit-il, j'attendais, c'est tout. En espérant un peu. Vous savez.

Il se tourna de nouveau vers Kit.

– Comment t'appelles-tu ?

– Kit.

– Et lui ?

– Barney, lui dit Kit. Et il mange tout le temps.

Steve éclata de rire.

– Ça m'en a tout l'air, ajouta-t-il, avec un rapide coup d'œil à Barney.

Petra l'étudiait du regard.

– Nous allons faire un tour dans mon bout de jardin familial, dit-elle, comme si elle venait subitement de décider quelque chose.

Steve opina.

– Je peux vous accompagner ? lui demanda-t-il, un peu hésitant.

– D'accord…

Il désigna la poussette de Barney.

– C'est moi qui la pousse ?

Petra s'effaça.

– D'accord, répéta-t-elle. Je suis mariée, ajouta-t-elle aussitôt.

– Je pensais bien.

Elle prit Kit par la main.

– Quatre années de…

– Ce n'est pas un problème.

– Un problème ?

Il commença de pousser Barney vers le chemin menant aux jardins familiaux.

– Je veux dire, je vous aime bien quand même. Cela me plaît que vous soyez venue dormir dans le sable et que vous ayez peint ce vanneau. Vous n'êtes pas comme les autres.

– Cela n'aide pas, de ne pas être comme les autres, remarqua-t-elle. Kit non plus n'est pas comme les autres. Hein, Kit ?

Kit leva les yeux, se pencha devant sa mère pour mieux voir Steve qui maniait la poussette. Tenir sa mère par la main, il savait qu'il ne pouvait jamais, à cause de la poussette, et il aimait bien la tenir par la main, et en plus il aimait bien qu'elle n'ait rien non plus dans son autre main. Il considéra Steve d'un air approbateur.

– Oui, dit-il à sa mère.

– Je n'ai pas envie de parler de ce qui plaît ou pas, fit-elle à Steve. Je n'ai pas envie d'entendre ce genre de choses. En ce moment, là où je suis, je ne me sens pas bien. J'allais juste aux jardins familiaux, parce que là-bas je me sens mieux, ça me calme.

– Et moi, ça me va, fit-il.

Barney se retourna dans son siège, et remarqua qu'un inconnu avait remplacé sa mère. Il se mit à grogner.

Petra se pencha vers lui. Kit vit bien vers où se dirigeait sa main libre.

– Oh, mon Barney… lâcha-t-elle, un peu désemparée.

– Allons, fit subitement Steve. Taïaut ! On fonce !

Et il démarra à une vitesse surprenante, au pas de course dans le chemin, en guidant habilement la poussette pour éviter de justesse les aspérités du terrain. Les grognements de Barney cédèrent presque immédiatement la place à des glapissements et des cris de ravissement.

– Allez ! cria Kit à sa mère. Allez, allez !

Et il se mit à courir, en la tirant, et elle le suivit en trébuchant à moitié, et il savait qu'elle sentait toute son excitation parce qu'elle riait elle aussi – il commandait, et elle, elle riait.

Au jardin, Steve fut d'une grande aide. Il répara le verrou de la porte et démonta les tuteurs qui soutenaient les pois de senteur, tous morts à cause du manque d'eau, il bêcha une ou deux racines de pommes de terre précoces, empêcha Barney de croquer des cloportes et aménagea une piste à Kit pour sa pelleteuse, avec de vieilles briques qu'il récupéra dans un jardin tout proche et dont visiblement personne ne voulait, comprit-il, rien qu'à voir cet autre jardin tout envahi de mauvaises herbes et si négligé. Il n'ennuya pas Petra avec des bavardages, il se contenta de lui prendre la fourche des mains pour arracher des patates, puis il répara aussi la clôture avec le tournevis du couteau suisse qu'il avait en poche, puis il s'accroupit sans un mot à côté de Barney et lui retira les cloportes de la bouche, tout en réussissant à ne pas attirer son attention. Quand ils repartirent enfin, Barney le laissa l'attacher dans sa poussette sans protester et ils ressortirent par la porte. Kit attendit que Petra soit passée avant de faire coulisser en place le verrou réparé, puis il reprit sa main dans la sienne, et cette fois sa mère tenait dans sa main libre un bouquet d'œillets de poète, ce qui lui convenait très bien, parce que ce n'était que des fleurs.

Et quand ils furent de retour devant l'école, Steve arrêta de pousser.

– Bon, je vais vous dire au revoir, maintenant.

– Vous voulez boire un café ? lui proposa-t-elle.

Il fit non de la tête.

– Merci, je vais filer.

Elle lui tendit les fleurs. Il fit de nouveau non.

– Je ne suis pas tellement fleurs, moi, comme garçon...

Elle coucha le bouquet en travers des poignées de la poussette.

– Merci de votre aide, lui dit-elle.

Il baissa les yeux sur Kit.

– À la prochaine, monsieur le conducteur de pelleteuse.

– Tu viens à ma maison ? lui demanda Kit.

– Non, mon gars. Je ne viens pas.

– Si ! s'écria Kit.

– Je vais te dire, reprit Steve, sans quitter Petra et Kit des yeux, toi, par contre, tu pourrais venir chez moi. Tu pourrais venir à ma maison.

– Oui ! glapit le petit bonhomme.

– Chez moi, lui promit Steve, il y a suffisamment de cailloux pour remplir un million de pelleteuses.

Il jeta un coup d'œil à Petra. Elle contemplait les œillets de poète.

– Qu'en pensez-vous ?

Elle leva le pied et, du bout de sa basket, libéra le frein de la poussette.

– D'accord, dit-elle.

Rachel transmit à Ralph tout le descriptif d'une maison à Ipswich, par e-mail. C'était une maison mitoyenne, ordinaire, mais elle comptait trois chambres, un jardin de trente mètres de côté, et se situait à sept minutes de la gare. Elle lui joignit aussi un horaire des trains d'Ipswich, qu'il puisse voir à quelle heure il arriverait au bureau le matin et quand il pourrait en repartir le soir, car à l'aller comme au retour, le trajet depuis la gare était insignifiant.

La maison lui plut assez. Sa construction datait sans doute de l'entre-deux-guerres, mais elle était spacieuse et l'emplacement était parfait. Dans son e-mail, Rachel lui précisait qu'Anthony et elle pourraient sans doute trouver le moyen de les aider si jamais une certaine somme leur manquait pour s'acheter une maison plus coûteuse que celle qu'ils allaient revendre. Ils n'en avaient pas encore discuté, mais elle était convaincue que cela ne poserait aucun problème, Anthony vendrait quelques tableaux ou signerait un nouveau contrat, Ralph ne devait pas s'inquiéter. Et puis elle avait cherché du côté des écoles, il y avait un bon établissement primaire dépendant de l'Église d'Angleterre à moins d'un kilomètre, et deux crèches tout près avec des places disponibles pour la rentrée d'automne. Le jardin offrait largement assez de place pour que Petra y plante ses légumes. Et si elle allait la visiter, en leur nom à tous les deux, Petra et lui ?

« *Vas-y. Merci* », lui répondit-il, laconique, et il cliqua sur *Envoyer*. Après avoir été si dure, si pénible et si frustrante, la vie paraissait subitement se lisser, se dérouler devant lui comme ce n'avait plus été le cas depuis une éternité. En réalité, il n'avait aucune envie d'habiter une maison mitoyenne dans une rue monotone près de la gare d'Ipswich, mais pour le moment, c'était là une perspective qui lui paraissait tout simplement éclipsée par l'éclat de tout ce qui se présentait à lui par ailleurs, qui lui donnait subitement l'impression merveilleuse d'être lâché en liberté dans un espace immense, aérien, d'un bleu limpide où il pouvait prendre son envol et multiplier les cabrioles. Il songea qu'en s'emplissant les poumons de cette liberté, de cette énergie et des opportunités d'accomplissement qu'il sentait émerger en lui, il supporterait fort bien d'en être réduit à passer ses week-ends dans un endroit peu avenant. En tout cas, il y avait un jardin de neuf ares. À Aldeburgh, ils n'avaient rien d'autre qu'une cour miteuse, adossée à un mur de garage recouvert de crépi. Un jardin de neuf ares, c'était suffisant pour taper dans la balle et réserver plus de place aux légumes qu'il n'y en avait dans leur jardin ouvrier.

Il mit un tirage papier du mail de sa mère sous le nez de Petra.

– Tu en penses quoi ?

Elle y jeta un œil.

– C'est pas mal...

– C'est à sept minutes à pied de la gare.

Elle hocha la tête. Elle cessa de lire le descriptif et prit sa corbeille. Il y avait dedans des pommes de terre nouvelles, d'un jaune blanchâtre, de la taille d'une noix.

– Il y a un jardin de neuf ares, souligna-t-il. De quoi installer un but de foot. Et un potager. Orienté sud.

Elle versa les patates dans l'évier.

– Sympa, fit-elle.

– Tu veux une bière ?

– Non merci.

– Ce n'est pas particulièrement séduisant, je sais, mais l'emplacement est parfait. Des écoles, la gare, tout.

Elle fit couler de l'eau dans l'évier.

– Tu as souhaité bonne nuit aux enfants ? lui demanda-t-elle.

– Oui.

Elle se retourna.

– Tu ne leur as pas dit bonsoir...

– OK, non, dit-il, mais j'y vais.

– Arrête de regarder ce truc...

– Je pensais juste...

– Non, insista-t-elle. Va voir Kit. Il est au lit. Il t'attend sûrement.

Il se leva. Il portait un T-shirt qu'elle ne lui avait encore jamais vu, remarqua-t-elle. Il était d'une blancheur immaculée, avec un discret petit logo noir du côté du cœur. Et il s'était rasé. Elle ne l'avait plus vu ainsi rasé de près depuis des mois.

– Chérie, réfléchis un peu...

Elle se retourna vers l'évier.

– Nous avons eu une bonne fin de journée, dit-elle. Au jardin. C'était un soulagement, après ce qui s'est passé.

Ralph n'écoutait pas. Il était debout près de la table, dans son T-shirt blanc frappé du logo d'une société, l'air ailleurs.

– Kit m'a tiré les cheveux, continua-t-elle, en faisant rouler les patates nouvelles dans l'évier pour les rincer de leur terre. Très fort. Je veux dire, ça m'a fait vraiment mal, il a tiré tellement fort. Je ne sais pas s'il l'a fait exprès, il voulait peut-être juste essayer de voir comment on s'y prend pour arracher les cheveux de la tête de quelqu'un, enfin, je ne sais pas, mais j'ai poussé un cri, et j'ai dû l'effrayer parce qu'il a couru à l'autre bout de la pièce et il a aussi tiré les cheveux de Barney, et Barney a crié lui aussi. Je l'ai pris dans mes bras, je l'ai câliné, et j'ai ignoré Kit, ce qui a mis Barney en colère, et j'ai vu qu'il était furieux contre moi, parce que je n'avais pas puni Kit, je m'étais contentée de l'ignorer. À ton avis, qu'est-ce que j'aurais dû faire ?

– Mmh ? marmonna-t-il, l'air absent.

– Je veux dire, Barney voulait qu'on lui rende justice, ça se voyait, tu sentais que c'était vraiment ça qu'il voulait, il voulait que je... que je poignarde Kit, enfin, je ne sais pas, moi.

Il y eut un silence.

– Tu aurais difficilement pu commettre un geste pareil, lui répondit finalement Ralph, comme s'il était très loin.

Elle tira sur la chaînette de la bonde.

– Je suis allée faire un câlin à Barney et Kit s'est mis à pleurnicher. Il a n'a pas arrêté de pleurnicher, des heures, jusqu'à ce que nous allions au jardin. Ensuite, il a été mignon.

– Ah, bien.

Elle attrapa un torchon posé sur le dossier d'une chaise.

– Ça n'ira pas, dit-elle, en regardant le tirage de l'e-mail sur la table.

– Qu'est-ce qui n'ira pas ?

– Je n'irai pas vivre là-bas.

Il lui fit un grand sourire.

– C'est assez quelconque, comme endroit, je sais. Je suis convaincu qu'on pourrait trouver autre chose...

– Je n'irai pas habiter à Ipswich.

Il lui répondit, sans impatience :

– J'ai besoin d'être près d'une gare.

Elle se sécha les mains. Puis elle reposa le torchon sur le dossier de la chaise.

– Je ne peux pas, répéta-t-elle.

Ralph la dévisagea.

– Tu ne peux pas quoi ?

– Je ne peux pas, répéta-t-elle. Je ne peux pas renoncer. Je ne peux pas renoncer à la mer.

Chapitre 11

La mère de Charlotte était à la table où elle s'installait pour peindre, un dahlia posé devant elle. Les dahlias étaient tellement démodés qu'en un sens, ils étaient redevenus tendance, totalement tendance. Du moins, c'était ce que Charlotte lui avait affirmé quand elle en avait acheté un bouquet, la veille, un bouquet très voyant, aux couleurs éclatantes, orange, violet, rouge écarlate et jaune. Charlotte les avait achetés, lui avait-elle dit, sur le marché aux fleurs, près de leur appartement, et apparemment c'était un marché du dimanche très réputé, où vous pouviez acheter le meilleur pain du monde, et du café, et des petits gâteaux ; et Charlotte lui avait avoué qu'en ce moment elle avait un faible pour les petits gâteaux, Luke lui en avait acheté une boîte entière, et puis un chapeau à la boutique d'à côté, parce qu'il lui avait soutenu que le chapeau lui irait bien, même s'il était immense. Et là-dessus elle avait éclaté en sanglots dans les bras de sa mère et lui avait confié la réflexion de la mère de Luke, et qu'après ça, la nuit suivante, elle avait été incapable de trouver le sommeil, et elle ne savait toujours pas si elle devait se sentir avant tout blessée, ou en colère.

Après avoir abondamment donné à boire aux dahlias, Marnie en avait déposé un de couleur jaune sur une feuille de papier blanc afin d'examiner la structure extraordinairement précise de ses pétales. On l'aurait dit construit en origami, tant il était symétrique et tridimensionnel. Le dessiner représenterait un défi, mais un défi plaisant. Après l'avoir longuement et soigneusement examiné, elle le fixerait avec la petite pince en bronze que le père de Charlotte avait dessinée et fabriquée pour elle, et elle entamerait le long et minutieux processus du dessin de la fleur, avant de la peindre. Elle peignait des fleurs depuis la naissance des sœurs de Charlotte. Elle avait commencé parce que leur père, généreux à l'excès, avait souhaité subvenir entièrement à ses besoins, mais en admettant aussi qu'elle avait naturellement droit à une vie à elle, en dehors de la maison et du jardin. Marnie, enceinte de Fiona qui avait aujourd'hui trente-cinq ans, s'était alors inscrite à un cours de dessin botanique. Elle était la meilleure de sa classe. Le père de Charlotte était tellement fier d'elle. Il avait aussi jugé que cela lui donnait raison, à cet égard aussi, Marnie en avait conscience, même si elle n'en disait rien ; si elle avait travaillé, elle n'aurait pas eu la chance de devenir la meilleure artiste botaniste de la région. N'est-ce pas ?

Le père de Charlotte s'appelait Gregory, il avait dix ans de plus que Marnie, et il était associé d'un cabinet d'avocats de la région, qu'il avait intégré dès l'obtention de sa licence du barreau. Il était très désireux d'avoir des enfants, mais déçu de n'avoir pas engendré de fils. Après la naissance de chacune de ses trois filles, il s'était montré extrêmement prévenant avec Marnie, et il lui avait offert des bijoux singuliers, soigneusement choisis, manière de commémorer chacun de ces événements – pour la naissance de Charlotte, des grenats, qui étaient sans doute la pierre que Marnie aimait le moins –, mais elle n'en comprenait pas moins qu'il était déçu. Il ne l'exprimait jamais franchement, mais il était le genre d'homme dont la conduite et les inflexions de voix recelaient bien plus de sens que les mots qu'il prononçait, et Marnie savait qu'il mourait d'envie d'avoir un autre Gregory pour lui succéder, comme il avait succédé à son père, et son père à son propre père : quatre générations de Gregory Webster-Smith, entretenant tous un lien profond et affectueux avec les collines habillées de hêtraies du Buckinghamshire. Durant sa longue et dernière maladie, Marnie l'avait soigné, infatigablement, et il répétait souvent qu'il mourrait en homme heureux, mais c'était dit sur le ton rebelle d'un homme insatisfait. Un jour où la douleur avait été difficile à supporter et où ils avaient fini tous les deux usés par elle, il lui avait même confié que ce n'était pas sa faute si tous leurs enfants avaient été des filles, il le savait. Mais il avait réussi à le lui formuler d'une manière qui n'avait suscité que de la culpabilité et du regret chez Marnie. Désespérée, elle avait pleuré dans le consommé de poulet qu'elle réchauffait pour lui dans l'espoir qu'il en accepte ne serait-ce qu'une cuillerée.

Elle avait aussi beaucoup pleuré après sa mort. Elle avait été mariée pendant presque quarante ans, et il la laissait avec une maison agréable et assez d'argent, qu'elle n'avait rien fait pour gagner, même si elle avait énormément contribué, de manière moins quantifiable. Elle s'était habituée à lui, habituée à être une épouse, et elle n'était pas du tout certaine de la manière dont elle vivrait la transition vers le veuvage – elle ne savait même pas si elle en était capable. En dehors de tout le reste, après trois longues années de soins constants, elle était épuisée, vidée jusqu'à la moelle, et elle avait le sentiment de s'être égarée au terme d'un processus d'entière sublimation de soi dans la personnalité souffrante de Gregory. Après sa mort, pendant plus d'un an, elle déambulait dans la maison, absente, oubliant pourquoi elle était montée à l'étage, errant de pièce en pièce avec une bobine de ficelle complètement inutile dans la main, regardant la pelouse par la fenêtre, jusqu'au bassin, sans rien voir. Et puis Charlotte, sa ravissante, son adorable Charlotte, qui avait été un tel sujet d'anxiété pour son père convaincu que sa beauté ne serait qu'une source de difficultés, était venue à la maison un week-end, illuminée comme un arbre de Noël, et lui avait annoncé, avant même d'avoir franchi la porte ou presque, qu'elle avait rencontré quelqu'un. C'était sérieux.

Son annonce avait eu pour effet de tirer Marnie de l'état de transe où elle vivait depuis la mort de Gregory. Les deux sœurs aînées de Charlotte, Fiona et Sarah, n'avaient pas arrêté de lui téléphoner pour lui dire que c'était un soulagement – ce n'est pas stupéfiant, incroyable, non, est-ce que tu as déjà vu maman comme ça ? Tout le monde adorait Luke, évidemment, si beau garçon, si grand, tellement épris de Charlotte, si gentil avec les enfants de Fiona et Sarah, si poli avec Marnie, si bon joueur de tennis, et c'était si intéressant d'avoir Anthony Brinkley pour beau-père. La maison de Marnie avait quasiment cessé du jour au lendemain d'être un lieu imprégné de la si forte présence souffrante de Gregory et de l'enfance des filles, une enfance révolue depuis longtemps, pour devenir le centre nerveux d'un mariage. Charlotte voulait tout – la robe, la tente, le gâteau, les fleurs, les discours, du champagne –, tout ce que Marnie aurait pu souhaiter, tout ce qu'elle avait eu elle-même, ce que Fiona et Sarah avaient eu, quoique sous une autre forme, car le mari de Fiona, officier de la Navy, était en permission de courte durée, et celui de Sarah avait refusé de se marier autrement que selon un rite séculier. La mairie de Beaconsfield avait magnifiquement organisé la cérémonie, bien sûr, avec grande dignité, mais Sarah portait une robe courte et son mari était en complet-veston, et on percevait une absence très nette – enfin, de magie, oui, c'était vraiment le mot. Mais Charlotte, elle, voulait de la magie. Elle en voulait, une magie étincelante, en abondance, et elle s'était tournée vers sa mère pour qu'elle la lui offre – tout comme elle se tournait vers elle quand elle était petite, pour qu'elle lui prodigue compliments et réconfort.

Et sa mère n'y avait pas manqué. Elle le savait. Marnie pouvait repenser au jour du mariage de Charlotte avec une entière satisfaction, tout comme elle pouvait repenser aux mois qui l'avaient précédé avec l'heureuse certitude que la maison était revenue à la vie, que les enfants, et leurs enfants, étaient constamment là, que la tradition d'hospitalité des Webster-Smith – Gregory avait conservé la réputation d'un hôte hors pair – était plus vivace et plus généreuse que jamais. Les lits supplémentaires avaient à peine le temps de refroidir entre les visites de deux occupants. Le frigo était rempli de bières et il y avait une petite bouteille de vodka dans le congélateur. Pleine de culpabilité, Marnie se demandait parfois si elle s'était déjà sentie aussi heureuse.

Et maintenant, cette nouvelle. Maintenant, Charlotte – qui, avait-on appris, était enceinte avant le jour de son mariage – sanglotait dans les bras de sa mère, se lamentant de la méchanceté de Rachel à son égard. Marnie ne connaissait pas très bien cette femme – avant le grand jour, il n'y avait eu que deux rencontres, savamment orchestrées –, mais elle s'était attendue à ce que Luke ait une mère comme la sienne, une évidence. Selon son expérience, généralement parlant, les mères qui avaient des fils étaient soit excessivement féminines, soit très directes et très efficaces. Rachel lui avait semblé tomber dans la dernière catégorie et, sans avoir jamais vu sa maison, Marnie savait que Charlotte était impressionnée par le confort bohème et coloré de l'endroit, et par la manière dont la vie y tournait autour de la cuisine et de la peinture. Charlotte était restée en arrêt devant l'atelier d'Anthony. Jamais Marnie n'avait envisagé de s'aménager un atelier. Gregory lui avait acheté une jolie table en bois de rose – une reproduction, mais magnifiquement exécutée – qui s'encastrait exactement dans le profond bow-window du salon. Il disait que, pendant qu'il regardait les courses de chevaux, le golf ou le cricket à la télévision comme il aimait le faire l'après-midi, elle pourrait peindre à sa table, à l'autre bout de la pièce, et comme cela ils pourraient être ensemble.

Rachel, avait dit Charlotte, très en colère, lui avait demandé s'ils ne pouvaient attendre avant de fonder une famille.

– Elle n'a pas dit ça sur un ton sympathique. Elle a dit ça comme si elle était furieuse. Comme si… on la dégoûtait. Elle nous considère comme deux insouciants. Elle s'exprimait comme si nous l'avions, je ne sais pas moi, insultée, trahie.

– J'imagine, fit prudemment Marnie, que ce n'est pas ce qu'elle avait prévu, vous concernant…

Elles étaient ensemble dans le grand canapé du salon, Charlotte à moitié allongée contre sa mère. Ce canapé n'était plus ce qu'il était du temps de Gregory, tout comme la télévision, et le fauteuil où il avait l'habitude de s'asseoir pour la regarder, maintenant recouvert d'un nouveau tissu feuille morte, une couleur assez audacieuse que Fiona lui avait choisie, conseillée par une amie qui tenait un petit magasin de tissus d'ameublement.

– Elle n'avait pas à faire des projets à notre place ! s'écria Charlotte.

Elle se moucha, puis elle blottit le visage contre le bras de Marnie.

– Ce n'est pas sa vie à elle ! C'est la nôtre ! Et puis... elle s'exprimait sur un ton tellement horrible. Sa voix était horrible.

– Oh ma chérie, fit Marnie, avec autant de légèreté que possible.

Charlotte releva le visage, et la sonda du regard.

– Tu n'es pas en colère contre elle ? Tu ne la détestes pas de nous avoir parlé comme ça ?

Marnie sentit en elle comme un halo de chaleur, celui que lui inspirait le fait d'être une maman qui se conduit bien, une mère que l'on perçoit comme une alliée, et pas comme une ennemie.

– J'essaie d'éviter, ma chérie.

– Pourquoi ? Pourquoi n'es-tu pas en colère ? Tu ne me crois pas ?

– Mais si, totalement, ma chérie.

– Eh bien, alors...

– Le fait est qu'elle éprouve envers Luke ce que j'éprouve pour toi. Luke est son fils...

– Luke est à moi, fit Charlotte en se mouchant à nouveau. Luke est mon mari. D'abord.

– Parfois, les gens mettent un certain temps à se faire à ça.

– À quoi ?

– À ça... à ce transfert d'allégeance.

– Eh bien, elle va être forcée, merde. Il n'est plus son petit garçon.

Marnie attendit un moment. Elle sortit un Kleenex de la boîte et, d'une main experte, essuya les traces de mascara qui avaient coulé sous les yeux de sa fille.

– Il sait que tu es là, bien sûr.

Charlotte regarda, au-delà de sa mère, le mur derrière le canapé.

– Non… en réalité.

– Luke ne le sait pas ? Où te croit-il ?

– Au travail.

– Et au bureau, ils pensent que tu es où ?

– Au lit. Avec une gastro.

– Oh, Charlotte.

Sa fille soutint son regard. Sa lèvre inférieure était légèrement saillante.

– Pourquoi tu me parles comme ça ?

Marnie hésita. La vérité aurait voulu qu'elle dise : « Parce que c'est le premier mensonge de votre mariage, le premier que tu aies dit à Luke. Et il sera suivi par des années de demi-vérités. Des années », mais Charlotte ne paraissait pas capable d'entendre ou d'accepter la chose. À la place, elle lui dit :

– Ajouter la confusion à la confusion n'arrangera rien.

À quoi Charlotte répondit d'une voix forte :

– Ce n'est pas moi qui ai commencé.

– Je sais bien que non…

– C'est Rachel qui a commencé, c'est Rachel qui m'a gâché mon déjeuner, c'est Rachel qui nous traite comme si nous étions de stupides gamins. Nous sommes mariés, Luke et moi.

– Le mariage ne change rien à ce qu'on éprouve envers ses enfants, lui répondit Marnie. Peut-être que si, dans la tête, avec le temps. Mais pas dans ton cœur, en réalité. Tu continues de ressentir la même chose, et peut-être certains de ces sentiments ne sont-ils pas aussi rationnels qu'on le pense.

Charlotte renifla.

– Est-ce que papa ressentait la même chose ?

Marnie eut un rire. Elle avait une vague idée de la manière dont Gregory aurait réagi à l'histoire de Charlotte – elle l'imaginait se ruant hors de la maison pour sortir la Mercedes du garage et foncer vers le Suffolk, moteur rugissant.

– Papa, ma chérie, aurait eu une réaction dix fois pire.

Et là, en examinant ce dahlia – en réalité, il était d'une couleur assez épouvantable, comme du beurre rance –, Marnie songea, avec plus de soulagement que de culpabilité, qu'en pareille situation, Gregory n'aurait été d'aucune aide. En apprenant cette grossesse involontaire, il aurait vociféré « Je te l'avais dit ! », et puis avec Charlotte, il aurait eu une réaction bien inutile, il aurait fait le sentimental, sur la défensive par rapport à la réaction de sa fille, scandalisée qu'on lui ait parlé sans lui témoigner l'admiration et l'approbation dont elle avait l'habitude.

Charlotte avait été une fillette très volontaire. À sa naissance, Fiona avait neuf ans, et Sarah en avait sept, et dès son premier souffle, elle avait été jolie, avec sa petite tête ronde enrobée d'un épais duvet jaune primevère. Nous l'avons sans doute gâtée, songea-t-elle, à nous quatre, et d'être ainsi gâtée, cela lui a plutôt réussi, sauf qu'elle n'accepte plus que les compliments, elle est incapable de supporter une opinion qui ne coïncide pas avec ce qu'elle veut faire. Et pourtant, se dit encore Marnie en reposant la fleur et en prenant son crayon à dessin 3B, quand elle avait suggéré à Charlotte de rentrer directement chez elle et de dire à Luke où elle était allée, sa fille avait accepté – ou, du moins, elle ne s'y était pas opposée. Elle se tenait sur le seuil de la porte d'entrée, faisant tinter ses clefs de voiture, et elle lui avait dit :

– Bon, je vais essayer. Mais c'est elle qui nous a

poussés à nous chamailler ! Tu t'imagines ! C'est vraiment elle qui nous a poussés à nous disputer !

– Alors ne lui laisse pas cette latitude.

Charlotte avait lancé un regard à sa mère.

– Tu prends vraiment ça si calmement ? Tu trouves vraiment que c'est acceptable, qu'elle me parle sur ce ton ?

Marnie lui avait souri.

– En réalité, lui avait-elle dit, et sans cesser de sourire, j'ai envie de la tuer.

Et elle entendait encore Charlotte rire. Charlotte avait ri jusqu'au bout de l'allée, jusqu'à sa voiture, elle s'était installée au volant et elle avait mis le contact, et subitement la musique avait beuglé dans les haut-parleurs, et elle avait démarré dans un tourbillon sonore.

Marnie se pencha sur sa feuille. Le fait était que, lorsque vous étiez parent d'enfants déjà adultes, vous deviez apprendre à tenir votre langue. Enfin, si vous vouliez qu'ils se confient à vous.

– C'est Luke, dit-il dans l'interphone.

– Luke ! fit Sigrid, surprise.

Elle était dans la cuisine, elle faisait son repassage. Mariella était au lit, et Edward était sorti retrouver Ralph, qui avait subitement fait son apparition à son bureau cet après-midi, en lui annonçant qu'il avait besoin d'aide.

– Et pourquoi maintenant ? lui avait demandé Sigrid.

– Je n'en sais rien. Il a refusé de me le dire tant qu'on ne se sera pas vus, plus tard. Je vais lui payer une bière et un steak, et je le remettrai dans un train pour le Suffolk.

– Ta famille…

– Je ne reviendrai pas tard. Embrasse Mariella pour moi. Et tu ne connais pas ton bonheur.

– Comment cela, mon bonheur ?

– Celui d'avoir une famille aimante, dans un pays étranger…

– Est-ce que ça va ? fit Sigrid à cette minute, en s'adressant à Luke, dans l'interphone.

– Bien. Je peux entrer ?

Elle appuya sur le bouton qui libérait la serrure de la porte d'entrée. Elle l'entendit claquer derrière lui, puis ce furent ses pas rapides dans les marches de l'escalier qui descendait à la cuisine, en entresol.

– Salut, dit-il, en venant vers elle sans ralentir pour l'embrasser sur la joue.

– Où est Charlotte ?

– Sortie voir un film de filles. Avec des copines. Ed est ici ?

– Il est avec Ralph, lui expliqua Sigrid. Tu ne savais pas ?

– Je ne sais rien, lui dit-il, sauf que depuis dimanche Charlotte a l'air incapable de se calmer et que ça me tape sur le système.

Sigrid débrancha le fer à repasser, et lui désigna une chaise.

– Assieds-toi. Café ?

– Vaut mieux pas, dit-il. J'ai déjà bu trop de café pour aujourd'hui, j'en ai des tics nerveux. Une bière, je serais ravi.

Elle alla au frigo.

– Alors tu voulais voir Edward ? lui demanda-t-elle.

– Enfin, plus ou moins. Toi ou lui. Ou tous les deux. Ensemble. J'ai juste besoin d'un peu de soutien…

Elle lui tendit une bouteille de bière, au-dessus de la table.

– C'est ce que Ralph a dit à Edward…

– On peut éviter de penser à Ralph ?

Elle prit une chaise, en face de lui. Luke paraissait très jeune, très fatigué, et elle vit qu'il avait les ongles rongés. Elle ne pensait pas l'avoir jamais remarqué.

– Tu te ronges les ongles ?

Il avala une gorgée de bière au goulot, et s'ébouriffa les cheveux de sa main libre.

– Pour le moment, je suis un petit peu tout et n'importe quoi. Je serais la cible rêvée d'un dealer, si j'osais !

Sigrid détacha un grain de raisin de la grappe dans la coupe de fruits devant elle.

– C'est l'enfant ? fit-elle. Ça t'inquiète d'avoir un enfant ?

Il ferma brièvement les yeux.

– Je suis absolument heureux d'avoir cet enfant. Qu'on ne soit mariés que depuis deux mois, je m'en moque. Je suis aux anges. Ce n'est pas ça. C'est – enfin, c'est maman et Charlotte, bien sûr, et Charlotte pense que maman la méprise, et d'une, d'être tombée enceinte aussi tôt, et de deux, de ne pas être Petra, de ne pas vivre dans le Suffolk et de ne pas savoir dessiner. Et maintenant…

Il s'interrompit.

– Maintenant ? fit Sigrid.

Elle croqua lentement un deuxième grain de raisin.

– Maintenant, continua-t-il avec lassitude, elle veut que maman s'excuse.

Ce qui fit rire Sigrid.

– Pourquoi tu ris ? s'étonna-t-il.

– Ça ne risque pas d'arriver !

– Non.

– Pour l'enfant, elle a prévenu sa famille deux semaines avant de l'annoncer à la mienne, lui expliqua-t-il, l'air abattu. Elle m'a soutenu que c'était toujours comme ça. Elle me dit que pour la mère de la maman, c'est différent de ce que c'est pour la mère du papa, et maintenant elle me soutient que la réaction de maman ne fait que le confirmer et, si elle doit avoir la moindre relation avec maman, dans le futur, il va falloir que maman s'excuse.

Il renversa la tête en arrière, le goulot de la bouteille collé aux lèvres, et il but. Sigrid retourna au frigo et lui en sortit une deuxième. Elle la posa sur la table près de lui.

– Et toi, qu'en penses-tu ?

Il soupira.

– Je pense que maman était à côté de ses pompes, mais qu'il est temps maintenant de pardonner et d'oublier.

– Pas si facile... fit Sigrid, et elle se tut.

Il la regarda.

– Tu ne t'es pas disputée avec maman, non ?

– C'était il y a longtemps...

– Je le ne le savais pas...

– Et maintenant tu n'en sais pas plus, souligna-t-elle. On peut dire que ta mère se comporte parfois de manière un peu irréfléchie.

– Et tu encore en colère contre elle ?

Elle hésita.

– Ouah, lâcha Luke. Tu ne bois pas un verre avec moi ? fit-il

au bout d'un petit moment.

– Un thé, pourquoi pas, dit-elle, en s'approchant de la bouilloire.

– Charlotte fait aussi un peu une fixation sur cette histoire de Petra, maintenant. Ce n'est pas seulement à cause de maman et de ce qu'elle a pu lui sortir, c'est aussi que quelqu'un puisse la comparer à Petra.

– Oui.

Sigrid prit un mug et un paquet de sachets de thé à la valériane dans le placard.

– Tu ne ressens pas ça, non ? lui demanda-t-il.

– Si, admit-elle.

Elle se retourna pour lui faire face.

– C'est un problème.

– Mais Petra est comme… comme une gamine, comme une sorte de demi-sœur…

– Elle a reçu l'aval familial, observa Sigrid.

– Mais elle était enceinte, quand ils se sont mariés.

– C'est au-delà de toute logique. Et ta Charlotte n'a pas l'habitude des difficultés familiales, elle a l'habitude d'être au centre de l'attention familiale et rien d'autre.

– Pour moi, elle est au centre, releva-t-il.

– Dis-le-lui.

– Je lui dis. Je le dis, mais elle soutient que si je continue de défendre maman, c'est que je ne suis pas sincère.

Sigrid revint à table.

– Tu la défends ?

Il lui lança un regard malheureux, puis il détourna la tête.

– Je ne peux pas… l'attaquer. Comment le pourrais-je ? Et… et Edward, il pourrait ?

– Il y a quelque chose entre eux deux, fit Sigrid, en se rasseyant. On ne se défend pas, on n'attaque pas, mais on ne laisse pas ta femme tranquille non plus.

Il y eut un silence. Et puis Luke, atterré, lui posa sa question.

– Tu te sens seule ?

Sigrid le regarda. Subitement, assis là, avec sa peau claire et ses ongles rongés, il avait l'air trop jeune pour être le mari de qui que ce soit.

– Parfois, admit-elle.

Après avoir déposé Ralph en direction de la gare, Edward était retourné au pub où ils avaient dîné et, sur un coup de tête, il s'était commandé un cognac-soda. Il l'avait emporté à l'autre bout de la salle, pour s'installer à une petite table d'angle, avec une seule chaise. Cette table était encombrée de verres sales dans lesquels on avait à moitié enfoncé des paquets de chips vides, mais cela lui était égal. Il s'assit dos contre le mur et versa toute la bouteille de soda dans cette flaque sombre de cognac, au fond de son verre.

Ralph était resté tout à fait sobre, à certains égards. Il n'avait bu qu'une seule pinte de bière, il avait accompagné son steak de salade, sans frites, et il portait un costume et une chemise, qui devaient être neufs car il avait vu les lignes horizontales des plis encore très nettement marquées de l'emballage. Il avait aussi gratifié Edward d'un laïus de remerciement des plus polis pour l'aide qu'il lui avait apportée dans l'obtention de ce nouvel emploi, et il lui avait aussi promis, tout à coup, qu'il ne le décevrait pas et qu'il espérait bien que ce dernier serait content de ses résultats. Il lui avait assuré qu'il était vraiment remonté à bloc à l'idée d'être à nouveau salarié, et il avait conscience de l'énorme chance que cela représentait. Là-dessus, il avait posé son couteau et sa fourchette et lui avait confessé qu'il était confronté à un problème.

– Je m'y attendais, en fait, lui avait répondu Edward.

– C'est Petra.

– Oui.

– Je n'arrive pas à aborder le sujet avec elle. Elle me soutient que l'argent n'a aucun sens pour elle et que, pour le moment, elle ne peut pas vivre ailleurs qu'au bord de la mer.

Edward avait lâché un soupir.

– Oh nom de Dieu…

– Je lui ai expliqué comment ça fonctionnait, la vie, l'argent. Je veux dire, elle le sait, ce n'est pas une idiote, mais quand les choses se gâtent, ou quand quelque chose lui déplaît, elle adopte une attitude inerte, elle évite en quelque sorte de se confronter au problème, jusqu'à ce que ça passe. Mais là, ça ne passera pas, et il va falloir qu'elle s'y penche.

– Tu en as parlé aux parents ?

Ralph avait manipulé une petite assiette.

– J'ai pas vraiment envie…

– Cela ne pourrait pas vous aider ? Est-ce que Petra ne les écouterait pas, eux, surtout papa ?

– J'ai déjà trop laissé maman s'en mêler. Elle se démène comme une folle pour nous dégotter une maison, des écoles et tout. Je n'aurais jamais dû la laisser faire. Je pense que ça hérisse Petra, même si elle ne l'admettra jamais. Petra ne dira jamais grand-chose. Tout ce qu'elle m'oppose, c'est un complet mutisme. C'est comme ça qu'elle s'imagine me convaincre de changer d'avis.

– Ou alors, avait suggéré Edward, c'est qu'elle a fini par véritablement se replier sur elle-même. Elle a toujours eu cette attitude. Papa disait qu'elle ne parlait jamais, la première année, quand il a fait sa connaissance. Elle est sans doute malheureuse.

Ralph avait bu une gorgée d'eau.

– Elle n'a pas les moyens d'être malheureuse.

– Hé, du calme…

– Elle n'a pas contribué à grand-chose, depuis la naissance des enfants. La vente d'un tableau de temps à autre, à la rigueur, mais rien de très significatif. Si elle veut continuer à jouer avec les garçons et à faire pousser des légumes, elle va devoir accepter certains compromis en échange de cette liberté.

Edward s'était penché vers lui.

– Ralph, elle ne t'a jamais connu en costume. Elle ne t'a jamais connu en banlieusard qui se tape ses deux allers-retours quotidiens, avec une feuille de paie qui tombe régulièrement et de longues journées de travail. Depuis que je te connais, tu as toujours été un hippy à l'ancienne. Tu ne peux pas lui en vouloir d'être un peu désarçonnée par ce changement.

– Qui est passionnant…

– Ce qui est passionnant peut aussi être effrayant. Tu ne peux pas te contenter de trajets à rallonge pendant quelques mois, jusqu'à ce qu'elle se soit habituée à son nouveau zazou en costard ?

Il y avait eu un temps de silence.

– Non. Pas vraiment, avait répondu Ralph. Je veux faire ça dans les règles. En y mettant toute mon énergie.

– Donc tu veux aller emménager à Ipswich…

– Mais enfin, ça, c'est déjà un compromis ! s'était écrié Ralph. Je n'ai pas envie non plus de vivre dans un quartier de banlieue, mais j'y suis prêt, rien que pour avoir la possibilité de rejoindre cette satanée gare à pied.

– Et si Petra ne change pas d'avis ?

Ralph s'était redressé contre le dossier de sa chaise. Il avait regardé Edward droit dans les yeux.

– C'est pour ça que je suis ici. Je pensais que tu aurais peut-être la réponse.

Edward avait contemplé son assiette. Il avait eu subitement la vision de Petra le jour de son mariage, retirant ses chaussures, et traversant l'allée gravillonnée de ses parents, pieds nus, avec autant d'aisance que si elle marchait sur un tapis.

– Eh bien, avait-il fait, en détachant ses mots et sans

lever les yeux, je pense que vous pourriez simplement décider de vivre chacun de votre côté pendant une période. Tu laisserais Petra et les garçons où ils sont, et tu t'installerais ici dans une chambre louée pendant la semaine. Tu rentrerais chez toi le week-end. Pour l'instant, en tout cas. Jusqu'à ce que les choses s'organisent ?

Et là, Edward but plusieurs gorgées de son cognac-soda, histoire de se rasséréner. Une jeune fille était venue de derrière le bar débarrasser les verres sales de sa table et, le temps de les empiler sur un plateau, elle se tint aussi près de lui, dans sa minijupe et ses cuissardes, que s'il avait fait partie des meubles. À un certain moment, sa cuisse gainée d'une résille noire était pratiquement venue lui toucher le bras, mais cette proximité le laissa sans réaction. Se serait-elle conduite avec une telle indifférence souveraine s'il avait eu dix ans de moins ? Il la regarda retourner derrière le bar. C'était une fille si différente de Sigrid, si différente de Petra, elles-mêmes toutes deux si différentes l'une de l'autre, qu'il était difficile de croire qu'elles appartenaient toutes les trois au même sexe. La jeune fille du bar aurait probablement trouvé Petra cinglée. Laisser filer une chance d'habiter dans une grande ville ? Démentiel.

C'était peut-être démentiel, sous un certain angle, songea-t-il, mais en l'occurrence Petra était fidèle à sa personnalité, même si cette personnalité était gênante et curieusement intraitable. Il était enchanté de constater l'enthousiasme de Ralph pour son nouveau métier, et soulagé de constater qu'il était apparemment déterminé à en tirer quelque chose. Mais il se sentait profondément, profondément mal à l'aise d'avoir suggéré qu'ils vivent séparés, fût-ce temporairement. Il n'aurait pas dû. À l'instant où ces propos avaient franchi ses lèvres, et où Ralph s'était emparé de cette idée, avec tant d'empressement et d'énergie, Edward en avait eu un de ces serrements de cœur auxquels les cœurs sont inexorablement sujets, comme le contrecoup d'une mauvaise impulsion.

– Juste une idée, s'était-il dépêché d'ajouter. Juste une éventualité. Penses-y…

Mais il était trop tard. Ralph lui avait répondu qu'il devait attraper son train, mais il avait les yeux brillants et, quand ils s'étaient levés de table, il avait serré son frère dans ses bras comme cela ne lui était plus arrivé depuis des années, et il l'avait étreint, très fort.

Edward avait bien essayé de tempérer son enthousiasme.

– Je ne te pousse pas à rompre, mon pote.

Et Ralph avait éclaté de rire, lui avait répondu que ce n'était pas un problème, ils sauraient tous deux quoi faire de leur liberté, pas de soucis sur ce plan et, dans la foulée, il était sorti sur le trottoir, s'était engouffré dans un taxi, en laissant à Edward le sentiment d'avoir par mégarde mis un peu plus en péril une relation déjà assez fragile en soi. Il était resté planté là quelques instants, à suivre les feux arrière du taxi de Ralph qui rapetissaient au loin, en songeant qu'il allait directement rentrer chez lui et se décharger sur Sigrid de tout ce qui le hantait, de tous ses regrets, et puis il se dit que c'était précisément ce qu'il ne fallait pas faire, et qu'il aurait plutôt intérêt à surmonter ses remords tout seul, et à ne rentrer chez lui qu'après s'être au moins réconcilié avec lui-même.

Et donc il était là, devant son cognac-soda à moitié vide, à se demander si, au lieu de Sigrid, la personne à laquelle il devrait parler ne serait pas Petra, en réalité.

Luke pria pour que ce ne soit pas sa mère qui lui réponde au téléphone. Dans tous les cas de figure, il redoutait cet appel, mais il n'en était pas moins impératif qu'il parle à son père seul à seul, et en tête à tête. Or, comme son père ne se servait de son téléphone portable que par intermittence, et uniquement pendant son trimestre de cours à l'école d'art, Luke n'avait pas d'autre choix que d'essayer la ligne fixe, à une heure où il pensait que sa mère serait absente, ou sortie jardiner, et que son père serait seul à l'atelier.

– Allô ? fit Anthony.

– Papa…

– Luke, lui dit son père, d'une voix pleine de chaleur. C'est merveilleux de t'entendre, mon garçon…

– Comment vas-tu ?

– Bien, lui répondit son père avec entrain. Bien. Je dessine des moineaux. La Royal Mail, les services postaux, envisage de publier une série de timbres d'oiseaux. J'adore dessiner ces moineaux, des spécimens si sociables.

– Charmant…

– Et comment vont les choses, pour vous deux ? J'ai adoré votre appartement.

– Eh bien…

– Eh bien quoi ?

– C'est pour ça que je t'appelle. En ce qui nous concerne. C'est un peu compliqué…

Le ton de son père changea, sa voix trahit une profonde inquiétude.

– Oh non…

– Je veux dire, reprit aussitôt Luke, nous n'avons pas de difficultés, on va bien. C'est juste qu'il y a un problème. J'essaie de le régler, pour… Charlotte, enfin, pour tous les deux en réalité. Et c'est pour ça que je t'appelle.

– Dis-moi, fit Anthony.

Luke marqua un temps de silence. Il était seul au studio, Jed étant sorti en rendez-vous pour un nouveau projet. Ce n'était pas plus mal qu'il soit seul, parce que cela l'avait tellement remué, toute cette journée, ce que Charlotte lui avait révélé au réveil, qu'elle n'était pas allée travailler la veille et qu'au lieu de ça elle était allée voir sa mère, Jed aurait forcément remarqué quelque chose, et Luke se serait au moins partiellement confié à lui, pour ensuite le regretter parce que Jed, qui était un type franchement sympa, estimait que les gens qui se mariaient avaient besoin de se faire soigner la tête. Et quoi qu'il en soit, il n'aurait jamais pu révéler à son associé combien il était horrifié de se rendre compte que Charlotte lui avait menti, et qu'il avait cru à son mensonge. L'horreur de ce constat s'était encore aggravée lorsque Charlotte n'avait pas semblé comprendre qu'elle avait commis là un acte vraiment épouvantable – elle restait bien plus soucieuse de la conduite effarante de Rachel, paraissant considérer que, de sa part à elle, cela justifiait tous les comportements les plus aberrants. Et, à présent, il était atterré de constater que la voix de son père, compréhensive et encourageante, le mettait franchement mal à l'aise.

– Je ne sais pas comment te le dire, papa.

– Commence déjà par essayer.

– C'est… enfin, cela concerne l'autre dimanche.

– Oui.

– Et ce que maman…

– Je sais…

– Le fait est, papa, que Charlotte est complètement bouleversée.

– La pauvre, fit Anthony, compatissant.

– J'imagine que c'est dû à la grossesse, aux hormones et tout, mais elle n'a pas l'air de s'en remettre.

– Laisse-lui le temps, suggéra son père. Cela ne date que de plus ou moins dix jours. Je sais que maman s'en est beaucoup voulu, après. Je ne dis pas qu'elle n'avait pas de raisons de s'en vouloir, mais je sais que c'est le cas. Il faut qu'elles arrivent à digérer ça, toutes les deux, et à ne plus en faire toute une histoire.

– Je ne crois pas que ça puisse fonctionner…

– Ah ? Bon, je ne suis pas sûr qu'il y ait d'autre solution viable…

– Papa, moi, je crois que si. Charlotte pense que si. Elle a été très claire à ce sujet.

Il y eut un minuscule temps de silence. Luke se demanda si Anthony n'était pas encore en train de dessiner, de sa main libre, celle qui ne tenait pas le combiné.

– Et ce serait ?

– Oh et puis flûte, soupira Luke. Je ne sais pas comment te dire ça, alors je vais te le dire et puis tant pis. Charlotte veut que maman lui présente ses excuses. Est-ce que tu pourrais… pourrais-tu éventuellement lui demander ça ? Pour… pour Charlotte ? Pour moi ?

Le silence dura bien plus longtemps, cette fois, et puis Anthony lui répondit, sur un ton moins chaleureux :

– Non, mon garçon. Non, ça, je ne pourrais pas.

– Tu ne pourrais pas ? fit Luke, conscient que sa voix tremblait.

– Non, répéta son père, non, elle s'est franchement mise dans son tort, elle le sait, je le sais, et tu le sais. Et elle le paie, intérieurement, si tu vois ce que je veux dire. Mais je ne lui demanderai pas de présenter publiquement ses excuses, je ne saurais exiger ça d'elle.

Il s'interrompit, avant d'ajouter une dernière phrase, d'une voix ferme :

– C'est ma femme.

Chapitre 12

Le cottage de Steve Hadley sur Shingle Street était profondément ancré dans le sable de la plage. Il était magnifiquement blanchi à la chaux – tous les printemps, après les orages hivernaux, le propriétaire de Steve en avait repeint l'extérieur – et, du haut de son étroit pignon, il se dressait face à la mer. Vu de loin, par-delà les galets, il avait l'air de plonger vers le rivage, mais quand on se rapprochait, on découvrait un caniveau de béton qui courait tout autour, assez large pour abriter une citerne et un conteneur à ordures, et ménager une entrée par la seule porte que Steve et son colocataire utilisaient, orientée vers l'intérieur des terres, à l'opposé du vent d'est.

Steve partageait la maison avec un homme qui travaillait dans une fumerie de poissons près de Woodbridge. Ils s'étaient rencontrés en ligne, ils cherchaient tous deux des locations pas chères, de courte durée, sur la côte et, tandis que le propriétaire aurait pu louer son bien de façon plus rentable dans le cadre d'une location de vacances, étant hostile à la notion même de vacancier, il préférait louer les quelques logements dont il était propriétaire à des gens qui, travaillant dans le Suffolk, de ce fait, étaient plus à même de contribuer à l'économie locale. Ce propriétaire avait donc été content de trouver Steve, et Terry, de la fumerie de poissons, qui non seulement étaient employés dans la région, mais que le ballon d'eau chaude antédiluvien ou la cuisine primitive ne dérangeaient pas. Il y avait deux petites chambres, un salon miteux meublé d'un sofa et de fauteuils en Skaï, une télévision qui n'était pas moins une antiquité, et une salle de bains où les serviettes ne séchaient jamais et dont les murs suintaient d'humidité en permanence.

Mais il y avait la plage. Et en traversant cette plage qui craquait sous ses pas, avec Barney qui pesait lourd dans son dos et Kit qui glissait, qui dérapait et qui pestait à côté d'elle, Petra se demandait comment on pourrait la contraindre à s'en aller d'ici. Les galets proprement dits – une multitude de galets, si propres et lisses –, leur absence de relief, qui soulignait encore plus fortement le dôme immense et bleu du ciel, les éminences symétriques des crambes bleu-vert, les écheveaux rampants des pois de mer avec leurs fleurs d'un violet éclatant, l'air, l'espace, le vent, tout cela était enivrant et, en même temps, profondément consolateur. Je suis chez moi, songea Petra, je suis de retour. C'est ici, c'est le lieu.

– Qu'en penses-tu ? cria-t-elle à Kit. Qu'est-ce que tu en penses ?

Il crapahutait sur les galets, le teint rose, exténué.

– Le vent ! brailla-t-il, tout joyeux. Le vent !

– Ça te plaît ?

De la tête, il fit oui comme un fou, se pencha pour ramasser une poignée de galets et les jeter au sol où ils ricochèrent avec fracas. Petra éclata de rire. Kit lui lança un regard, et il rit à son tour, en jetant des galets en tous sens.

– Attention...

– Regarde ! cria Kit, en pointant le doigt.

Petra regarda. Steve, qui les avait vus approcher, traversait la plage de galets pour venir au devant d'eux.

– Regarde ! cria-t-il encore à Steve, en balançant des galets. Regarde !

– Salut, fit Steve à Petra.

Elle s'arrêta de marcher.

– Salut…

Steve désigna Barney.

– Je le prends ?

– Oui, lui dit-elle, reconnaissante. Il pèse une tonne…

– Je lance ! s'exclama Kit à Steve. Je lance !

– Je vois ça, fit Steve, en se chargeant adroitement de Barney. Je te regarde…

– Je vais devoir le surveiller, l'avertit Petra. Dès qu'il y a de l'eau quelque part, Kit est impossible.

Barney considéra Steve d'un regard posé, sans se laisser démonter. Steve lui expliqua.

– Salut, grand garçon. La mer, ce n'est pas juste de l'eau comme partout ailleurs.

– C'est plus grand, renchérit Petra.

– Il faut prendre ça autrement, continua Steve. Je vais l'emmener au bord de l'eau. Je vais lui montrer la mer. Je vais lui expliquer.

Il sourit à Kit.

Petra lui jeta un coup d'œil. Barney se prélassait dans ses bras comme un pacha, et Kit s'approcha en se dandinant, fit le tour à hauteur des genoux de Steve, une poignée de cailloux dans les mains, en jacassant et en gazouillant.

– Vous savez être naturel, avec les enfants.

– Je les aime bien…

– Vous en avez…

– Non, dit-il, mais mon frère, oui. Et il y a tous

les scolaires qui viennent visiter la réserve. J'apprécie beaucoup ceux des écoles primaires. J'aime bien quand ils sont encore à l'âge où ils ont envie de vous faire plaisir. Quand ils commencent à vouloir s'impressionner les uns les autres, ça devient un cauchemar.

Petra opina.

– On va au bord de l'eau ? proposa-t-il.

– D'accord…

Steve baissa les yeux sur Kit, qui n'arrêtait pas de chantonner et d'arpenter les galets en lui tournant autour.

– Viens faire la découverte de la mer du Nord, lui proposa Steve, et il se mit en route, sur les galets, avec Barney dans ses bras, et Kit qui suivait le mouvement à ses côtés, en s'agrippant toujours à sa poignée de cailloux.

Restée là où ils l'avaient laissée, Petra les accompagna un instant du regard, tous les trois. La journée était claire et lumineuse, elle dut placer sa main en visière pour se protéger un peu les yeux, et surveiller leur progression irrégulière en direction de la mer. Barney renversa de nouveau la tête dans les bras de Steve, en fermant les yeux de ravissement face au soleil et à l'air, et puis Kit trébucha, tendit la main et s'agrippa au jean de Steve, et elle vit ce dernier brièvement dégager sa main, celle qui soutenait Barney, pour effleurer la tête de Kit, et quelque chose en elle se noua, s'étrangla, quelque chose qui était là, en elle, depuis des semaines, et qu'elle sentit glisser, se lisser et se dénouer. Elle eut une immense respiration de contentement, une respiration involontaire qu'elle relâcha dans cet espace d'un bleu infini, au-dessus de la mer.

Plus tard, dans sa cuisine humide et froide, avec vue sur la plage et les petites maisons mitoyennes où Petra avait vécu avec Ralph, Steve fit griller des toasts pour les garçons, et prépara un thé pour Petra et lui. Il étala sur les toasts une marmelade d'un rouge rutilant que Petra n'aurait jamais approuvée – « produits chimiques, colorants et composants synthétiques : une vraie caricature de marmelade » – et les découpa en rectangles, sans l'aide de Petra, sans même qu'elle le lui suggère. Les garçons étaient au comble de l'extase.

– Du pain blanc, fit Kit, très impressionné.

Il prit une languette de pain dans chaque main. Barney se fourra un toast dans la bouche, avec le poing.

– Doucement, fit leur mère, mais sur un ton pas très convaincant.

Steve avait posé un mug devant elle, et un paquet de sucre avec une cuiller plantée dedans, puis il lui tendit un autre toast nappé de cette confiture rouge, avec une mimique interrogatrice, et Barney se rua dessus, avec un grognement vorace, la bouche pleine, et ils éclatèrent tous de rire, même Kit, assis dans des chaises de jardin en plastique, autour d'une table branlante, dans la cuisine de Steve. Ce fut alors qu'il s'adressa à Petra, d'une voix douce, à moitié couverte par les rires.

– Qui est au courant que vous êtes là ?

Et elle lui répondit, en veillant à rester très terre-à-terre.

– Personne n'est au courant.

– Vous êtes sûre ?

– Ralph est à Londres pour la journée. Il est à… à une réunion d'intégration, à ce qu'il m'a dit. Je ne sais pas trop de quoi il s'agit.

– Je ne voudrais pas que quelqu'un vienne fourrer son nez, dit-il.

– Non…

– Mais j'aurais regretté que vous ne veniez pas. Aussi.

Elle regarda les enfants, tout poisseux, qui se gavaient en pouffant de rire. Elle voulait dire quelque chose à propos de l'effet que cette après-midi avait eu sur elle, de ce qu'elle avait ressenti, de la manière dont ces choses râpeuses, corrosives qui l'avaient habitée dernièrement, comme autant de petites pierres ponces, s'étaient dissoutes ici, sur ces galets, en bord de mer. Mais elle ne voyait pas comment le formuler, elle ne voyait pas comment décrire cette sensation que l'on a d'être à sa place, dans une situation qui vous correspond exactement, qui vous convient, et donc elle tendit simplement la main par-dessus Kit pour retirer un morceau de toast collé côté confiture à la cuisse de Barney.

– Nous avons passé un super-moment. N'est-ce pas ? dit-elle ensuite, en s'adressant à eux trois.

Steve ne répondit rien, mais il était souriant. Il débarrassa les mugs et le désordre de la table, déposa le tout dans l'évier en céramique ébréchée, sous la fenêtre – la mamie de Petra avait un évier de ce genre, veiné d'anciennes fissures –, puis il attrapa un gant de toilette, le passa sous le robinet, le tordit et s'attaqua aux mains et aux frimousses des enfants, et ils adorèrent, et ils glapirent, et ils se tortillèrent pour lui échapper, avant de se jeter de nouveau sur lui pour qu'il les débarbouille encore un petit coup.

Ce n'était pas quelqu'un qui se surveillait, songea-t-elle, et il n'avait pas belle allure. Il n'était pas assez grand, ou pas assez bien découplé, il était trop trapu, il avait des yeux trop petits et des oreilles trop grandes, mais il était tout de même agréable à regarder, parce qu'il avait tant d'aisance, et des mouvements d'une telle rapidité, d'une telle agilité, et il dégageait une telle impression de souplesse et d'adaptabilité. Il se tourna pour essuyer le visage de Kit avec un geste

235

volontairement exagéré de la main qui tenait le gant, et il croisa le regard de Petra. Il lui sourit encore, avec décontraction. Elle lui rendit son sourire. Puis il lança le gant en direction de l'évier, contourna la table jusqu'à l'endroit où elle était assise et, sans y mettre aucun artifice, il l'embrassa délicatement sur la bouche.

La sœur de Charlotte, Sarah, avait accepté de venir à Londres. Elle avait présenté cela comme une faveur qu'elle faisait à sa sœur, mais à la vérité, elle était ravie d'avoir cette occasion de passer une journée dans la capitale, et elle appréciait tout particulièrement Marylebone High Street, où travaillait Charlotte, parce qu'il n'y avait pas seulement là une librairie fantastique, mais aussi un bouquiniste qui vendait des volumes au profit d'œuvres caritatives. Son mari qui, avec les années, avait pris l'habitude, en l'entendant parler de « livres », de décrypter et de comprendre « chaussures », avait approuvé d'un petit signe de tête, lui avait quand même souhaité une bonne journée, et lui avait proposé d'aller chercher les filles à l'école. Il venait de prendre des leçons de pilotage et il était désireux de se gagner davantage les bonnes grâces de Sarah, en échange des heures et de la dépense que sa nouvelle passion allait requérir.

Elle avait accepté de retrouver Charlotte dans un café à la française, avec ses tables en bois brut et un menu « continental » acceptable. Elle avait fait un saut à la librairie, avant de s'acheter un collier et un pull, qu'elle avait glissés dans son sac de livres, en espérant que Charlotte, réputée dans la famille pour ne rien lire d'autre que des magazines, le remarquerait. Mais celle-ci, superbe dans une petite jupe blanche et un haut blousé noir à manches cloche et au décolleté plongeant, n'était pas d'humeur à remarquer quoi que ce soit, excepté qu'elle avait une alliée, en la personne de sa sœur. Elle entra dans le café en trombe et l'embrassa avec une ardeur telle que l'on aurait cru qu'elles ne s'étaient plus revues depuis un an.

– Sarah, je suis tellement contente de te voir, tu ne peux pas t'imaginer ce que j'ai traversé, et je suis absolument morte de faim. Je suis absolument morte de faim, tout le temps.

Sarah qui, dans le passé, avait pu rejoindre le reste de la famille dans l'adoration qu'ils vouaient tous à Charlotte, s'était forgé une opinion plus objective de sa sœur, depuis quelque temps. Charlotte, lui semblait-il, avait une propension à exploiter ses charmes de fillette à un degré inacceptable, et il était temps pour elle de comprendre qu'à vingt-six ans, on n'est plus si jeune, et que le mariage n'est pas la pure et simple continuation d'une journée de noce où tout est rose et étincelant, mais une entreprise sérieuse qui exige de se conduire en adulte et d'avoir le sens du compromis. Elle observa sa sœur, attablée en face d'elle. Non seulement son décolleté était trop voyant, mais la grande croix sertie de pierreries qu'elle portait autour du cou au bout d'une longue chaîne attirait d'autant plus l'attention dessus.

– Tu pourrais me remercier, lui dit Sarah, d'être tout de suite venue à Londres, pour t'être agréable.

Charlotte releva le nez de la carte du restaurant. Elle ouvrit de grands yeux.

– Mais je te remercie…

– J'ai beau ne travailler qu'à mi-temps, continua sa sœur, il n'empêche, ce n'est pas toujours facile de se libérer.

Charlotte ne tint plus la carte que d'une main, et posa l'autre sur celle de Sarah.

– S'il te plaît, ne me fais pas la leçon…

– Je ne te fais pas la leçon, je dis juste…

– Je sais que je me suis laissé un peu obnubiler, admit Charlotte, mais ça m'a vraiment atteinte, franchement. Et à force, comme les gens sont incapables de me soutenir, j'ai un peu fini par craquer. C'est pour ça que je t'ai appelée. Je t'ai appelée à cause de Luke. Après… c'était, enfin, après qu'il me traite de diva un peu fofolle.

Sarah la dévisagea.

– Il n'a pas…

Charlotte se tut une seconde. Elle lâcha la main de sa sœur et baissa les yeux.

– Eh bien…

– Charlotte, insista sa sœur, sur le ton de l'avertissement.

– Il n'a… pas dit le contraire…

– Il n'a pas dit le contraire de quoi ?

Charlotte se prit la tête dans les mains, et fixa la table du regard.

– Bon, j'étais vraiment bouleversée, j'ai vraiment pleuré, après, quand Luke m'a annoncé que son père refusait de demander à sa mère de s'excuser, et j'ai un peu perdu mon calme, et j'ai dit à Luke qu'ils étaient tous ligués contre moi… et c'est ce que je ressens, Sarah… et qu'ils me traitaient tous comme si j'étais une diva un peu cinglée, et il ne m'a pas contredite. Enfin, si, il m'a affirmé qu'ils ne se liguaient pas contre moi, et qu'il ne se liguait pas contre moi non plus, mais il ne m'a pas répondu que je n'étais pas une diva, ça, non. Il est juste redescendu à son studio et quand je suis allée faire pipi dans la nuit, j'ai regardé par la fenêtre pour voir si la lumière était encore allumée, en bas, elle était encore allumée, et il était deux heures du matin.

– Charlotte, fit Sarah.

Charlotte releva lentement la tête.

– Qu'est-ce que…

– Tu es…

– Je suis quoi…

– Tu te comportes en diva.

– Mais tu n'étais pas là, s'écria-t-elle, tu ne sais pas ce qu'elle a dit, sur quel ton…

Sarah se pencha vers elle.

– Écoute, Charlotte. Je ne connais pas cette femme, mais c'est une belle-mère. À ses yeux, personne ne sera jamais assez bien pour son fils. Elle manque vraiment de tact, mais elle s'est bornée à agir comme agissent les gens dans son genre. Tu te souviens de notre mariage ? La mère de Chris n'a même pas voulu venir, parce que ça ne se passait pas à l'église, et elle a prétendu que c'était moi qui l'avais forcé à renoncer à un mariage religieux. L'église, moi, je n'y aurais vu aucun inconvénient, c'était Chris qui ne voulait pas en entendre parler. Il m'a dit qu'il avait assez subi l'église comme ça dans son enfance, et de toute manière il ne croyait pas en Dieu. Mais il a refusé de l'affronter, il m'a laissé le soin de m'en charger. Donc je suis devenue la sorcière. C'est comme ça. C'est comme ça pour beaucoup de belles-filles.

Charlotte la considéra avec solennité. Elle manipula sa croix.

– Maman m'a dit qu'elle aurait aimé la tuer.

– C'est ce qu'elle prétend. C'est tout elle, ça. C'est aussi ce que je ressens si quelqu'un n'est pas gentil avec mes filles.

– Qu'est-ce que tu racontes ? réagit Charlotte, l'air attristé.

– Que tu en fais toute une histoire.

239

– Mais…

– Mais quoi ?

Charlotte s'avança, le visage tout près de celui de sa sœur, et elle chuchota âprement :

– Je n'avais pas l'intention de tomber enceinte.

Sarah attendit une seconde.

– Je sais, dit-elle finalement.

Les yeux de Charlotte s'emplirent de larmes.

– Ne pleure pas, lui dit sa sœur. Ce n'est pas la situation idéale, mais il y a des avantages. Avec deux enfants avant trente ans, l'aspect famille est une affaire classée, et tu peux t'occuper de ton existence.

Charlotte se redressa un peu.

– Je ne pense pas que Luke éprouve la même chose à mon égard…

– Que veux-tu dire ?

– Eh bien, continua Charlotte en baissant les yeux, dans son esprit, en un sens, je ne peux jamais rien faire de mal. Je veux dire, je l'ai soutenu à bout de bras jusqu'à ce qu'il se sorte de cette histoire de cocaïne, et puis il a dû attendre que j'en termine avec Gus et tout. Et maintenant, moi, cette force-là… je ne l'ai plus. Il me regarde comme si je l'avais déçu, comme s'il avait ouvert un cadeau de Noël et découvert un truc qui n'était pas du tout ce qu'il avait espéré.

Si tentant que ce soit de lui répondre sèchement « c'est ridicule », Sarah se sentit se radoucir.

– Il t'aime, tu le sais, lui dit-elle, il t'aime vraiment. Cette histoire de bébé lui a sans doute un peu fait l'effet d'une bombe, à lui aussi.

– Il n'est pas forcé de l'accepter…

Sarah regarda sa sœur.

– Je commençais juste à être désolée pour toi. Ne viens pas tout gâcher.

Charlotte lui sourit mollement.

– Je suis un vrai désastre, hein ? lui dit-elle.

Elle prit une serviette en papier et se tamponna le contour des yeux.

– Je suis censée être une dame, une femme mariée, une adulte, et je suis un désastre.

– Arrête de débloquer.

– Je ne…

– Charlotte, fit Sarah, nous sommes tous enchantés que tu aies épousé Luke, nous trouvons votre couple charmant, et le mariage était merveilleux. Mais le mariage, ce n'est pas juste la continuité sans rien qui change. Et surtout, le mariage, ça ne se vit pas en public. Ce n'est pas une espèce de performance où tu peux demander le soutien de la salle quand les choses ne vont pas dans ton sens. Vous devez régler les choses, ensemble. Tu n'as aucune idée de la nature de ma relation avec Chris, hein ? Ça ne t'a jamais traversé l'esprit. Eh bien, cela n'a rien d'une promenade de santé, mais on se débrouille. Et vous aussi, vous allez devoir vous débrouiller. Tu as un garçon très bien à tes côtés, un joli endroit où vous habitez, et tu n'es pas encore dans une file d'attente à la soupe populaire. Fais-toi une raison.

Charlotte soupira.

– OK, dit-elle.

– Et maintenant, lui proposa sa sœur en reprenant la carte, commandons à déjeuner.

Ralph avait trouvé une chambre à louer. L'un de ses futurs collègues avait un appartement derrière Flinsbury Square, qu'il voulait avoir à sa disposition les week-ends, quand sa petite amie venait de Dublin, mais il avait aussi une petite chambre supplémentaire qu'il acceptait volontiers de lui louer en semaine. Il lui avait indiqué que, si Ralph ne prenait que des douches, et n'utilisait que le micro-ondes, il estimait que cinquante livres en espèces, pour quatre nuits par semaine, ça irait, les factures d'électricité et autres ainsi que la taxe d'habitation incluses, pas de contrat, en toute discrétion, qu'en pensait-il ? Ralph avait visité la chambre, décorée et meublée de manière à avoir l'air aussi impersonnelle et moderne qu'un hôtel, et l'avait trouvée plus qu'acceptable. Il s'était allongé sur le lit, et il avait regardé le plafond, au-dessus de lui, avec ses minuscules plafonniers encastrés, très lumineux, et senti en lui un petit frisson d'excitation à l'idée d'être libre. Il n'avait aucune intention d'en faire mauvais usage, il avait rassuré Edward à ce sujet, au téléphone, pas question de se conduire stupidement, de jouer les garçons dévoyés juste parce qu'il avait la bride sur le cou, mais il regarderait des films, il lirait, il travaillerait tard, il s'inscrirait dans une salle de sport, et rendrait visite à ses frères, autant de trucs plutôt sympas, non ? À l'autre bout du fil, Edward n'avait eu l'air ni convaincu ni rassuré.

Dans le train du retour vers le Suffolk, Ralph songea à cette chambre derrière Finsbury Square. Cinquante livres la semaine, c'était une occasion en or, surtout avec une douche au jet surpuissant et pour être à dix minutes à pied du bureau. Il pensa à Kit et Barney, et comme ce serait bizarre d'être sans eux, et comme ce serait merveilleux de les voir le week-end ; il rattraperait ses absences en les levant le matin, que Petra puisse s'offrir des grasses matinées, il les emmènerait faire des choses qu'il ne faisait apparemment jamais, car pour l'instant tous les jours étaient des jours ordinaires, des journées vraiment indifférenciables les unes des autres. Il s'étonna de voir à quel point il avait retrouvé son énergie et son optimisme et, au lieu de patauger péniblement dans l'existence comme un mort-vivant, comme un vrai zombie, il se sentait à présent plein d'allant et impatient de découvrir ce qui l'attendait. À la gare d'Ipswich, il acheta des paquets de Smarties pour les enfants et chercha des fleurs pour Petra. Il n'y en avait pas. Peu importe, se dit-il, de toute manière, des fleurs, elle en cultive, je m'arrêterai sur le chemin de la maison et je lui achèterai une bonne bouteille de vin. Ce soir, on boira du vin et je lui ferai la cuisine. En fait, à partir de maintenant, je cuisinerai tous les week-ends, on va se faire un tout nouveau régime, une toute nouvelle silhouette, et on aura l'argent qu'il faut pour payer tout ça. Ce sera comme un nouveau départ.

À son retour, Petra était dans la salle de bains, age-nouillée à côté de la baignoire, elle savonnait Kit, qui était assis dans quinze centimètres d'eau, en train de jouer avec sa grenouille à ressort en plastique. Barney, emmailloté dans une adorable serviette à capuche ornée de deux oreilles en tissu éponge, était assis près de sa mère, sur le tapis de bain, très absorbé dans un livre en tissu aux pages qui couinaient quand on appuyait à certains endroits. En montant l'escalier, Ralph entendit leurs voix et, à en juger par leurs intonations, ils étaient heureux. Quand il entra, ils levèrent tous les yeux, ils le virent, les garçons glapirent, et il sentit monter en lui une bouffée de certitude qui le transporta, la vie allait cesser d'être une progression pénible sur une espèce de faux plat, et se transformer en galop à travers la plaine, tout droit vers une chaîne de montagnes regorgeant de promesses immaculées.

En retenant sa cravate d'une main, il se pencha pour embrasser Petra et Kit, puis il souleva Barney du sol et s'assit avec lui sur le couvercle rabattu des toilettes, en le prenant sur ses genoux.

– Une bonne journée ? lui demanda-t-elle.

– Très. Et vous ?

– On est allés à la mer ! s'écria Kit, en se précipitant vers le bout de la baignoire, pour être près de son père.

Il ouvrit grands les bras.

– Elle était immense comme ça ! Et pleine de cailloux !

Ralph rit.

– Et toi, mon gros bouddha, fit-il à Barney.

Barney lui offrit son livre. Il l'accepta et, très obéissant, se mit à appuyer sur les pages.

– Des tas de trucs à te dire, annonça-t-il à Petra.

– Super. Quand les garçons seront au lit…

– Tu me lis une histoire ! ordonna Kit.

Il lâcha sa grenouille et voulut grimper hors de son bain.

– Tu me lis une histoire, papa, tu me lis une histoire, tu me lis une histoire…

– Bien sûr, que je vais lire…

– Mon livre de Digger…

– On ne pourrait pas changer, peut-être ? Autre chose que le Digger ?

Petra enroula Kit dans une serviette.

– Laisse papa tranquille. Tu le lâches un peu avec le livre de Digger, hein ?

– Non !

– Nan ! répéta Barney, ravi.

Il leva les yeux vers son père.

– Nan !

Ralph baissa les yeux sur lui. Barney regardait son père, l'air rayonnant, il avait une tête complètement adorable, révélant ses quenottes parfaites sous sa capuche en pointe. Ralph se sentit gagné par un élan d'affection, pour lui, pour eux trois, pour toute sa petite famille, rassemblée autour de lui bien à l'abri dans leur salle de bains miteuse. Il déposa un baiser sur la tête de son petit bonhomme.

— Bien sûr que je vais te lire ton livre de Digger, lui répondit-il.

Plus tard, dans la cuisine, il déballa une bouteille de vin de son cocon de papier kraft.

— Ouah, fit Petra. Qu'est-ce qu'on fête ?

— Un tas de choses. Et c'est moi qui cuisine.

— J'ai déjà préparé…

— Préparé… ?

— Presque. Juste un risotto.

— J'adore le risotto. J'adore ton risotto. Bien sûr, j'aurais pu faire la cuisine, mais à dire vrai, j'adore la tienne.

Petra posa deux verres à vin sur la table.

— Alors, ce rendez-vous, c'était bien ?

— C'était plus que bien, j'ai rencontré toute l'équipe d'analystes, tous très bons, tous l'air sympa, et l'un d'eux m'a proposé une chambre. Cinquante livres la semaine ! Dix minutes du bureau. Le truc parfait.

Petra se figea. Elle renversait un sac en papier plein de champignons sur une planche à découper, et elle s'arrêta, le sac dans la main, et presque tous les champignons encore à l'intérieur.

— Une chambre ?

Il releva les yeux du goulot de la bouteille de vin, où il allait enfoncer la pointe du tire-bouchon.

— Oui, mon bébé. Une chambre. On était d'accord.

— D'accord ?

Il fit pivoter le tire-bouchon.

— Tu sais. Tu disais que je ferais aussi bien d'avoir ma liberté…

– Oui.

– Eh bien, tu le pensais vraiment, non ?

– Oui, fit-elle.

– Eh bien, je prends une chambre à deux pas de la City la semaine et je serai de retour le week-end, et toi tu pourras rester ici avec les garçons, comme tu le souhaitais.

Il tira, le bouchon céda, et il se redressa en souriant à Petra.

– Comme ça on va pouvoir solutionner la chose, et toi, tu auras ce que tu voulais, d'accord ?

Petra versa le reste des champignons. Elle attrapa un couteau.

– Tu es avec moi, là ? lui demanda-t-il.

– Je… crois que oui, lui répondit-elle, sans lever les yeux. Je suis… juste un peu surprise pour la chambre…

– Pourquoi ?

– C'est si rapide…

– Mon bébé, je commence à travailler dans deux semaines.

– Oui…

– Qu'est-ce que tu croyais, qu'est-ce qui arriverait, à ton avis ? Comment t'imagines que nous aurions pu nous organiser ?

– Je n'imaginais rien, lui avoua-t-elle sincèrement. Je pensais juste attendre que tu aies pris une décision, et ensuite j'aurais vu ce que j'aurais fait.

– Eh bien, j'ai pris une décision. J'ai loué une chambre.

Elle le regarda. Elle lui sourit.

– Bien, dit-elle.

– Et toi, tu vas pouvoir continuer avec ta vie ici. Faire ce que tu aimes. Comme aller à la mer, ce que tu as pu faire aujourd'hui. La plage n'était pas bourrée de monde ?

– On n'est pas allés à la plage d'ici...

Ralph leur servit du vin.

– Où êtes-vous allés, alors ?

– À Shingle Street, lui répondit-elle, en éminçant les champignons.

– Shingle Street ? Comment êtes-vous arrivés jusque-là ?

– En taxi...

Il cessa de verser.

– Un taxi ? À l'aller et au retour ?

– Non, lui répondit-elle calmement. Mon ami nous a ramenés à la maison.

– Une amie ?

– Il travaille à la réserve ornithologique.

– Il ?

Elle le dévisagea.

– Oui.

– Comment se fait-il que tu aies un ami, un homme, à la réserve ornithologique ? s'étonna-t-il.

Elle posa son couteau.

– Il a retrouvé mes clefs de voiture, je les avais perdues, le jour où je suis allée dessiner là-bas, le jour où tu es allé à ton entretien, quand tes parents ont pris les garçons.

– Et maintenant c'est devenu un ami.

– Il vit à Shingle Street. C'était incroyable d'être de nouveau là-bas. Incroyable. Les garçons ont adoré.

Il y eut un silence. Ralph scruta le vin dans leurs deux verres, puis il regarda Petra.

– Tu as emmené les garçons...

– Bien sûr. Qu'aurais-je dû faire d'autre ?

– C'est... c'est pour ça que tu es si heureuse ? C'est

247

pour ça que l'atmosphère est si bonne, ici, ce soir ? Ce n'est pas parce que tu t'es rangée à mon point de vue, à ma conception de l'avenir, hein, c'est parce que tu as eu une après-midi…

— C'était à cause de la plage.

— Une après-midi, insista-t-il sans relever, avec un type que tu autorises à fréquenter mes enfants et Dieu sait ce qui s'est passé d'autre, c'est ça, hein, c'est ça…

Subitement, il s'interrompit. Il tâchait de jauger ce qu'elle avait en tête, en l'observant. Elle se tenait de l'autre côté de la table, une main légèrement posée sur son petit tas de champignons, l'autre sur le couteau, tout à fait immobile, et d'une sérénité alarmante. Elle soutenait son regard, et le sien était voilé, mais elle n'avait pas cette expression qui était la sienne, d'ordinaire, lorsque les choses se compliquaient, quand elle évitait de s'impliquer dans la recherche d'une solution. Elle avait plutôt l'air d'avoir fait un choix, puis de s'être repliée sur elle-même, une fois cette décision prise.

— Petra ?

— Oui.

— Petra, si tu es heureuse, ce n'est pas grâce à moi, mais parce que tu as passé une bonne après-midi avec ce type, hein, c'est ça ?

Elle lui glissa un sourire évanescent, et reprit son couteau à découper.

— Oui.

Chapitre 13

Sigrid posa le téléphone. Elle avait appelé sa mère à Stockholm, à une heure où elle était certaine de la trouver chez elle, après ses consultations, avant le retour de son père et, même si elle savait que ce n'était pas intentionnel, avant qu'il n'exerce par-derrière une contrainte silencieuse, mais très perceptible sur les réponses de la mère aux confidences de la fille. Sigrid avait eu l'intention – la volonté – de parler à sa mère des bouleversements de la famille Brinkley et, sur le trajet du retour depuis le laboratoire, elle était même allée jusqu'à anticiper de quelle manière elle lui décrirait le déjeuner, la conduite de Rachel, la réaction de Charlotte et son comportement après cela : mais quand elle en fut là, elle s'aperçut que l'épisode s'était en quelque sorte éventé, si bien qu'elle se sentit bizarrement plus ou moins obligée de protéger les Brinkley, comme s'il ne fallait pas révéler leurs carences, même – et surtout pas – à sa mère. Du coup, la conversation qu'elles eurent fut plutôt affectueuse et anodine, si anodine que Sigrid percevait bien que sa mère se retenait de lui demander ce qui n'allait pas, mais c'était tout juste.

Elle prit le mug de thé vert qu'elle s'était préparé pour accompagner son coup de téléphone, et l'examina du regard. Il était froid, maintenant, avec un liseré de résidus bruns, dans le fond, et l'air aussi appétissant qu'une mare d'eau stagnante. Elle s'approcha de l'évier, le vida, puis elle remplit la bouilloire. La réponse, ce serait un café. Un café, dans l'éducation qu'elle avait reçue, recelait toujours la réponse. Le thé vert n'en serait jamais le substitut. Tout comme l'eau qui ne remplaçait pas un jus de fruit – ça, c'était fréquemment la remarque de Mariella. Ou un lait frappé aux fruits. Elle avait promis à sa fille un lait frappé vanille – son parfum préféré – dès qu'elle réussirait non seulement à réciter à voix haute tous les mots de la liste de vocabulaire de ses devoirs de vacances finissant par « -oux », mais aussi à les écrire. Elle était restée enfermée dans sa chambre des heures, et elle avait donc sans doute abandonné sa récitation pour jouer, et le sol de sa chambre devait être couvert de familles entières d'animaux des bois miniatures, de bêtes anthropomorphes qu'elle mettait au lit, dans des nids de mouchoirs en papier et dans toutes ses paires de chaussures. Sigrid n'allait pas l'interrompre. S'absorber dans des jeux en compagnie de souris et de blaireaux, voilà qui devait être certainement plus enrichissant pour la vie intérieure que d'apprendre pourquoi « hiboux », « genoux » et « cailloux » se terminaient par un « X », et pourquoi c'étaient des exceptions. Quelle complication, la langue.

La clef d'Edward pénétra dans la serrure de la porte d'entrée, avec un craquement, suivi d'un claquement sonore quand il la referma derrière lui. Il descendit rapidement les marches menant à la cuisine, comme à son habitude, l'embrassa – l'air assez absent, trouva-t-elle – et se rendit tout droit au frigo.

– Tu m'as l'air un peu à cran, non ? lui dit-elle.

– De l'eau, lâcha-t-il, laconique.

Il sortit la carafe Brita que Sigrid rangeait toujours

dans la porte du réfrigérateur et se servit un grand verre, qu'il but d'un trait. Elle le regarda faire.

– Il s'est passé quelque chose ?

Il continua de boire.

– Je t'en prie, fit-elle. Pas de drame. Tu as eu une mauvaise journée ?

Il posa son verre, et le remplit de nouveau.

– Oui.

– Tu as envie de m'en parler ?

Il opina, et but encore.

– C'est ta famille ?

Il s'arrêta de boire, le temps de lui répondre.

– Pourquoi est-ce que ce serait ma famille ?

– Parce qu'en général, c'est ça.

– Tandis que…

– Non, fit-elle, en l'interrompant. Non, pas par comparaison avec la mienne, si tu veux savoir. C'est juste que j'ai eu une conversation complètement incongrue avec ma mère.

– Incongrue ?

– Je lui ai parlé, et c'était totalement inutile. Comme si je ne la connaissais pas…

– Pourquoi cela ? lui demanda-t-il.

Elle laissa s'installer un petit silence.

– Je n'en sais rien, lui dit-elle ensuite, évasive. J'étais peut-être fatiguée.

Il se laissa lourdement tomber dans une chaise de la cuisine, avec son troisième verre d'eau.

– Je suis fatigué, en effet.

Elle attendit. Il continua.

– Ralph, il me fatigue particulièrement. Enfin, pauvre nouille, je ne suis pas fatigué de lui, mais un peu las des complications qu'il m'a l'air de s'attirer.

Elle prit une chaise en face de lui.

– Et maintenant ? lui demanda-t-elle avec précaution. Il va renoncer à cette proposition d'emploi ?

– Oh non. Rien de tel. Dieu merci, il débute dans une semaine.

– Ah, alors quoi ?

Il soupira.

– C'est Petra, fit-il, en regardant la table et non sa femme.

– Petra !

– Il m'a téléphoné, aujourd'hui. Il avait l'air dans tous ses états. Il m'a confié qu'il ruminait la chose depuis à peu près une semaine, et qu'il avait besoin d'en parler à quelqu'un. Il semblerait que Petra aurait... enfin, je ne sais pas jusqu'où c'est allé, je veux dire, je ne sais pas s'ils couchent ensemble ou quoi, mais Petra s'est trouvé un autre homme.

Sigrid en eut le souffle coupé. Elle se retint au rebord de la table et se pencha vers lui.

– Petra ?

– Oui, ajouta-t-il.

Il se leva.

– Je vais aller me servir quelque chose de plus fort. Tu veux un verre ?

– Assieds-toi, lui dit-elle. Assieds-toi. Nous prendrons un verre plus tard. Assieds-toi et raconte-moi. Qui est cet homme ?

Il s'appuya contre la table.

– Il travaille à la réserve ornithologique, lui annonça-t-il d'une voix monocorde.

– Il...

– À l'extérieur. C'est une sorte de... d'employé chargé de l'entretien, j'imagine. Je n'ai pas trop saisi. Il s'occupe de l'infrastructure, des clôtures, des escaliers, des rambardes, ce genre de choses. Petra l'a rencontré là-bas.

– Mais elle n'y est pas retournée, ces derniers temps…

– Si, une fois, rectifia-t-il.

– Une fois !

– Elle avait perdu ses clefs de voiture. Il les a retrouvées. C'était le jour où Ralph s'est rendu à cet entretien.

Sigrid se prit la tête dans les mains.

– Oh mon Dieu…

– Il a une maison à Shingle Street, poursuivit Edward. Là où ils ont habité. Petra emmène les enfants, ils adorent, ils… enfin, Kit, en tout cas… ils tiennent à en parler à Ralph, ils veulent l'emmener là-bas.

– Ne me…

– Ralph m'a dit qu'elle ne semble pas mesurer ce qu'elle est en train de faire. Elle ne mesure pas, c'est tout. Ils se sont mis d'accord, il pourrait habiter à Londres la semaine, pour que les garçons et elle n'aient pas à quitter Aldeburgh, et elle a l'air de croire que cela offre à Ralph une liberté à laquelle elle a droit, elle aussi, et donc elle a ce type.

– Je crois que je ne refuserais pas un verre, finalement, souffla-t-elle. Petra. Je ne peux pas le croire…

Il se tourna vers le frigo.

– Ralph m'a expliqué qu'il n'arrivait pas à lui parler. Il n'y arrive tout simplement pas. Elle refuse d'en discuter. Elle se contente de le regarder, et de sourire, et elle lui dit que maintenant elle se sent bien, et qu'elle ne voit aucun inconvénient à ce qu'il accepte ce poste à Londres. Elle n'a pas l'air de comprendre que pour Ralph, travailler à Londres dans le but de subvenir aux besoins de sa famille, cela n'équivaut pas précisément à une vie de liberté sans entrave. Et que cela ne donne certainement pas à Petra la permission de s'embarquer dans une liaison avec un autre.

– Elle en est là ?

Il ouvrit le frigo et sortit une bouteille de vin.

– Je n'en sais rien. Ralph n'en sait rien. Elle lui répète juste que c'est la mer, c'est la mer, or ce sont manifestement des sornettes. Comment est-ce que ça pourrait être une histoire de mer, nom de Dieu ? La mer, à Aldeburgh, elle est partout !

Elle se leva pour aller chercher deux verres.

– Cette relation a toujours été un peu… curieuse…

– Toutes les relations sont un peu curieuses, vues de l'extérieur.

– Seigneur, Ed, voilà un propos très philosophique, venant de toi…

Il posa la bouteille de vin sur la table, puis il la reprit.

– Je lui ai conseillé d'en parler aux parents. Il m'a répondu qu'il n'en avait pas le courage. Il m'a demandé si je pourrais.

– Et tu vas le faire ?

Il commença par leur servir un peu de vin.

– Quand j'en saurai davantage. Quand je saurai quoi leur dire, le cas échéant.

Il approcha un verre de Sigrid.

– Quelle idiote, cette femme.

Elle ne réagit pas. Edward se rassit. Il but une gorgée de son vin.

– Je sais que Ralph est un casse-pieds, s'écria-t-il, subitement en colère, je sais que ce n'est pas la personne la plus facile à vivre, mais s'il se lance dans tout cela, c'est pour sa famille et, si stupide et si tête de cochon soit-il, ce n'est pas un cavaleur, il ne court pas après les femmes, il ne boit pas, ne joue pas, c'est Ralph, c'est tout, tel qu'il a toujours été. Et Petra, elle, n'est pas précisément une partie de plaisir non plus, hein, avec cette manière qu'elle a de se laisser aller au gré du vent, de refuser de grandir, avec son côté lunatique et artiste. Sincèrement. Franchement.

Il éleva la voix et répéta, presque en criant :

– Quelle idiote, cette femme !

– Qui est idiote ? demanda Mariella, sur le seuil de la pièce.

Charlotte était allongée dans son lit, sur le dos. Luke dormait à côté d'elle, le bras droit en travers de ses cuisses après avoir été en travers de son ventre, d'où elle l'avait déplacé. Tout le monde – sa mère, ses sœurs, ses amies – lui avait affirmé que si elle avait des nausées (toutes les femmes n'en ont pas, je te promets, Charlotte, je veux dire, j'ai failli mourir à force de nausées, mais la plupart des femmes ne sentent même rien du tout), ce serait le matin, tôt, et cela arrangerait énormément les choses si Luke lui apportait son thé au lit, et un biscuit sans rien ou quelque chose de ce genre, avant qu'elle pose un orteil par terre. Mais le matin, ça allait. Vraiment. C'étaient les soirées qu'elle redoutait. Le soir, elle commençait à s'apercevoir qu'elle était incapable de rien avaler, mais qu'elle était même incapable de supporter l'idée de manger, et encore moins les odeurs de nourriture, et elle n'osait même pas penser à un café ou à du pain complet par exemple, sans être obligée de se précipiter dans la salle de bains. Luke s'était montré si attentionné. La semaine dernière, il avait mangé au studio avant de monter, et en plus il s'était brossé les dents. Elle avait vraiment apprécié, et elle avait aussi été sensible au fait qu'il ait envie de dormir avec un bras sur elle. C'était juste qu'elle ne supportait pas le poids de son petit doigt, sans parler de son bras entier, sur son ventre, mais si elle le retirait, il le remettait aussitôt, dans son sommeil, comme s'il était absolument vital pour lui d'être relié à elle. Et donc ces dernières nuits, elle s'était juste contentée de descendre le bras de Luke un peu plus bas, et apparemment ça lui avait convenu, pendant qu'elle attendait de s'endormir ou que la nausée reprenne le dessus.

Évidemment, cette nuit, elle avait une autre raison de rester éveillée, au-delà de la question de savoir si elle allait vomir, ou simplement avoir envie de vomir. Luke était monté du studio, avec son haleine de pâte dentifrice sur un fond de pizza, une attention si touchante, et il lui avait confié que Ralph lui avait téléphoné pour lui dire que Petra fréquentait quelqu'un d'autre. Luke n'avait pas l'air très clair dans tout cela, ne savait pas trop qui était le type en question, ou si Petra sortait avec lui, ou même si Ralph allait réagir d'une manière ou d'une autre, mais c'était plutôt que lui, Luke, se sentait pris d'une sorte de bredouillement de fureur au nom de son frère qui, avouait-il à Charlotte, n'était pas le type le plus facile à vivre pour celle qui était mariée avec lui, mais bon sang, il faisait de son mieux avec un nouveau job, et de toute manière Petra n'avait pas franchement endossé sa part, toutes ces dernières années, et il comprenait maintenant pourquoi Charlotte avait une dent contre Petra, et il aurait dû prendre l'opinion qu'elle avait d'elle plus au sérieux, il aurait vraiment dû, parce que là, elle avait vu archi-juste, non ?

Charlotte aurait aimé croire qu'elle respirait le contentement de soi, mais elle en était incapable. Quand elle avait interrogé Luke pour en savoir davantage sur ce que Petra avait fait, au juste, il lui avait avoué qu'il ignorait les détails et que bon, il n'avait aucune envie de les connaître, mais que Ralph était surtout très contrarié de ce que Petra soit tout à fait ravie qu'il aille à Londres gagner de l'argent pour subvenir à leurs besoins à tous, maintenant qu'elle avait trouvé quelqu'un avec qui s'amuser, quelqu'un qui était tout disposé à jouer avec les garçons.

– C'est ce qui lui tape franchement sur le système, lui avait-il expliqué, debout devant elle qui s'était allongée dans le canapé, les pouces calés dans les passants de la ceinture de son jean. Les gamins l'aiment vraiment bien. Kit parle beaucoup de lui, comme si Ralph était censé prendre part à tout ça. Ça le fout en l'air.

Il avait lâché un énorme soupir.

– Je ferais mieux de sonner Ed. Ralph l'a appelé avant-hier soir et il lui a dit de ne pas m'en parler avant qu'il ne m'en ait touché un mot. Il lui a dit qu'il avait l'intention de le faire dans la foulée, mais là, tout de suite, il était incapable d'avoir à tout répéter. Pauvre vieux. Je sais qu'il est casse-pieds, mais il ne mérite pas ça, pas en plus de son affaire qui capote et tout le reste, franchement, non, il ne mérite pas ça.

Et là-dessus, il s'était baissé, avec la grâce et l'aisance que Charlotte appréciait tant, quand il n'était pas si sombre, et il l'avait embrassée, en lui promettant de ne pas être trop long. Il était dans leur chambre depuis une demi-heure, et elle ne bougea pas, ne voulant surtout pas risquer de provoquer la nausée, mais elle savait qu'il s'était couché en ayant retiré ses chaussures, avec son portable sur le torse et l'oreillette dans le creux de l'oreille, et la télévision allumée au pied du lit, le son coupé. Luke était incapable de rester dans une pièce où il y avait une télévision sans l'allumer. Il lui avait expliqué que c'était parce que, quand tu étais le troisième de trois frères, tu aimais avoir de la compagnie, mais sans avoir tout le temps l'envie de te retrouver immergé dans le brouhaha et l'énergie d'une famille, non, tu préférais rester en lisière d'une présence dont tu aimais te faire le spectateur sans en être partie prenante. La télévision, pour ça, c'était parfait d'après lui. Ils en avaient même une au studio, qu'il allumait à la minute où Jed quittait la pièce, comme si, songea Charlotte, il redoutait que de sombres esprits s'insinuent, comme s'il n'y avait plus que la solitude et le silence à combattre.

Au début, elle avait essayé d'entendre ce que disait Luke, mais il n'était pas tout à fait audible, et les bruits de la rue, même d'aussi loin, tout en bas, lui étouffaient encore un peu plus la voix. Charlotte roula donc sur le côté, en maintenant un oreiller contre elle, et elle essaya de réveiller en elle cette satisfaction d'avoir vu juste, dans la manière qu'elle avait eue de réagir envers Petra, par le passé. Mais cela ne venait pas, pas plus que la moindre parcelle de lucidité concernant la relation de Ralph et Petra, qui lui paraissait la relation entre adultes la plus curieuse et la moins épanouissante qui soit, fondée comme elle l'était sur la proximité et le soutien des parents de Ralph, les beaux-parents de Petra. Même si tout ce que sa sœur Sarah lui avait raconté à propos de Rachel avait pu apaiser le paroxysme d'indignation et de trouble que ressentait encore Charlotte, cela ne lui avait certes pas inspiré un minimum d'affection envers la mère de Luke, Ralph et Edward. Les belles-mères sont ainsi faites, lui avait dit Sarah. Elles sont ainsi faites, un point c'est tout. Elles ne vous pardonnent jamais d'avoir épousé leurs garçons, et vous n'avez qu'à vous y résoudre. Ta belle-mère n'est pas différente des autres. Charlotte repensa au jour de son mariage, à ce qu'elle avait éprouvé envers sa belle-mère ce jour-là, et de s'être sentie au comble de l'extase, prête à aimer tout le monde, et elle se souvenait de Rachel l'embrassant, dans la sacristie, pendant qu'ils signaient le registre, elle se souvenait d'avoir dû se pencher un peu, à cause de sa taille et de ses hauts talons, et elle se remémorait la joue de Rachel, un peu molle et sèche contre la sienne, et sa belle-mère qui n'avait rien dit, qui ne lui avait même pas dit « Je suis si heureuse pour vous », ou « Luke est un garçon qui a de la chance », rien de tout cela. Et ensuite, plus tard, Charlotte l'avait vue avec Petra, donner à manger aux garçons, et elle avait retiré son espèce de chapeau à plumes vertes, et elle riait, elle était très animée. Et maintenant ? Rirait-elle, maintenant ? Sombrement – et, enfin, avec une sensation de satisfaction –, Charlotte pensait que non.

Luke était revenu au salon, il s'était assis dans le canapé à côté d'elle.

– Ça va, mon ange ?

– Pas trop mal, fit-elle.

Luke lui prit la main.

– J'aurais mal au cœur à ta place, si c'était possible…

– Je sais, lui dit-elle.

Elle le regarda.

– Comment s'est passé ton coup de fil ?

– Ed partage la même impression que moi. On a un peu parlé pour ne rien dire. Tu sais, comme quand tu n'arrives pas à mettre le doigt sur les choses.

– Et si Ralph reste à Aldeburgh ?

– Charlotte, il ne peut pas. Il doit aller travailler…

– Mais tes parents l'aideraient, de toute manière ils finissent toujours par les aider.

Luke prit sa main entre les siennes.

– Ed m'a demandé si je n'irais pas avec lui, en fait.

– Si tu n'irais pas où ?

– Dans le Suffolk. Pour les prévenir.

Charlotte se redressa lentement.

– Vous deux, faire toute cette route jusque dans le

Suffolk ? Pourquoi tu ne pourrais pas les prévenir au téléphone ? Pourquoi Ralph ne pourrait pas les prévenir ?

– Il en est incapable, souligna-t-il, l'air malheureux. Il a demandé à Ed, et Ed me l'a demandé. Ce n'est pas... ce n'est pas le genre de nouvelle que l'on peut annoncer au téléphone, parce que, enfin, à cause de...

– De Petra ?

– En quelque sorte, fit-il.

Charlotte replia les jambes et se plaça le coussin sur les genoux.

– Vous n'en faites pas un peu tout un plat, non ? dit-elle.

– Enfin, et si c'était l'une de tes sœurs ? Et si Sarah, subitement, t'annonçait qu'elle allait batifoler parce qu'elle n'apprécie pas trop les leçons de pilotage de Chris ? Tu n'aurais pas envie de l'annoncer à ta mère de vive voix ?

Charlotte eut un petit haussement d'épaules.

– Peut-être...

Luke serra sa main entre ses paumes.

– Je sais que tu en as marre de maman. Et de papa. Je sais que tu te sens trahie et tout. Je sais ce que tu penses de Petra. Mais... c'est ma famille. C'est ma famille, et c'est tout. Et les parents vont être anéantis.

Charlotte garda le silence un moment, en fixant des yeux sa main prise en sandwich entre celles de Luke.

– Oh, Petra, ils lui pardonneront... dit-elle avec légèreté.

Il regarda à l'autre bout de la pièce. Puis il revint poser le regard sur elle, un regard attentif.

– Je n'en suis pas si sûr, dit-il, et subitement quelque chose bascula dans le cœur et dans l'esprit de Charlotte, quelque chose qui fit défiler devant elle l'image de Petra, une représentation mentale, vêtue de la drôle de petite robe en tricot qu'elle portait le jour du mariage, tenant Kit dans ses bras, en T-shirt Spider-Man, tous deux le visage blême de fatigue, sortis de leur environnement habituel, et perdant pied.

À ce moment-là, Charlotte avait rendu son regard à Luke. Elle lui avait souri.

– Je vais venir, lui avait-elle dit.

– Quoi ?

– Je vais venir avec vous. Je vais venir dans le Suffolk avec vous, ce week-end. Avec Ed et toi. Bien sûr, je vais venir.

Il avait lâché une petite exclamation et avait refermé les bras autour d'elle, en la serrant fort contre lui.

– Tu es une star, une star absolue, mais suppose qu'Ed et moi, on doive s'en charger un peu tout seuls ?

Et elle lui avait répondu, dans le creux de son épaule :

– Ça va. Ça ira. J'aimerais juste être là, pour te soutenir.

Et ensuite, l'espace de quelques instants, elle s'était demandé si elle n'allait pas fondre en larmes.

Il n'avait pas arrêté de la remercier. Il la remerciait tellement, alors qu'ils retournaient lentement se coucher en se câlinant, que Charlotte avait dû le supplier – en riant – de bien vouloir arrêter, sinon quelle sorte de reconnaissance réussirait-il encore à lui manifester, en de vraies grandes circonstances ? Et il lui avait répondu solennellement :

– C'est une grande circonstance. Pour moi.

Et elle avait senti monter en elle un relent de remords et de soulagement mélangés, remords à cause de sa manière de se comporter, ces derniers temps, et soulagement d'avoir retrouvé sa place antérieure, sur le piédestal de Celle-qui-ne-Peut-Jamais-Rien-Faire-de-Mal, au point de se sentir subitement submergée par une vague de gratitude tout à fait déplacée envers Ralph et Petra, une vague aussi puissante que déconcertante.

Et maintenant, allongée dans la faible lueur de la nuit citadine, avec la nausée qui s'estompait peu à peu, et le bras de Luke pesant sur son entrejambe, elle songea à ce voyage dans le Suffolk. Luke lui avait dit que Sigrid et Mariella ne viendraient pas, ce qui la laissait seule avec Edward et Luke. Elle pensait leur proposer de prendre le volant. Elle aimait conduire, elle était bonne conductrice, elle pourrait raconter à ces messieurs que si elle ne conduisait pas, elle aurait des nausées et comme cela, quand elle les aurait déposés chez Anthony et Rachel, elle serait libre d'agir à sa guise.

– Je devrais les peindre, fit Anthony.

Il se tenait debout dans la cuisine, encombrée de légumes de fin d'été, de haricots grimpants, de courgettes, d'un panier d'épinards et de grands monceaux de carottes, leur queue verte et plumetée pendant du bord de la table, comme des chevelures. Rachel avait passé toute l'après-midi dans le jardin, car c'était le jour où venait le jardinier, jardinier qui avait débuté dans ce jardin gamin, à pousser des brouettes et à ratisser les feuilles mortes pour les parents d'Anthony, et c'était à présent un homme têtu, la vue basse et le dos abîmé. Rachel et lui se toléraient, pas davantage, et une après-midi en la compagnie de Dick, Anthony ne l'ignorait pas, suffirait à faire perdre patience à Rachel, c'était garanti.

Elle préparait le thé. Elle jeta un œil par-dessus son épaule au grand tas de légumes sur la table.

– Je ne vois pas pourquoi je me donne tout ce mal, dit-elle.

Anthony ne répondit rien. L'intuition de son grand âge lui donnait envie d'inventer quelque chose de réconfortant comme « Oh, mais j'adore les épinards », mais l'expérience lui avait appris que cela ne la rassé, rénerait en rien et puis, de toute manière, Rachel avait l'air plus triste que fâchée. Il la contemplait de dos, allumant la bouilloire, se dressant pour atteindre les sachets de thé et les mugs. Sa silhouette était aussi svelte que lorsqu'il l'avait rencontrée ; en fait, parfois, quand il l'apercevait en train de bêcher dans le jardin, de sortir quelque chose de la voiture, de se pencher pour attraper une serviette par terre dans la salle de bains, il n'arrivait pas à croire qu'elle avait vieilli, qu'elle soit différente de la jeune fille qu'il avait connue à l'occasion de vacances de marche à pied, en Galles du Nord. À l'époque, elle avait les cheveux longs presque jusqu'à la taille, et un léger accent gallois. Elle n'avait plus cet accent, et elle s'était coupé les cheveux au carré, mais une bonne part d'elle-même demeurait inchangée – avec une certaine accentuation ici ou là, mais c'était la même.

Elle se retourna et posa deux mugs de thé sur la table, les sachets de thé gonflés dansant de manière légèrement obscène à la surface.

– S'il te plaît, dit-elle à son mari, évite de te comporter comme si j'étais sur le point de m'emporter.

– Enfin, tu pourrais, lui dit-il, non sans raison.

Elle ouvrit un tiroir pour y prendre une cuiller.

– Je risquerais davantage de pleurer.

– Tu ne pleures presque jamais…

– Dernièrement, fit-elle, j'ai pas mal pleuré. Je n'aime pas ça, mais ça n'arrête pas. Ça m'est encore arrivé cette après-midi, en arrachant ces fichues carottes. Je ne crois pas que Dick m'ait vue. De toute manière, maintenant, tout ce qui n'est pas au moins de la taille d'un autobus, il ne le voit pas, et puis j'étais dos à lui.

– Pourquoi pleurais-tu ? lui demanda-t-il, prudent.

– Tu le sais…

– Je ne sais pas. Je veux dire, pas exactement. C'était encore… à cause de Charlotte ? Ou des carottes ?

Elle écrasa un sachet de thé contre le rebord du mug, puis d'un petit geste rapide, elle l'en retira.

– Les carottes.

Anthony attendit encore.

– Il fut un temps où j'avais l'impression de ne jamais en faire pousser assez, de ces légumes. Un temps où nous entassions des sacs entiers de ces trucs-là dans le fond du garage, et si les patates duraient jusqu'après Noël, c'était un triomphe. Nous étions à peu près auto-suffisants, hein, et il fallait que tout soit mangé, tout.

Elle se tut, et elle récupéra l'autre sachet de thé.

– C'était il y a une éternité, remarqua Anthony. Des années. Ça remonte à l'époque où les garçons allaient à l'école. Par rapport à l'âge que peut avoir Ed aujourd'hui, ça nous ramène vingt ans en arrière.

Elle sortit du frigo une petite brique de lait en plastique, et en versa une goutte dans le thé.

– Je sais.

– Eh bien, alors…

– Ce n'était pas vraiment à cette période que je pensais, c'était à maintenant, c'était à ce qui est en train d'arriver maintenant…

Elle s'interrompit. Anthony contourna la table et referma les bras sur elle. Elle ne réagit pas, mais elle ne lui résista pas non plus.

– Personne n'est venu ici, de tout l'été, lui dit-elle, contre le coutil gris-bleu de sa chemise.

Il se pencha un peu.

– Quoi ?

Elle redressa légèrement le visage et répéta, plus distinctement :

– La famille. Personne n'est venu ici, de tout l'été.

– Mais si, ils sont venus, nous avons vu les petits...

– Il y a des semaines, fit Rachel. Peu de temps après le mariage...

– Et le jour où tout le monde est venu déjeuner, quand Mariella avait préparé toutes ces choses à manger...

– Un seul dimanche, fit Rachel.

Elle se sécha les yeux du dos de la main.

– Les autres étés, ils n'arrêtaient pas d'aller et venir, tout le temps. L'an dernier, Mariella est restée une semaine, toute seule avec nous. Et les garçons étaient sans arrêt fourrés ici, on avait sorti le vieux landau, tu te souviens, pour Barney. Et Luke était là, beaucoup, il était allé faire de la voile, et ensuite il nous a amené Charlotte, pour nous la présenter. Mais plus maintenant. Personne n'est plus venu. Je veux dire, j'imagine bien qu'ils ont leur vie, naturellement, mais je ne les imagine pas cessant de nous voir, de façon si complète, si soudaine. Et Ralph et Petra à Ipswich, ça n'arrangera pas les choses. N'est-ce pas ?

Il retira son bras et le tendit vers le rouleau d'essuie-tout accroché au mur, pour en arracher une feuille.

– Tiens. Mouche-toi.

Elle se moucha, et il eut le spectacle de ses cheveux sous les yeux.

– Ralph a eu tout un été de soucis, lui dit-il. Et ensuite il y a eu le mariage. C'est sans doute un contexte un peu exceptionnel, tu sais.

Elle soupira. Elle s'écarta de lui, de l'étreinte de ses bras, et leva les yeux vers lui. Puis elle lui tapota la poitrine du plat de la main.

– Tu n'y crois pas davantage que moi. C'est un changement. Nous sommes dans une dynamique totalement différente, et cela ne me plaît pas.

Elle se moucha de nouveau.

– Cela m'effraie.

– Pourquoi ?

– Parce que personne n'a plus envie de me demander de faire ce que je sais si bien faire.

– Moi, si…

Elle eut un vague sourire.

– Oui, mais toi, ça ne me fait pas assez de monde. Et puis tu as ta peinture, et tu as encore l'école d'art.

– Reprends tes cours de cuisine, alors…

Elle soupira.

– Je ne suis pas certaine d'avoir le cœur à ça…

Il prit le mug de thé qui était le plus près de lui.

– Tu veux qu'on commence par gazonner le potager, que tu ne te sentes plus oppressée par tous ces légumes sans avoir personne pour les manger ?

Le téléphone sonna. Elle traversa la cuisine pour aller répondre.

– Je préfère trouver une solution qui ne donne pas l'impression que j'ai baissé les bras.

Elle décrocha.

– Allô ? fit-elle, comme à son habitude, puis Anthony vit son visage s'éclairer en un grand sourire. Luke ! s'exclama-t-elle avec enthousiasme.

Anthony passa devant elle, avec son thé à la main.

– Embrasse-le pour moi, lui souffla-t-il, avec une lâcheté discrète qui lui faisait honte, après sa dernière conversation avec Luke, puis il traversa l'allée gravillonnée en direction de son studio.

C'était toujours un soulagement d'ouvrir cette porte, toujours un plaisir, la sensation d'être en sécurité et dans un monde de possibilités, rien qu'en réintégrant cet espace immense, encombré sous un défilé aérien de squelettes d'oiseaux poussiéreux et fantomatiques, suspendus aux solives. « Ne jamais laisser passer sa chance de dessiner un oiseau qui vient de mourir », lui avait dit un vieux naturaliste, et il avait obéi, en dépeçant leur carcasse pour voir comment poussaient les plumes, comme les ailes et le bec y étaient rattachés. Ils étaient tous là, ses oiseaux, armaturés, en plein vol, il y avait même un roitelet, dont les os auraient pu tenir dans une boîte d'allumettes. Il avait l'air si rond, ce roitelet, presque massif, comme une petite noix à plumes, mais une fois réduit à l'état de squelette, il était devenu aussi petit et aussi fragile que les étamines d'une fleur.

Anthony se tenait devant son chevalet, buvant son thé. Il y avait installé les esquisses d'un dessin de grue, une grue européenne, saisie à l'instant où elle prenait son essor, avec ses larges ailes grises et ses longues pattes gauchement déployées, la tête suffisamment tournée pour dévoiler la tache rouge qu'elle avait dans la nuque. Il avait eu de la chance de l'apercevoir, elles étaient si rares, en Angleterre, préférant la Scandinavie et l'Europe centrale, avec un penchant pour les vastes étendues de marais et de marécages où elles confectionnaient leurs nids si précaires. Il songea qu'au-delà du motif principal de cette grue, il pourrait en ajouter d'autres, en vol, ailes déployées, manière de suggérer la danse pour laquelle elles étaient si réputées. Il posa son thé et prit son crayon. Grue, se dit-il, nom latin, *Grus grus*. Comparable à leur chant, ce « grou » qu'elles émettaient.

La porte de l'allée s'ouvrit.

– Tu sais quoi ? fit Rachel, sur le seuil.

– Non, quoi ?

– Luke et Ed viennent dimanche. Déjeuner. Ensemble. Ce n'est pas charmant ?

Chapitre 14

Charlotte n'était encore jamais venue à Aldeburgh. Quand Luke lui avait demandé à quoi elle consacrerait son temps pendant qu'Edward et lui seraient avec leurs parents, elle lui avait répondu avec désinvolture qu'elle comptait juste aller au bord de la mer.

– Sans doute dormir un peu. Manger une glace. Me déconnecter de tout.

Elle s'était penchée de côté pour l'embrasser.

– Te bile pas, bébé. Tout ira bien.

Il hésitait à descendre de voiture.

– Ça me fait vraiment un drôle d'effet, que tu effectues tout le trajet jusqu'ici sans entrer. Laisse ton téléphone allumé. Tout le temps. Dès qu'on aura terminé, je t'envoie un SMS.

Edward, assis à l'arrière, avait fait à Charlotte une petite pression sur l'épaule avant de descendre.

– Tu es une véritable héroïne, Charlotte.

Là-dessus, ils s'étaient éloignés comme un seul homme, en direction de la maison de leurs parents, elle les avait trouvés subitement très jeunes, tous les deux, plus des garçons que des hommes, et elle avait mis la voiture en prise, configuré le navigateur TomTom au tableau de bord pour le trajet en direction d'Aldeburgh, puis elle avait démarré, sans vérifier dans le rétroviseur pour voir si Luke la suivrait du regard.

La route la conduisit en direction du nord-ouest, à travers bois, avant de tourner à droite en direction de Snape et d'Aldeburgh. Elle était déjà montée plusieurs fois dans le Suffolk, naturellement, mais de rouler seule, avec un but à elle, et sans être obligée d'admirer les lieux par respect pour Luke, cela rendait ce petit périple d'autant plus intéressant à ses yeux. C'était si différent du Buckinghamshire où elle avait grandi qu'elle avait presque l'impression d'être dans un autre pays, dans un endroit qui se présentait à elle comme étranger et, par conséquent, un peu exotique. En soi, avec sa grande rue encore bondée d'estivants, avec la mer à seulement quelques mètres derrière les maisons et les mouettes qui criaillaient, à ses yeux, Aldeburgh n'avait rien de familier, ce qui était assez agréable et même excitant.

Elle laissa la voiture dans une rue à l'écart devant une maison aux volets clos dont les occupants n'étaient apparemment pas là pour protester, et descendit vers la mer. C'était une journée claire et fraîche, la plage était ponctuée de familles et de pare-vent en plastique, et le flot, immense et gris-bleu, enflait et refluait en aspirant les galets selon un rythme inlassable qui, songea-t-elle, aurait de quoi vous rendre folle si vous n'étiez pas une habituée de la mer. Elle ne savait pas trop si elle avait faim, et décida qu'elle était trop électrisée par ce qu'elle allait faire pour avoir faim, aussi se dirigea-t-elle vers la grande rue, où elle pensait arrêter un habitant du coin – ces vacanciers londoniens, eux, étaient incroyablement faciles à repérer – et se faire expliquer comment elle pourrait trouver la maison de Ralph et Petra.

Ralph, qui maintenait la porte assez ouverte pour voir au dehors, mais pas assez pour la faire entrer, avait l'air d'à peine se souvenir de qui elle était.

– Oups, fit-elle, je t'ai réveillé ?

Il se passa la main sur le menton, comme s'il cherchait à savoir l'heure qu'il était en vérifiant s'il s'était rasé ou non. Il portait un jean coupé et un T-shirt qui bâillait. Charlotte, en robe estivale légère et espadrilles à semelle compensée, lui trouva une mine épouvantable.

– Non, lui dit-il. Non. Je… c'est juste que je n'attendais pas…

– Je n'avais pas annoncé que je venais, admit-elle, donc tu n'aurais pas pu.

Elle lui sourit.

– J'ai déposé Ed et Luke chez vos parents. Et ensuite je me suis dit que j'allais faire un saut chez vous.

Il ne lui ouvrit pas plus grand sa porte. Et ses yeux ne s'attardèrent pas sur elle, il regardait plutôt au-delà.

– Je regrette, mais je crois que… le moment n'est pas très bien choisi…

– Je sais. C'est pour ça que je suis là.

Il soupira.

– Je ne veux pas être grossier avec toi, mais je ne peux vraiment pas te parler. Je ne te connais pas… assez bien…

– Non, admit-elle.

La vision qu'il offrait la rendait en un sens un peu plus confiante, avec son allure défaite il cessait d'être un beau-frère légèrement déconcertant et imprévisible, qui venait pioncer dans son canapé de temps à autre, mais qui ne lui parlait guère, n'adressant la parole qu'à Luke.

Il lui répondit avec une exaspération évidente, quoique pas nécessairement dirigée contre elle.

– Mais enfin nom de Dieu, qu'est-ce que j'ai fait ?

Elle changea imperceptiblement de position sur ses talons hauts. Elle avait envie de retirer ses lunettes de soleil, mais se ravisa. Elle lui répondit avec autant de décontraction que possible.

– En réalité, je suis venue voir Petra.

– Ils ne sont pas là, lui apprit-il, non sans une certaine lassitude.

Elle se sentit saisie d'un petit mouvement de panique émoustillée. Où étaient-ils ? Avec l'autre ?

– Oh…

– Ils sont au jardin familial, lui dit-il. Tu les trouveras là-bas.

Manifestement, il était incapable de prononcer le nom de Petra.

– Tu peux me montrer le chemin ? lui demanda-t-elle.

Il tendit la main, qu'il pointa vaguement vers la droite.

– C'est là-bas au bout, ensuite tu passes devant l'école, et tu prends le chemin à gauche.

– Petra a un téléphone sur elle ?

Subitement, il la dévisagea avec un regard plus acéré.

– Je n'en ai aucune idée, fit-il sèchement.

– Désolée, dit-elle. Je suis désolée. Je suis navrée de tout cela.

Et, avant que ces mots-là aient achevé de franchir ses lèvres, il réagit avec vigueur.

– Moi aussi, fit-il, et il lui claqua la porte au nez.

Petra et Kit étaient tous les deux agenouillés, occupés à inspecter quelque chose dans le sol. Ils tournaient le dos à la porte du jardinet. Barney était en face d'eux, attaché dans sa poussette, une carotte dans chaque menotte. Dès qu'il vit Charlotte, il se mit à frétiller avec énergie, et agita vigoureusement ses carottes.

– Gah ! éructa-t-il.

Petra releva la tête.

– Quoi, Barney…

– Gah, répéta-t-il.

Par-dessus la tête de sa mère, il regarda Charlotte, qui resta debout à la porte, la main sur le verrou. Petra se retourna.

– Oh ! s'écria-t-elle, en se redressant précipitamment.

Charlotte ouvrit la porte.

– Surprise ! s'exclama-t-elle.

Elle se pencha vers Petra, comme pour l'embrasser. Cette dernière recula.

– Je ne m'attendais pas… dit-elle.

– Je sais. C'est pour ça que je ne t'ai pas avertie. Je pensais que si je te prévenais, tu refuserais de me voir.

Kit se remit debout, un escargot dans la main.

– Il est rentré dans sa coquille, annonça-t-il à Charlotte. Il est sorti, et puis il est rentré dedans.

– Oui…

– Il n'aime pas le bruit, expliqua Kit avec gravité.

Charlotte s'agenouilla à côté de lui.

– Je vais essayer de rester silencieuse.

Kit approuva de la tête. Petra se rapprocha de la poussette de Barney et intervint d'une voix neutre :

– Je sais où sont les frères de Ralph, aujourd'hui. Ils lui ont dit.

Charlotte détourna brièvement le regard de l'escargot de Kit.

– Comment sais-tu cela ?

– Rachel a téléphoné, ajouta Petra du même ton neutre.

Elle se pencha et libéra Barney, qu'elle souleva dans ses bras. Elle nous a proposé de passer, poursuivit-elle, à moitié masquée par son petit garçon.

– Parce que les autres venaient aussi. Mais nous ne pouvions pas.

Elle marqua un temps de silence avant de continuer.

– Donc je savais que tu serais là.

Charlotte se releva lentement.

– Je ne suis pas entrée. Ils ne savent pas que je suis venue. J'ai juste conduit les deux frères et je les ai déposés là-bas. Au portail.

Elle s'interrompit, avant de reprendre, avec beaucoup moins d'assurance :

– Ils allaient… leur en parler…

– Oui, fit Petra, c'est pour ça que je ne pouvais pas y aller.

– Regarde ! cria Kit, tout excité. Regarde ! Il a sorti ses cornes !

Charlotte regarda. L'escargot se retira aussitôt.

– Ne le regarde pas ! lui ordonna Kit.

Petra s'assit sur la langue de gazon entre les parterres de légumes, en tenant Barney sur ses genoux.

– Qu'est-ce qui va se passer, à ton avis ? reprit-elle, la bouche à moitié masquée par la tignasse de son fils.

Charlotte s'assit à son tour, de l'autre côté d'un lit de grosses feuilles de courges très vivaces. Elle replia les jambes et s'appuya sur une main, en observant l'herbe, dont elle arracha quelques brins de l'autre main.

– Que se passe-t-il, au juste ? demanda-t-elle sur un ton prudent.

– Quoi ? fit Petra.

– Avec… avec toi. Entre toi et cet homme…

– Il est super, avoua-t-elle. Il est facile. Il laisse les choses exister. Il s'appelle Steve.

– Est-ce que tu as… fit Charlotte, mais elle n'alla pas plus loin.

– Est-ce que j'ai quoi ?

– Est-ce que tu as couché avec lui ?

D'un revers de main, Petra retira quelque chose des cheveux de Barney.

– Pas encore.

Charlotte redressa la tête d'un coup.

– Mais tu en as l'intention ?

Sa belle-sœur haussa les épaules.

– Cela se pourrait…

– Mais tu es mariée !

Petra n'eut absolument pas l'air de s'offenser. Elle répliqua à Charlotte, par-dessus les feuilles de courges :

– Il m'a dit qu'il avait besoin d'être libre.

– Qui ça ?

Il y eut une fraction de seconde de silence, et Petra lui répondit, d'une voix subitement étranglée :

– Ralph m'a dit ça.

Charlotte se releva et contourna le parterre de courges, et Kit la suivit. Elle s'agenouilla dans l'herbe tout près de Petra et, ravie et surprise, elle vit Kit s'asseoir sur ses genoux, sans lâcher son escargot.

– Oh, Petra… fit-elle, très émue.

Sa belle-sœur lui répondit d'une voix tremblante :

– Il m'a dit qu'il avait besoin d'être libre, pour nous tous. Alors qu'il soit libre ! De toute manière je ne pourrais pas l'en empêcher, alors je le laisse faire. Et j'ai considéré que s'il était libre, alors j'étais libre moi aussi. Pas vis-à-vis des garçons, ça jamais, mais par rapport à lui, en un sens, puisque c'était ce qu'il voulait. Parce que… parce que, malgré tout ce que je pense de lui, malgré tout ce que j'attends de lui, il… enfin, en réalité, il n'a aucune envie de me voir particulièrement exister, il veut juste que je ne l'en empêche pas. Donc je n'ai rien empêché.

Charlotte ne commenta pas. Elle ceintura Kit, elle

le maintint près d'elle, et il s'adossa contre sa mère, en scrutant la coquille de son escargot, chaude, dure et indiciblement rassurante.

– Et puis il y a la mer, fit Petra. Je sais que tout le monde trouve que je suis un peu barjo avec la mer, mais pour moi, ça compte. Ça compte, et ça compte que Ralph comprenne, et à une période il comprenait, mais plus maintenant. Maintenant il veut redevenir ce qu'il était avant de me connaître. Il a de nouveau sorti tous ses costumes. Personne ne comprend ma réaction, personne ne pense que j'ai le droit de vivre comme j'en ressens le besoin. Ils ne l'ont jamais comprise, ma réaction. J'ai cru que Ralph, si, parfois, mais en fait non. Même pas lui. Il veut que je sois comme il veut que je sois. Comme tout le monde.

– Pas moi, se défendit Charlotte.

Petra soupira.

– Tu ne les connais pas encore vraiment, la prévint-elle.

– J'en sais assez…

– Pas assez pour leur résister…

Charlotte posa le menton sur le sommet de la tête de Kit. Son regard glissa sur Petra et vint se poser sur sa resserre, qui était ouverte, révélant tous ses outils, alignés à l'intérieur sur des crochets, comme une cuisine bien rangée.

– C'est pour ça que je suis venue, ajouta-t-elle.

Elle serra un peu plus Kit. Il était contre elle, tout à fait détendu, presque assoupi, et même si elle avait les genoux douloureux sous son poids, elle n'aurait pas songé à bouger.

– Je ne sais pas ce qui va se passer aujourd'hui, expliqua-t-elle. Je ne sais pas comment ils vont réagir, mais tout ce que je peux dire c'est que jusqu'à présent, les garçons ont fait front commun. C'est le truc, entre frères. Donc… donc j'ignore comment ils vont, enfin, présenter la chose. J'ignore comment ils vont raconter cette histoire…

– Ça ne va pas être très positif, remarqua Petra.

– Non. J'imagine que non.

Charlotte marqua un temps de silence, et elle envisagea d'évoquer Rachel et ses propres griefs permanents, de les introduire dans l'équation, et puis, regonflée par le sentiment de maturité que lui inspirait toute cette escapade, elle décida de s'en abstenir. Au lieu de quoi, elle lui dit ceci :

– Je suis juste venue te suggérer que tout le monde ne refuse pas de te comprendre. Moi, non. Je veux dire, je ne comprends peut-être pas, pour la mer, et je ne connais pas Steve, mais bon, disons que je suis là, si tu as besoin de moi.

Petra lui répondit, la bouche à nouveau moitié enfouie dans les cheveux de Barney :

– Je ne suis pas amoureuse de lui. Rien de ce genre.

– De Steve ?

– Non.

– Alors pourquoi…

– Parce qu'il m'aide. Il sait ce que je sais. Sur la mer et le reste. Il aime ce que j'aime. Il aime bien les enfants.

Elle jeta un coup d'œil à Kit.

– Il dort.

Charlotte baissa les yeux sur le petit bonhomme.

– Quel compliment…

– Il aime bien les femmes, fit Petra.

– Il apprécie… il apprécie sa grand-mère ?

Il y eut un infime silence chargé de sens, puis elle lui répondit :

276

– Oui. Il l'apprécie. Mais moi, par contre, elle ne va pas m'apprécier, ajouta-t-elle, d'une voix presque inaudible. Plus maintenant.

Charlotte lui sourit.

– Elle ne m'aime pas, moi non plus, lui assura-t-elle.

Petra leva les yeux vers elle, droit dans les siens, et lui rendit son sourire.

– Je n'arrive pas à y croire, répéta Anthony, pour la cinquantième fois.

Rachel était affalée dans l'un des vieux fauteuils tout affaissés de son atelier, les yeux clos. Ils y étaient depuis des heures à présent, depuis le départ de leurs deux fils, repartis avec Charlotte au volant – Charlotte, dont ils ignoraient qu'elle était venue à Aldeburgh, et qui n'était même pas descendue de voiture pour venir les saluer, non, elle était restée assise dedans, avec le sourire, vitre baissée, moteur ronronnant.

– Entre, lui avait proposé Rachel, en se penchant à la vitre pour lui adresser la parole. Viens au moins prendre un thé, avant de rentrer.

Charlotte n'avait pas retiré ses lunettes de soleil. Elle avait gratifié Rachel d'un grand sourire immaculé et l'avait remerciée, mais il fallait vraiment qu'ils filent, le travail demain et tout ça ; Ed et Luke étaient montés docilement à côté d'elle, comme si subitement ils lui obéissaient à elle plutôt qu'à leurs parents, et Charlotte avait mis la voiture en prise, elle avait démarré, avec un signe de la main et un sourire, et ils avaient regardé la voiture s'éloigner, désolés, désorientés, puis ils s'étaient retournés, comme par un consentement mutuel et tacite, et ils avaient battu en retraite dans l'atelier.

Anthony se tenait près du chevalet. Son dessin de grues était encore posé dessus, inachevé, et, par habitude, il avait pris un bout de fusain et en avait barbouillé le papier, sans réussir à se concentrer, à puiser dans ses facultés. Il restait planté là, fusain en main, en répétant qu'il n'arrivait pas à y croire, qu'il en était tout bonnement incapable. Petra, c'était un comble. *Petra*.

Rachel avait à peu près gardé le silence. Elle s'était laissée choir dans le plus proche fauteuil et elle n'en avait plus bougé, la tête renversée en arrière, les yeux fermés ou braqués vers le plafond. À déjeuner, elle avait servi du homard aux garçons, un homard acheté tout exprès, elle savait qu'ils adoraient ça tous les deux, qu'elle avait accompagné d'une mayonnaise à l'ail, avec ce pudding à la purée de meringue et de fraises qui avait toujours été le dessert préféré de Luke. Mais personne n'avait avalé grand-chose. Ils lui avaient dit « Super, maman, merci », sur le ton qu'ils avaient adolescents, et ils avaient échangé des regards, comme s'ils étaient sur le point d'avouer pour la balle de cricket qui avait traversé le toit de la verrière, puis Edward s'était éclairci la gorge et il avait dit, bon, en fait, on avait une raison de venir, et ce n'était malheureusement pas une raison heureuse, là-dessus il avait commencé, et Rachel avait vu, presque dès les premiers mots, qu'Anthony ne saisissait pas, qu'il n'intégrait pas ce qu'on lui disait, qu'Edward aurait aussi bien pu lui adresser la parole en mandarin. Et ensuite il avait compris, subitement, il était devenu tout gris, il avait posé sa cuiller, et Rachel avait éprouvé une telle fureur, en son nom, une telle colère protectrice de voir ainsi sa confiance bafouée, qu'elle en avait presque bondi de sa chaise.

Elle était plus calme, à présent. Elle était plus calme, et aussi épuisée qu'on pouvait l'être, elle le savait, quand on s'était littéralement noyé dans la colère. Ce qui avait été son cas. Elle avait tenu sur Petra quantité de propos jaillis tout droit du volcan de son indignation, indignation de voir les efforts de Ralph pour subvenir aux besoins de sa famille récompensés de la sorte, indignation face à la conduite de Petra, indignation de voir la foi d'Anthony en elle, son réel amour pour elle, payés de retour avec une telle désinvolture.

– Elle est pernicieuse, lâcha-t-il, abasourdi, affligé, le visage écarlate, sa serviette de table chiffonnée au milieu de son assiette de homard. Pernicieuse.

Mais Rachel savait que Petra n'avait rien de pernicieux. Dans ce premier moment de panique, en apprenant tout, elle avait proféré sur elle des propos terribles, mais elle savait qu'elle n'avait rien de pernicieux. Elle savait, si elle y réfléchissait, si elle se forçait à surmonter sa loyauté primitive, violente, maternelle envers Ralph pour adopter le point de vue de l'autre, que Petra s'était heurtée dans son mariage à l'équivalent d'une porte en acier contre laquelle on se jette. Ce n'était pas le fait que Petra soit tombée, dans sa vie, et chez son mari, sur quelque chose qu'elle était incapable d'affronter, qui avait blessé Rachel ; oh non, il y avait en Ralph, il y avait dans la vie avec Ralph un côté si intransigeant. Ce qui avait blessé Rachel, ce que Rachel ne pouvait ni comprendre ni pardonner, c'était que, dans son trouble, Petra ne soit pas venue chercher son aide ou celle d'Anthony, mais qu'à la place elle ait choisi une solution de rechange, un choix qui s'avérait franchement désastreux pour tout le monde.

Edward et Luke leur avaient fait du nouvel homme de Petra une description aussi minimale que possible, manifestant ainsi la répugnance que leur inspirait toute cette histoire. Rachel appréciait leur loyauté, elle appréciait leur refus de considérer qu'un homme puisse remplacer leur frère. Mais elle n'était pas moins contrariée d'apprendre que ce Steve ait l'air d'avoir un caractère si doux, que son travail et ses centres d'intérêt soient d'une sérénité si attirante, et que les garçons – ça, c'était le pire – paraissent l'apprécier. Edward leur avait signalé que Ralph était aussi perplexe que blessé.

– Il dit qu'en réalité, Steve n'a rien pour lui. Un cottage en colocation, une Toyota déglinguée. Mais il s'en moque et Petra s'en moque. Tout ce qui compte, ce sont les oiseaux et la mer, et de jeter des cailloux sur la plage avec les garçons. Ça semble à peu près tout. Et ça paraît suffire.

– A-t-elle couché avec lui ? s'était enquis Anthony.

Luke avait lâché un borborygme écœuré.

– Je n'en sais rien, avait fait Edward avec raideur.

– Ça ne durera pas, avait décrété Anthony. Une passade. Une forme de défi. Je vais aller lui parler…

– Non ! s'était exclamée Rachel, d'une voix forte et soudaine.

Ils l'avaient tous dévisagée.

– Mais nous lui parlons tout le temps… avait protesté Anthony.

– Plus maintenant, avait-elle rectifié. Plus maintenant.

Ils l'avaient regardée, stupéfaits. Elle voyait bien ce qu'ils avaient en tête, tous, qu'est-ce qui lui arrive, à maman, maman qui se précipite toujours pour arranger les choses, maman qui croit toujours détenir la réponse. Eh bien, cette fois, elle n'avait pas de réponse, sauf pour décréter qu'ils ne feraient rien, et surtout pas Anthony. Ils ne feraient rien, songeait-elle encore, affalée dans ce fauteuil à observer ces curieux motifs mouvants derrière ses paupières closes parce que, pour la première fois depuis des décennies, elle ne savait pas quoi faire. Toute cette animation, cette énergie rien que pour essayer d'organiser une maison où habiteraient Ralph et Petra, à Ipswich, tout cela paraissait grotesque, à présent, une espèce de suractivité insensée, une forme de déplacement de cette profonde anxiété née des difficultés professionnelles de Ralph, poussant cette relation étrange, opaque, indéfinissable avec Petra à se dissoudre encore davantage, à tel point qu'aucun effort de prise en charge extérieure, si dictatorial soit-il, ne pourrait la remettre à flot. Petra, c'était Petra. Elle avait toujours été ainsi, se rendant maniable avant de se rendre ingérable, comme un poisson dont on ne peut se saisir. Mais en réalité, songeait à présent Rachel, en suivant laborieusement le fil de ses pensées embrouillées, j'avais cru l'atteindre, j'avais cru, depuis la naissance de Kit, que nous avions pu parvenir à un meilleur équilibre, un endroit où nous savions tous la place que nous occupions, où nous pourrions compter les uns sur les autres. Et si elle pense pouvoir s'en tirer en traitant Anthony de la sorte, après tout ce qu'il a fait pour elle, toute sa patience, toute son aide, toute son affection, eh bien, elle se fait des illusions, et non des moindres.

Elle ouvrit les yeux et considéra Anthony debout près du chevalet, le regard perdu, tourné vers ses grues, mais sans les voir. Il paraissait bien plus âgé qu'il ne lui avait semblé encore ce matin, les épaules légèrement voûtées, et toute son attitude trahissait de la tristesse, comme une noire exhalaison.

– Anthony ? dit-elle.

Il revint vers elle, mais à peine, et lui fit un timide sourire.

– Je me demandais si tu t'étais endormi...

– Je n'ai pas eu cette chance.

Elle se redressa un peu, et se passa la main dans les cheveux.

– Un thé ? proposa-t-elle.

Il l'ignora.

– Qu'est-ce que nous faisons ? dit-il. Que faisons-nous, pour Ralph ?

Elle se leva, non sans mal.

– Nous allons l'appeler. Plus tard. Quand nous aurons tous les deux repris nos esprits.

– Oui, acquiesça-t-il. Oui. Le pauvre garçon.

Il leva le bras et ajouta une touche à l'aile de sa grue. Puis il ajouta un mot, avec un rien de fermeté :

– Tu as raison. Je ne vais pas l'appeler, elle. Je ne vais plus l'appeler, Rachel, plus jamais.

Luke et Charlotte déposèrent Edward chez lui. Il les invita à entrer, mais il découvrit ensuite, en lisant un mot sur la table de la cuisine, que Sigrid et Mariella étaient sorties, s'étaient rendues chez Indira, d'où elles ne rentreraient que plus tard, et, après avoir vaguement proposé de leur offrir un verre, il se dit que, bon, en fait, il valait peut-être mieux qu'ils rentrent, et ils étaient remontés en voiture, laissant Edward dans le désœuvrement de sa propre maison, par une fin de dimanche après-midi.

Il se servit un verre d'eau de la carafe du frigo et l'emporta sur la terrasse de la cuisine. Leur petit patio, toujours soigné, selon les critères exigeants de Sigrid, paraissait fatigué et éteint. Les charmes qu'elle avait plantés contre le mur du fond – importés d'Italie, avait-elle expliqué à Edward – commençaient à perdre par-ci par-là quelques feuilles décolorées, et, à en juger par le peu de fleurs qui subsistaient dans les jardinières en bois qu'elle avait commandées tout spécialement, rien que leur conserver leur éclat, ce serait déjà se donner trop de mal.

Edward s'assit sur le bord d'une chaise longue, aux accoudoirs amovibles, qu'ils s'étaient achetée avec une image, romantique, mais irréelle, d'elle ou lui, avec les journaux du dimanche ou un livre sorti de la pile du bureau d'Edward, une pile pleine de reproches silencieux. Sigrid s'était procuré des coussins pour cette chaise, à rayures grises et crème, il avait les mêmes dans son bureau, mais là, il était assis sur les lames en teck, ou en iroko, enfin, le bois dur dont elle était faite, et à peu près incapable de trouver une position plus confortable.

En réalité, dans la voiture, il n'y avait plus rien à ajouter. Charlotte était allée à la mer, disait-elle, et, à l'évidence, cela lui avait plu, car elle paraissait très animée, et elle n'arrêtait plus de parler de la plage d'Aldeburgh, et quand Luke lui avait demandé si elle était allée voir Ralph, elle avait lâché un bref petit rire.

– Pas une bonne idée, ça, lui avait-elle dit.

– Alors tu y es allée ? avait-il insisté.

– J'y suis allée. J'ai sonné, et il m'a ouvert, mais il ne m'a pas proposé d'entrer.

– Comment allait-il ?

Elle avait un peu baissé la voix.

– Il avait l'air très mal...

– Pauvre vieux. Qu'a-t-il dit ?

– Rien, avait fait Charlotte.

– Que veux-tu dire ?

– Il m'a dit qu'il avait connu de meilleures périodes. Il n'avait pas envie de parler. Il avait envie que je m'en aille.

Edward avait vu Luke poser la main sur la cuisse de Charlotte, par-dessus le levier de vitesses.

– Tu as été un amour d'essayer, avait-il fait.

Elle avait haussé les épaules.

– Tu as vu Petra et les enfants ? lui avait demandé Edward.

Les lunettes de soleil de Charlotte avaient discrètement pivoté vers le haut, et son regard croisa celui de son beau-frère dans le rétroviseur.

– Ils n'étaient pas là, lui avait-elle répondu.

– Oh bon Dieu, s'était écrié Edward. Ne me dis pas que…

– Évite d'y penser, lui avait conseillé Luke. Nous en avons tous eu plus qu'assez pour aujourd'hui. Plus qu'assez. Et toi, avait-il ajouté, en regardant tendrement sa jeune épouse, tu as conduit sur tout le trajet.

Elle lui avait souri. Elle lui avait répondu, d'un ton jovial :

– Je préfère encore conduire que vomir.

Et Edward avait ressenti une espèce de pincement au cœur, quelque chose comme de la jalousie, face à la simplicité de la situation de Luke, son mariage tout neuf avec cette jolie fille si facile à vivre, et qui était enceinte, un véritable courant d'air frais après une journée épuisante passée à s'immerger dans les drames de la famille Brinkley.

Il fit tourner le verre d'eau entre ses mains, en étudiant l'image déformée de ses pieds, visible à travers le fond. Aujourd'hui, il estimait avoir agi comme il fallait, et curieusement, cette initiative n'avait rien donné de satisfaisant, aucune solution n'en était sortie, aucune décision, rien que la sensation curieusement frustrante que toutes ces grandes personnes si intelligentes étaient en un sens exposées au chantage d'une fille insignifiante et énigmatique qui n'avait, semblait-il, aucune notion de ses obligations ou, du moins, de ses responsabilités.

Il avait envisagé, ce soir, après le dîner avec Ralph, à Londres, d'aller voir Petra, d'aller lui parler, lui expliquer pourquoi Ralph se lançait dans tout cela, et lui expliquer que si elle le soutenait, cela faciliterait grandement cette mutation, pour tout le monde, elle comprise. S'il avait obéi à cette impulsion, s'il était allé jusque dans le Suffolk pour essayer de raisonner Petra, cela aurait-il réellement changé quoi que ce soit ? Lui aurait-elle accordé ne serait-ce qu'une seconde d'attention, ou se serait-elle retranchée, comme toujours, dans ce silence et cette apparente neutralité qui la caractérisaient, déterminée à agir comme elle l'entendait, elle et elle seule ? Il secoua la tête. Il avait raison de considérer que l'on avait causé du tort à son frère, que ses parents avaient été traités avec une extraordinaire ingratitude, il en était convaincu. Mais quelque chose le dérangeait tout de même, quelque chose qui l'avait toujours dérangé dans le fait de retourner dans le Suffolk, où le caractère immuable de la vie de ses parents lui inspirait un sentiment insolite, plus un trouble teinté de malaise qu'une impression de consolation.

Il fut soulagé d'entendre la porte d'entrée claquer. Mariella dévala les marches de l'entresol, et l'appela.

– Hello ! cria-t-il. Je suis là !

Elle fila à travers la cuisine et lui rentra dedans, s'accrocha à son cou et lui prit le visage entre les mains. Ses sourcils étaient soulignés de minuscules étoiles bleues scintillantes.

– Je suis un avatar, fit-elle.

Il se pencha vers elle pour lui rendre son baiser.

– Ainsi soit-il. Où est maman ?

– Elle est en train de sortir des trucs de la voiture…

– Vous vous êtes bien amusées, avec Indira ?

Elle se dégagea, et se mit à sautiller autour de la table de la cuisine.

— On a joué aux aéroports. Pour quand j'irai en Suède.

— Ah, fit-il, sans comprendre. Déjà prête à repartir ?

— Oui, fit Mariella, toujours en sautillant. Maman a réservé des billets sur Internet avant qu'on aille chez Indira. Elle a dit qu'on profiterait de la fin de l'été suédois. Avant que je retourne à l'école.

— Je vois, fit Edward.

Subitement, il se sentit pris de nausée. La portée d'entrée, au rez-de-chaussée, s'ouvrit et se referma, et les pas de Sigrid traversèrent le couloir au-dessus de leurs têtes.

Edward regarda Mariella.

— Est-ce que… je viens ? Maman a réservé trois billets ?

Mariella lui tournait le dos. Elle sautilla encore deux fois et s'immobilisa, en équilibre instable sur une jambe.

— Oh non, fit-elle. Maman dit que tu ne pourrais pas. Elle a dit que tu devais rester ici, t'occuper de tes frères.

Chapitre 15

Il y avait quantité de raisons justifiant la présence de Rachel à Aldeburgh. Après tout, il y avait la librairie, et les traiteurs, et la nécessité d'acheter un cadeau d'anniversaire pour sa sœur, ce qui s'avérait toujours compliqué, tant sa sœur interprétait le moindre cadeau, et parce que les interprétations de sa sœur la froissaient toujours. La présence de Rachel ici n'avait donc rien d'extraordinaire, et elle marchait dans High Street d'un pas lent, l'œil aux aguets, le regard attiré chaque fois qu'elle voyait une jeune femme avec une poussette et un jeune enfant, ou même simplement une jeune femme, le cheveu en bataille et vêtue d'une tenue qui n'aurait jamais pu coïncider avec les exigences vestimentaires que pouvaient dicter les critères si conventionnels des banlieues résidentielles.

Elle marcha, et elle fit des courses, pendant une heure. À la librairie, elle acheta une monographie de Kenneth Clark sur la rivière Alde, et un assortiment d'olives chez le traiteur, et puis une robe de chambre en coton rayée, coupée comme un kimono, pour sa sœur (s'offenserait-elle en voyant l'étiquette dans le cou, indiquant une taille « large », autrement dit grande pour une Japonaise, mais pas si grande que cela pour une Européenne ?), plus deux kippers et une miche de pain au levain, et elle rangea le tout dans le coffre de la voiture. Ensuite, elle revint dans High Street, s'acheta un sandwich et une bouteille d'eau, s'accorda un petit pique-nique sur le pouce, sur la plage de galets, assise sur sa veste en peau de mouton retournée, en observant les dernières familles qui étaient encore là en cette fin d'été, avec la forte envie que l'un des petits garçons qu'elle apercevait là-bas puisse être Kit : Kit, qui viendrait vers elle en courant, en hurlant son nom avec enthousiasme, manière de rompre la glace avant la conversation qu'elle devrait avoir ensuite avec Petra.

Elle avait décidé, en luttant avec elle-même tout en faisant le lit, en hachant un oignon ou en attachant à leurs tuteurs les massifs d'asters d'automne qui piquaient du nez, que sa colère, certes entièrement justifiée, ne la mènerait nulle part. Anthony était blessé, c'était déplorable, mais s'en prendre à Petra pour le défendre ne ferait rien pour influencer l'une ou réconforter l'autre. Mais elle ne pouvait se résoudre à l'impuissance, même si c'était sa tendance première, sous le choc initial qui l'avait rendue un peu inerte. Elle ne crierait pas, ne rouspèterait pas, ne réprimanderait même pas Petra, mais il fallait qu'elle la voie et qu'elle lui demande tout simplement : pourquoi ? Pourquoi ne demandait-elle pas qu'on l'aide ? Ou alors, si elle était incapable de demander directement qu'on l'aide, par souci de loyauté envers Ralph – une loyauté assez singulière, de la part de quelqu'un qui s'était trouvé un autre homme –, pourquoi n'avait-elle pas au moins signalé que l'idée de changer de vie la tuait à moitié, une réaction importante et tout à fait fondamentale pour elle ?

Rachel avait répété sa rencontre imaginaire avec Petra de toutes les façons possibles. Elle se l'était représentée, Petra, pleine de défi, Petra en larmes, Petra entêtée et Petra silencieuse, l'insaisissable Petra. Elle

ne s'était pas laissée aller à envisager l'hypothèse grati-
fiante d'une Petra soulagée, reconnaissante et pleine de
remords, mais ce scénario si séduisant n'avait cessé de
lui échapper, quelque part au fond de sa tête, avec une
insistance qui suffisait à lui démontrer à quel point il
avait sa préférence. Si elle y cédait, ne serait-ce qu'une
ou deux secondes, elle se revoyait avec Petra, dans sa
cuisine, toutes deux occupées à leurs préparatifs culinaires, les deux garçons jouant paisiblement par terre,
et Anthony à quelques pas de là, dans son atelier, en
train de travailler aux premières ébauches d'un nouveau
livre, projet auquel Petra collaborerait d'une manière
ou d'une autre. Et là-dessus Ralph ferait son apparition
– cette scène heureuse prenait invariablement place un
vendredi –, fatigué mais content, dans son costume de
la City, et il ramènerait sa famille à la maison, pour
le week-end, à leur domicile quelque part à proximité,
ce que Petra avait miraculeusement fini par accepter.
Elle acceptait de se prêter aux délices de cette vision,
mais Rachel savait que c'était sans espoir. Sa mise en
œuvre requérait trop d'improbabilités et même trop
d'impossibilités. Et elle avait beau savoir qu'elle fantasmait, elle savait aussi qu'elle ne pourrait pas trouver
de repos tant qu'elle n'aurait pas vu Petra, et qu'elle
ne lui aurait pas parlé.

Le téléphone portable de sa belle-fille était resté
apparemment éteint, ces derniers temps. Il n'y avait
pas de messagerie, et les textos qu'elle envoyait étaient
tombés dans un profond silence. Ralph, qui se préparait à son départ pour Londres, refusait de parler de
sa femme, d'évoquer ses faits et gestes ou même de
révéler l'endroit où elle se trouvait. Il avait dit à sa
mère que cela lui irait si on le laissait tranquille, si
seulement on pouvait le laisser mener sa vie tel qu'il

l'entendait. Il appréciait beaucoup que ses parents se montrent si préoccupés – et il le disait sur un ton que l'on sentait non dénué de reconnaissance –, mais il soulignait aussi qu'il ne pourrait tenir bon que si on lui fichait paix. Et il était catégorique là-dessus – la paix. Son numéro de portable, insistait-il, n'était à utiliser qu'en cas d'urgence. Les enfants, ou une chose de cet ordre. Il ne fallait pas s'en servir juste parce que Rachel avait besoin d'avoir des nouvelles, ou d'être rassurée. Il n'avait pas l'énergie pour cela, il n'avait que l'énergie de faire ce qu'il devait faire pour débuter un nouvel emploi où il n'avait aucune envie de tout gâcher. Tu piges, maman, tu piges ?

– Oui, avait fait Rachel, impuissante, à l'autre bout du fil. Oui. Je voulais juste...

– Non, avait-il fait, sèchement, tu ne veux rien. Comme ça, ensuite, tu ne verras aucun inconvénient à ne pas obtenir ce que tu veux. Comme moi. C'est aussi ce que j'ai vécu.

Et il avait raccroché. Elle était sortie dans le jardin, et elle avait crié sur le vieux Dick qui avait attaché les oignons en bottes bien trop grosses, et le vieux Dick s'était extrait des brumes de sa cécité et de sa surdité pour lui rétorquer que si elle lui adressait la parole encore une fois sur ce ton, il serait trop heureux de la laisser s'occuper du potager toute seule.

Elle lui avait demandé pardon. Elle s'était excusée auprès du vieux Dick, elle s'était retenue d'aller inquiéter Anthony avec le coup de fil qu'elle avait passé à Ralph, et elle avait contenu sa colère contre Petra, pour la réduire à cette simple volonté de sa part d'aller quêter une explication. Assise là, sur cette plage de cailloux, à regarder les gens qui se dirigeaient vers la mer en écrasant les galets sous leurs pas, en glissant dessus, elle estimait s'être assez bien débrouillée, pour sa part. Elle n'avait pas laissé libre cours à ses impulsions et, pour celles qui avaient pu échapper à son contrôle, elle avait fait amende honorable. Et puis, estimait-elle, elle avait le droit de comprendre, on lui devait une réponse. La relation qu'Anthony et elle entretenaient avec Petra n'avait rien de conventionnel, elle était sans commune mesure avec les efforts que l'on doit consentir et les manières auxquelles on doit normalement se conformer avec des beaux-enfants. Ils l'avaient accueillie dans leurs cœurs. De son côté, Petra avait répété, en plusieurs occasions, qu'elle ne savait pas ce qu'elle ferait sans eux.

Rachel se leva, elle secoua les miettes de sandwich de son tailleur. Elle allait marcher, décida-t-elle, elle allait encore parcourir High Street d'un bout à l'autre, mais elle n'irait pas frapper à la porte de Petra, et elle n'irait pas jusqu'au jardin familial. Le temps viendrait peut-être où il faudrait insister sur la nécessité d'une entrevue, plutôt que de simplement l'espérer, mais ce temps n'était pas encore venu. Et si elle n'arrivait pas à voir Petra, elle n'aurait jamais besoin d'avouer à Anthony qu'elle était partie à Aldeburgh dans l'espoir de la rencontrer, et elle y puiserait au moins un sentiment gratifiant d'honnêteté.

Elle marcha d'un pas vif vers le bout de High Street, traversa et reprit la rue dans l'autre sens, sur le trottoir d'en face, d'un pas décidé. Pas de Petra. Pas de jeunes filles avec une poussette, car elles étaient probablement toutes encore occupées à organiser le déjeuner et la sieste des petits. Elle fit demi-tour en direction de la mer et de la petite place où elle avait laissé la voiture, et là, elle vit Petra qui venait vers elle, sans poussette, et sans enfants, les bras chargés de courses.

Petra s'arrêta, pétrifiée. Elle portait une espèce de

jupe de gitane, que Rachel connaissait, et sa vieille veste en jean, les cheveux grossièrement attachés en une queue-de-cheval rabattue sur une épaule, et noués à leur extrémité par une série de pompons en laine de couleurs vives.

– Salut, fit-elle à Rachel.

Sa voix semblait parfaitement normale.

Rachel se sentit aussitôt bousculée, dans tous ses états. Elle aurait pu avoir la réaction naturelle, et même instinctive, d'embrasser Petra, mais dans les circonstances présentes, ce n'était pas possible. Pas plus que de sourire, même si son visage se crispa en une espèce de rictus, comme un chien qui exécuterait un numéro. Même sa voix, quand elle réussit à dire « Hello », lui parut artificielle.

Petra ne disait rien, elle restait face à elle, avec ses cabas en tissu remplis de courses. Rachel ouvrit la bouche, deux ou trois fois, eut un ou deux gestes involontaires, une manière de manifester qu'elle voulait savoir où se trouvait la poussette, où étaient les garçons. Petra ne l'y aida pas.

– Comment… vas-tu ? lui demanda enfin Rachel.

– Bien…

– Et… et les garçons ?

– Bien.

Rachel se ressaisit.

– Où sont-ils ? demanda-t-elle. Je crois ne t'avoir jamais vue une seule fois sans les garçons…

– Ils sont avec Steve, fit Petra.

– Avec… avec…

– Oui, fit encore la jeune femme.

Elle s'exprimait comme si ce qu'elle disait là était tout à fait banal, au point même d'être sans intérêt.

– Steve les a emmenés nager. Ils adorent nager, donc il les a emmenés.

Elle laissa retomber un petit temps de silence.

– Parce que je ne sais pas nager, ajouta-t-elle ensuite. Tu te souviens ?

Puis elle sourit à Rachel, poliment, avec distance, et descendit sur la chaussée pour passer devant elle, avec ses sacs de commissions.

Ce soir-là, Rachel téléphona à Edward pour lui évoquer sa rencontre avec Petra, et lui demander s'il pensait qu'elle devait en parler à Anthony.

– Et pourquoi pas, bon sang ? fit Edward avec irritation.

– Eh bien, il a déjà été suffisamment blessé comme cela...

– En effet.

– Et je ne veux pas qu'il se représente ses petits-fils en train de nager avec cette espèce de type.

– Eh bien, ne lui raconte rien.

– Mais tu disais...

– Maman, fit Edward, maman. Je ne me sens pas d'avoir cette conversation. Je n'ai pas envie d'en discuter. Ou d'y penser. D'accord ?

Rachel lui répondit avec compassion :

– J'imagine que Sigrid et Mariella te manquent ?

Il ferma les yeux, très fort. Il n'envisageait pas de répondre.

– Elles passent un moment charmant, j'imagine ? lui demanda-t-elle encore.

Edward ne rouvrit pas les yeux. Sigrid était partie depuis quatre jours, et il l'avait appelée une fois. Sur l'île où se trouvait la maison de vacances de ses parents, il n'y avait pas de réseau.

– Je crois, fit-il.

– Tu as envie de venir faire un saut ici ? Le week-end va être un peu sinistre, sans elles. Viens donc vendredi.

Il rouvrit les yeux.

– Non, merci, maman.

– Et pourquoi pas ?

– Parce que j'ai envie de rester ici.

Il y eut un silence. Dans ce silence, le signal de messagerie du téléphone d'Edward retentit.

– Bien, fit alors Rachel, assez vivement. Je vais vous laisser en paix, toi et ton humeur désagréable. Au revoir, mon chéri.

Et la communication s'interrompit. Edward fit défiler sa boîte de messagerie.

« *À Stockholm pour 3 nuits. Retour dimanche. Baisers.* »

Il composa le numéro de Sigrid. Il y eut un moment d'attente, le temps que le signal s'achemine de Londres à Stockholm, puis sa boîte vocale. « Ici le portable de Sigrid. Laissez-moi un message, s'il vous plaît, et je vous rappellerai. Merci. »

Il ouvrit la bouche pour dire « Appelle-moi », et se ravisa. Il jeta son téléphone à côté de lui sur le canapé. Elle était partie, en lui accordant à peine un baiser pour lui dire au revoir, en refusant de lui expliquer pourquoi elle l'excluait de ces vacances de dernière minute, ne lui offrant même pas d'explication sur cette décision impulsive, ce retrait, ce retour instinctif à ses sources suédoises qui semblait la rendre imperméable à toutes les conséquences de son comportement et certainement à toute réaction ou toute émotion de sa part.

« Est-ce que je vais te manquer ? » avait-il demandé à Mariella, à portée d'oreille de Sigrid, et il s'en était voulu. Mariella l'avait serré dans ses bras, comme s'il était son cher et vieux nounours, loin de tout sentiment humain. « Un peu », lui avait-elle avoué. Et puis elles étaient parties, avec une valise pleine de shorts et de chaussons de gymnastique, Sigrid, l'air d'avoir seize ans, avec sa casquette de base-ball, et elles étaient parties rejoindre l'île de l'archipel où, d'après les dires de Mariella, elles prendraient leur petit déjeuner en pyjama, elles sortiraient faire de la voile et des feux de camp sur la plage.

– On va dormir ensemble, l'avait encore prévenu Mariella, dans le grand lit. Rien que maman et moi.

Edward avait consulté la météo du sud-est de la Suède sur Internet, et il faisait beau, chaud et clair, avec des vents faibles. Il se les représenta toutes les deux dans la maison de ses beaux-parents, qui n'était en réalité rien de plus qu'un grand bungalow, aux murs blancs, au toit gris, meublé avec cette simplicité nordique si romantique, avec vue sur l'eau sur trois côtés, et, au loin, un village de maisonnettes blanches et une église au toit rouge surmonté d'une flèche. Il avait fait l'amour avec Sigrid dans ce bungalow, ils avaient cuit du poisson à même des pierres plates, sur la plage ; elle avait été électrisée, impressionnée qu'il sache naviguer à la voile, qu'il soit si bon marin et manie le bateau de son père avec une telle aisance.

« Tu as l'air... tellement à ta place ici », lui avait-elle dit, allongée sur la plage, la tête sur ses cuisses.

Enfin, plus maintenant, plus assez pour être reçu là-bas. Pas assez pour l'accompagner sur cette île et voir ses beaux-parents, avec lesquels il s'était tou-jours entendu. Pas tout à fait à sa place – oh et flûte, songea-t-il, en se levant du canapé et en se dirigeant à grands pas vers la cuisine, qu'est-ce qui se passe, à quoi joue-t-elle, est-elle de nouveau en train de dévaler la même pente, quel est le problème ?

Il ouvrit le frigo et en sortit une bouteille de bière, qu'il posa brutalement sur la table. Quel que soit le problème, quel que soit ce que mijotait Sigrid, il allait bien devoir le supporter. Il ne dirait rien à personne, et sûrement pas à ses frères, alors que Ralph était déjà lui-même dans une telle panade, et que Luke devait déjà intégrer les premiers changements, après son mariage encore tout frais, sans compter tous les malentendus que cette grossesse inattendue avaient causés. Et, pour couronner le tout, Ralph venait s'installer chez eux, pour ses premiers jours de travail dans son nouvel emploi, jusqu'à ce que sa chambre derrière Finsbury Square soit prête, le premier du mois, et il aurait besoin de soutien, naturellement, et pas d'apprendre que son frère aîné, dont il espérait de la force et de la compréhension, était dans une situation presque aussi précaire que la sienne, même si cette précarité était d'une nature plus subtile.

Edward fit sauter la capsule de la bouteille de bière et en but une longue gorgée. Sigrid serait de retour dans quatre soirs, toute pleine de l'air, du soleil et du bonheur de son identité suédoise, et, en dépit de toute la peine qu'il éprouvait et du traitement qu'elle lui infligeait, il n'avait aucune envie qu'à son retour elle tombe sur un mari faisant la tête, assorti d'un beau-frère en invité surprise. Il but une autre gorgée de bière. Assez de complaisance, se dit-il. Cesse de t'infester l'esprit avec toutes sortes de chimères. Au moins – au moins, elle va rentrer à la maison.

Sigrid avait l'intention de rester sur l'île une semaine. Elle avait prévu quatre ou cinq journées seule avec

Mariella, à faire toutes ces choses simples, paisibles, toutes liées à l'eau, qu'elle faisait déjà sur cette île quand elle avait l'âge de sa fille, et puis elle avait prié ses parents de venir les rejoindre pour le week-end, en s'attendant à ce qu'ils acceptent, ravis, car ils adoraient l'île et n'avaient pas revu Mariella, leur unique petit-enfant, depuis sept mois. Mais la mère de Sigrid lui avait répondu qu'elle était désolée, son père avait une importante réception liée à ses affaires, à Stockholm, samedi soir, et ils resteraient donc en ville.

— Eh bien, toi, viens, avait insisté Sigrid.

— Non, je ne peux pas, lui avait répondu sa mère. J'y vais avec ton père. L'invitation est pour nous deux.

— Tu y vas, au lieu de nous voir, Mariella et moi ?

— Sigi, lui avait dit posément sa mère, c'est toi qui nous as inventé ce voyage, tout d'un coup. Tout cela est vraiment improvisé. Nous avions déjà des engagements.

— Mais je voulais te voir. Que tu voies Mariella...

— Alors viens à Stockholm.

— Mais j'avais envie d'être sur l'île...

— Je dois aller à cette soirée, avait insisté la mère de Sigrid. Je te laisse prendre ta décision.

Quoique irritée de constater que ses parents refusaient de modifier leur programme, Sigrid pensait toujours qu'elle aimerait se retrouver sur leur île. Cela lui manquait, la texture un peu rêche et si familière des draps en lin bleu et blanc du bungalow, et les matins qu'elle passerait encore en pyjama à regarder le soleil se lever avec un mug de thé qu'elle boirait lentement, et les soirées sur la plage, à montrer à Mariella comment vider un poisson avant de le griller, tout comme son père le leur avait montré, à Bengt et elle. Mais Mariella n'aimait pas trop le poisson, et d'une, et puis elle n'avait sûrement pas envie de toucher aux tortillons gluants de ses entrailles, et le soir, au lieu de dormir paisiblement et de permettre à Sigrid de se lever, reposée et délassée, pour regarder le lever du soleil, elle lui flanquait des coups de pied et n'arrêtait pas de se tourner et de se retourner dans son sommeil, en tirant le duvet à elle et en marmonnant, à tel point que Sigrid finissait par se transporter dans l'étroit lit d'enfant de la chambre d'à côté, où ses orteils touchaient le montant en bois, tandis que les tuyauteries situées dans le mur, derrière sa tête, se purgeaient à intervalles réguliers avec un bruit de raclement de gorge, d'un bout à l'autre de la nuit.

Le temps était superbe, mais les journées sur l'île étaient longues – longues, et franchement, ennuyeuses. Les cours de voile où elle avait espéré inscrire Mariella étaient terminés pour l'été et, après une première escapade nostalgique autour des rochers, les promenades s'étaient révélées plutôt limitées. Comme la rentrée des classes des écoles suédoises avait lieu avant celle des écoles anglaises, toutes les familles étaient reparties, en laissant leurs maisons volets clos et, pour certaines, leurs bateaux déjà bâchés en vue de l'hiver. Mariella était incapable d'avouer franchement qu'elle s'ennuyait, mais elle remarquait bien de temps à autre que c'était bizarre d'être sans télévision. C'était bizarre. Tout cet endroit avait un air bizarre, comme si les souvenirs d'enfance que Sigrid conservait de ces lieux s'étaient nourris d'inventions plus que de faits. Le quatrième jour, regardant sa fille construire une petite pyramide de galets, mais d'une seule main, comme si cela ne l'intéressait pas suffisamment pour qu'elle se serve des deux, Sigrid suggéra qu'elles rentrent à Stockholm. Mariella se releva aussi sec.

– Oh, oui !

Sigrid lui sourit.

– C'est tellement barbant, ici ?

– Euh, fit Mariella, si papa avait été là aussi, on se serait plus amusées, en fait.

Ralph avait étalé tous les costumes qu'il comptait mettre à Londres sur le grand lit deux places. Il était incapable de considérer encore ce lit comme « le leur », et pourtant ils le partageaient toujours – mais en se réfugiant le long des bords pour le cas où un pied ou un genou égarés auraient pu entrer en contact, par mégarde. Il avait envisagé de changer, d'aller dormir avec Kit, ou dans le canapé du rez-de-chaussée, mais la colère le maintenait dans son lit, tout comme la colère lui avait fourni l'énergie d'aller à Londres dès que ce serait possible. Percevant cette colère, Edward avait accepté qu'il occupe leur petite chambre d'amis – elle servait aussi de bureau à Sigrid – afin qu'il puisse partir d'Aldeburgh dès que possible.

– En vivant ici, je deviens dingue, avait confié Ralph à son frère. Dingue. Et chaque fois que j'essaie de lui parler, ça me rend encore plus dingue.

Le problème, en réalité, c'était que Petra ne lui cachait rien.

– Tu le vois encore ?

– Oui.

– Est-ce que – un temps de silence – tu couches avec lui ?

– Non.

– Est-ce que – mais là, il se mit à hurler – tu vas coucher avec lui ?

– Peut-être, lui répondit-elle.

– Qu'est-ce que tu veux dire, par peut-être ?

Petra était à la table de la cuisine, elle dessinait,

et ses cheveux qui pendaient lui masquaient presque le visage.

– Il ne me plaît pas trop, lui répondit-elle, le nez dans son cahier de croquis, mais peut-être. J'sais pas.

Ralph posa les mains à plat sur la table et fléchit les épaules, afin de voir son visage.

– Regarde-moi !

Lentement, elle leva les yeux.

– Et pourquoi as-tu besoin de le voir, d'ailleurs ? continua-t-il, en s'efforçant de se maîtriser.

Elle attendit un moment.

– Je me suis sentie seule, lui confia-t-elle.

– Pourquoi ne me l'as-tu pas dit ?

– Tu étais incapable de m'entendre, fit-elle.

– Pourquoi tu n'en as pas parlé à maman et papa ?

Elle baissa de nouveau la tête.

– Ils auraient essayé d'y faire quelque chose. Ils auraient voulu que, moi, j'y fasse quelque chose…

– Mais – de nouveau, il se mit à hurler – tu as fait quelque chose !

– J'ai choisi, lui dit-elle en dessinant.

Ralph s'assit lourdement dans une chaise en face d'elle.

– Qu'est-ce que tu ressens pour moi ?

– Ce que j'ai toujours ressenti.

– Mais encore ?

– Je t'aime bien, lui dit-elle. Tu es sympa.

– Mais…

– Mais tu as changé. Tu veux des choses dont je n'ai pas envie pour le moment. Je ne peux pas tout chambouler, rien que pour t'arranger.

Ralph s'étala sur la table, la tête posée entre ses bras croisés.

– Oh mon Dieu…

Petra ne réagit pas.

— Je n'ai pas changé, reprit-il avec lassitude, mais si nous voulons vivre et manger, il faut de l'argent, et on m'a donné une chance d'en gagner un peu. Comment vas-tu subvenir aux besoins des garçons sans argent, nom de Dieu ? Et, comme tu n'as pas de travail, il faut bien que ce soit moi. Je n'arrive pas à croire que tu sois... que tu sois aussi bornée.

— Je ne veux pas de cette sorte d'argent-là, lui lâcha-t-elle.

— Seigneur...

— Je n'ai pas besoin de vivre dans ce genre d'endroit. Je n'ai pas besoin de voiture. C'est sympa d'en avoir une, mais je me débrouillerais sans. J'aime bien vivre de façon modeste. J'ai toujours préféré.

— Oh, alors tu as trouvé la générosité de mes parents repoussante, c'est ça ? s'écria-t-il, sarcastique.

Elle releva les yeux.

— Ce qu'ils ont fait, ils avaient envie de le faire, lui répliqua-t-elle sèchement.

— Ce qui signifie ?

— Je ne suis pas complètement idiote. Ils ont été merveilleux avec moi, mais ce que j'étais leur convenait.

— Espèce de petite conne, sale ingrate.

Elle se leva, cahier en main.

— Cela n'en vaut pas la peine, dit-elle.

— Qu'est-ce qui n'en vaut pas la peine ?

— Cela ne vaut pas la peine d'avoir autour de vous des gens qui soient gentils avec vous. Ils veulent toujours tellement de choses en retour.

— Sauf ton amoureux, lâcha-t-il.

Elle se retourna.

— Il est simple.

— Et moi non...

– Non. Toi, non.

– Alors pourquoi tu ne vas pas vivre avec lui, bordel !

Elle se dirigea vers la porte qui donnait sur le couloir.

– Je n'en ai pas envie. Je pourrais, avec le temps, mais pour le moment, je n'ai pas envie. C'est juste qu'il est de mon côté, il ne me dit pas ce que je dois faire, il parle aux enfants, il bêche les patates et je n'ai pas besoin de…

Elle s'interrompit.

– Tu n'as pas besoin de quoi ?

– De tout le temps devoir gagner le droit d'exister.

Et là-dessus elle était partie, et il put l'entendre monter lentement l'escalier et passer dans leur chambre, puis il y eut deux coups sourds quand elle retira ses chaussures qu'elle laissa tomber sur le sol.

Il resta assis là, un long moment, à la table de la cuisine. Il n'allait pas revenir sur tout, trancha-t-il. Il n'allait pas redevenir le Ralph qui était rentré de Singapour avec toutes ces idées impraticables, tous ces rêves de vie quelque peu solitaire, dans un cottage vide sur la mer du Nord, avec le vent et les mouettes pour seule compagnie. Même s'il avait voulu en revenir à cela, il ne pouvait pas, en fait, parce que l'argent qu'il avait rapporté avec lui de Singapour avait entièrement disparu dans l'échec de son entreprise, et tout ce qu'il possédait à présent, c'était une petite partie de la maison où il était assis en cet instant, dont il n'avait plus envie (s'il en avait jamais eu envie), et dont Petra n'avait pas davantage envie. Cette maison appartenait surtout à la société de promotion immobilière et, dans l'humeur où il était, le promoteur pouvait la garder. Ils pouvaient tous la garder, ainsi que la voiture et leur mobilier dépareillé, et tout ce qu'il souhaitait, c'était qu'on lui laisse les vêtements qu'il avait besoin d'emporter à

Londres pour ce boulot qui allait lui permettre de se réapproprier son existence, le sentiment d'exister. Et ce serait seulement quand il aurait retrouvé les sommets, au lieu de rester écrasé dans les tréfonds, qu'il pourrait batailler pour obtenir la garde de ses enfants. Parce que c'était ce qu'il voulait. Il en était sûr. Il voulait ses garçons. Petra n'était même pas apte à élever un poisson rouge.

Quand il était finalement monté à l'étage, ce soir-là, Petra n'était pas dans leur lit. Elle avait choisi celui de Kit, et, dans son sommeil, le petit bonhomme avait jeté ses bras en travers du corps de sa mère, et ils étaient là, couchés face à face, presque nez à nez. À l'autre bout de la pièce, Barney reniflait dans son berceau, ses jambes et ses bras robustes étalés, avec ses cils épais, étonnants, lui effleurant les joues.

Ralph se tenait dans l'obscurité de la chambre, au milieu de la pièce, avec sa famille endormie de part et d'autre, et il éprouva une sensation si proche de la panique et du désespoir que la seule solution à laquelle il réussit à se raccrocher fut de refouler cette émotion, en laissant monter en lui une grosse crise de colère. C'était contre Petra qu'il était en colère, bien sûr, Petra qui refusait tout compromis, qui refusait de comprendre, qui refusait de grandir. C'était Petra qui avait fait de Kit un enfant si fragile, c'était Petra qui avait accepté toute cette générosité des Brinkley, tous le cœur sur la main, jusqu'à ce que, sur un coup de tête, elle cesse d'avoir envie de percevoir cela comme de la générosité, pour y voir seulement une forme d'oppression, de tutelle et d'obligation. C'était Petra qui était incapable de supporter ou d'admirer ce qu'il faisait, et de veiller sur eux tous. Bon sang, elle n'était même pas capable de repasser une foutue chemise convenablement. C'était Petra…

Il fallait qu'il s'arrête. Il tremblait, et il avait les poings serrés. Il ne pouvait pas continuer de céder à une telle fureur en lui, cela l'épuisait, cela déviait le cours de son énergie vitale, cela l'obsédait. Il ne pouvait pas comprendre Petra davantage qu'elle n'était capable de le comprendre, d'après ce qu'elle affirmait, aussi peut-être valait-il mieux qu'ils vivent chacun de leur côté, et le plus tôt serait le mieux. Il fallait qu'il réprime son envie impulsive de l'arracher physiquement au lit de Kit, et se résolve au contraire à diriger toute cette énergie vers ce nouveau commencement. Après des mois où il avait eu l'impression de se battre sous une couverture, cela lui donnerait un but, une direction, une discipline.

Il sortit de la chambre des garçons, et referma la porte derrière lui. Il s'obligea à rester immobile sur le palier et à respirer lentement, profondément, à six reprises. Edward avait dit qu'il pouvait venir à Londres à partir de samedi, mais il comptait lui téléphoner demain matin et lui expliquer qu'il avait besoin de venir maintenant, tout de suite, et si, pour une raison ou une autre, Edward n'était pas en mesure de le recevoir, alors il se trouverait un hôtel. N'importe quoi. N'importe quoi, ce serait toujours mieux qu'ici.

Il descendit leur unique grosse valise, rangée tout en haut de la penderie, là où c'était très poussiéreux. Elle conservait les traces de chocs de nombreux voyages, et des lambeaux d'étiquettes à bagages. Il la posa sur le lit et l'ouvrit. Il y avait à l'intérieur une vieille bombe insecticide, il la prit, la renifla, et l'odeur lui fit presque monter les larmes aux yeux. Il jeta la bombe en direction de la corbeille à papiers, à côté de la commode, et il se mit à composer des piles rapides, méthodiques, de chemises, de caleçons et de chaussettes, en vidant les tiroirs à toute vitesse, une façon pour lui de se purger de toute énergie qui ne serait pas constructive et tournée vers l'avenir. Et ensuite il entra dans la moitié du lit qui n'était pas occupée par la valise, s'y allongea, légèrement haletant, et il écouta son cœur battre à tout rompre derrière sa cage thoracique, comme s'il s'agissait d'un muscle utilitaire comme un autre, et non pas, en réalité, du siège de quelques émotions.

Chapitre 16

Sigrid borda Mariella dans le lit qui avait été le sien quand elle était enfant. Ce lit se trouvait maintenant dans le bureau de sa mère, et, semé de piles de coussins tapissés de dessins abstraits et modernes, il servait de divan, tout en conservant encore sa vieille tête de lit en bois, avec sa rangée de cœurs découpés, et, au-dessus, il y avait encore, accrochées au mur, les gravures de Carl Larsson que Sigrid adorait, enfant, ces scènes idylliques de la vie campagnarde dans la Suède du dix-neuvième siècle, avec leurs pommeraies pleines d'oies et leurs fillettes en fichu et tablier. À part cela, la pièce était aussi dépouillée et nue que le reste de l'appartement. Les rares papiers qu'il y avait sur le bureau de sa mère étaient rangés dans une corbeille en bois laqué noir, ses stylos étaient dans un pot assorti, et les livres et les dossiers sur ses rayonnages étaient tous placés verticalement, soigneusement en ordre. Sur les murs étaient accrochées une petite huile abstraite et des photos encadrées de la famille, notamment de Mariella en gilet de sauvetage, sur les genoux de son grand-père, devant le bungalow dans l'île.

Mariella était calée contre des coussins rayés de couleurs vives, et elle tenait en main un casse-tête fait de tubes en plastique, fabriqué pour elle par son ingénieur de grand-père. Ces tubes étaient reliés entre eux de telle manière qu'il ne pouvait y avoir qu'un segment les séparant les uns des autres, et le père de Sigrid avait refusé de fournir à sa petite-fille le moindre indice quant à la manière d'y parvenir. Sigrid avait proposé de lire une histoire à sa fille – de la lire avec elle –, peut-être un conte balte de Tove Jansson, bien de circonstance, mais Mariella restait absorbée par son casse-tête. « Morfar » lui lançait toujours des défis, de même que « Mormor » lui préparait toujours un gâteau aux pommes, et Mariella aimait bien relever ces défis-là. C'était, supposait Sigrid, une forme de flirt familial, sans grand danger.

Elle se pencha sur Mariella et l'embrassa.

– Dors bien. Je t'envoie Mormor qui va venir te faire un baiser.

Mariella continua de tordre les pièces.

– Dans dix minutes.

– Pourquoi dix minutes ?

– Parce que j'aurai fini ce truc…

– Vraiment ?

– Oui, fit Mariella avec insistance.

Sigrid laissa la porte du petit bureau entrouverte et emprunta le couloir central de l'appartement pour se rendre au salon. Il était baigné de la douce lumière du soleil du soir, à travers les longues baies vitrées qui descendaient jusqu'au plancher, et sa mère était assise près d'une de ces fenêtres, dans un fauteuil tapissé de lin gris, en train de lire le journal, l'*Aftonbladet*. Voyant entrer sa fille, elle leva les yeux.

– Puis-je aller lui dire bonne nuit ? lui demanda-t-elle.

– Dans dix minutes. Elle veut trouver la solution du casse-tête de Morfar.

La mère de Sigrid lui sourit.

– Et lui aussi, il meurt d'envie qu'elle la trouve, cette solution.

Sigrid s'assit dans le fauteuil en face de celui de sa mère. Elle regarda, par la fenêtre, l'éclat tamisé de ce soleil tardif. Sa mère la dévisagea. Au bout d'une ou deux minutes, elle lui parla.

– Tu pensais revenir en Suède ?

Sigrid sursauta un petit peu.

– Qu'est-ce qui peut bien t'amener à me demander ça ?

– Je m'interrogeais, c'est tout, lui dit sa mère. Ce voyage sur un coup de tête. Ton agitation. Quelque chose... d'instable, chez toi.

– Ces Brinkley, je ne peux pas les sentir... lâcha-t-elle brusquement...

– Ah, fit sa mère.

– Ils sont comme ce casse-tête de Morfar. Sauf qu'il n'y a aucun moyen de démonter le lien qui les relie.

Sa mère posa le journal et retira ses lunettes de lecture.

– Alors tu as cru pouvoir leur échapper en revenant en Suède.

Sigrid détourna le regard.

– Seulement un peu pour...

– Eh bien, lui fit gentiment sa mère, ne...

– Mais...

– Écoute. Écoute-moi. Tu es restée loin d'ici trop longtemps. Ce pays n'a plus rien à voir avec celui dans lequel tu as grandi. Tous les gens avec lesquels tu as grandi ont changé, en même temps que ce pays, et toi, tu as évolué avec l'Angleterre, tu n'as pas connu l'évolution qui a eu lieu ici. Comment aurais-tu pu ? Tu n'étais pas là.

Sigrid eut un petit geste.

– Je pourrais me remettre à jour...

– Et puis il y a autre chose, reprit sa mère, un aspect plus important. Dont tu n'as pas tenu compte, à mon avis.

– Lequel ?

La mère de Sigrid se redressa encore un peu plus dans son fauteuil.

– Moi.

– Toi !

– Oui, fit sa mère. Pense à ma situation.

Sigrid regarda la pièce autour d'elle, avec un petit rire.

– Cela me paraît une situation franchement très confortable…

– Vraiment ? Vraiment ? Tu te figures que c'est confortable d'avoir deux enfants qui ont tous les deux choisi d'habiter dans un autre pays ?

– Mais cela ne t'ennuie pas de…

– Qui a dit que cela ne m'ennuyait pas ?

– Mais…

– Bien sûr, je suis heureuse que tu aies épousé Edward, continua sa mère. J'adore Mariella. J'aime ton frère tendrement, mais il ne me donnera jamais une Mariella. J'apprécie sa compagne, j'aime ton Edward, je suis contente et fière de ce que mes enfants ont pu réussir, mais je ne sais rien de leurs vies. Pas comme mes amis peuvent savoir de quoi est faite la vie de leurs enfants. Comment le pourrais-je ? Vous vivez dans des pays différents, et non seulement cela, mais dans des cultures différentes.

– Seigneur, soupira Sigrid.

– Je n'ai pas fini…

– Mais…

– J'ai dû m'adapter, continua sa mère. Et l'un des moyens pour moi de m'adapter au fait d'avoir mes deux enfants qui vivaient à l'étranger, c'était de me jeter à corps perdu dans mon travail. Je travaille tout le temps, maintenant, comme ton père. Cela nous convient. Nous aimons cela. Et quand nous prendrons notre retraite, nous voyagerons, et nous viendrons souvent à Londres et nous vous verrons plus souvent, vous et Mariella. Mais si…

Elle s'interrompit, se pencha vers sa fille, en plongeant son regard dans le sien.

– Si tu revenais en Suède, il serait exclu que je me débarrasse tout simplement de mes patients pour devenir une mère et une grand-mère à plein-temps. Je ne pourrais pas. Je ne le voudrais pas. Il est trop tard, maintenant, et tu devrais être à même de le comprendre.

Sigrid lui répondit sur un ton de défi.

– Je ne suis pas retombée malade…

– Je n'ai jamais dit ça. Je ne pense pas que tu sois malade.

– Alors pourquoi me parles-tu sur ce ton ? Pourquoi es-tu en colère ?

– Je ne suis pas en colère, lui répondit sa mère, mais étant une mère toi-même, je m'attendrais à ce que tu fasses preuve d'un peu plus d'imagination.

Sigrid baissa les yeux.

– Et puis, ajouta sa mère, il n'y a pas que moi, il y a aussi ta belle-mère. N'a-t-elle pas élevé l'homme que tu as épousé ?

Sigrid s'enfouit le visage dans les mains.

– Ne pleure pas, lui souffla sa mère, plus doucement. Nous sommes toutes les deux trop grandes pour cela. Un peu de franchise entre femmes ne devrait pas te tirer des larmes.

– Je ne pleure pas…

– Ah ?

– Je… je m'adapte, c'est tout. Je fais face.

310

Sa mère se leva. Elle se pencha sur elle, elle lui posa la main sur l'épaule, avec un petit geste de réconfort.

– Je vais dire bonsoir à Mariella. Pourquoi ne nous sers-tu pas un verre de vin ? Nous sommes vendredi soir, après tout.

– Maman…

– Oui ?

– Je n'essaie pas… de fuir…

Sa mère s'immobilisa, à hauteur de son fauteuil.

– Ça ne marche jamais, Sigi, lui assura-t-elle. De toute manière, où que tu ailles, tu emportes toujours ton bagage avec toi. Tu peux changer de contexte, mais si tu ne changes pas toi-même, ce sera toujours pareil. C'est ce que je répète à mes patients, sans relâche. J'aurais dû peindre ça en grosses lettres sur le mur de mon cabinet.

Les nausées du soir de Charlotte s'arrangeaient un peu. Et, plus elles se calmaient, plus son ventre, lui, gonflait légèrement, mais très nettement, et plus sa poitrine était somptueuse. Elle annonça à son patron, au bureau, qu'elle était enceinte, il en fut extraordinairement peu surpris, et il l'informa qu'elle toucherait quatre mois de congé de maternité, plus la moitié de son salaire pendant deux mois, mais qu'après cela il ne pouvait lui garantir qu'elle retrouverait son poste. Tout cela lui convenait assez. Cela s'inscrivait dans le même royaume de l'improbable, lui semblait-il, que le simple fait d'avoir un enfant ; elle se laisserait porter par les événements comme si elle s'était transformée en petit bateau en papier voguant sur un ruisseau, et elle s'adapterait à tout ce qui lui arriverait de neuf, tout comme elle s'était adaptée, dans le passé, à l'école, au travail, à Londres, aux hommes, et ensuite au mariage.

Les premières sensations d'angoisse, presque de peur, qu'elle avait éprouvées en tombant enceinte, à s'engager dans un tunnel dont elle était la seule à pouvoir trouver la sortie, avaient été considérablement atténuées par le fait de voir Luke si transporté par l'idée de cet enfant, au point de le voir acheter plusieurs livres sur la grossesse et les bébés, qu'il lisait avec assiduité le soir avant de s'endormir.

– Cet enfant, il le porterait à ta place, s'il le pouvait, avait ironisé Jed un jour, en s'adressant à Charlotte. C'est démentiel. Arrange-toi juste pour nous rendre le vrai Luke, une fois que tu auras fini avec le Luke spécial grossesse.

Jed avait apporté à Charlotte un mug décoré d'une silhouette de femme allumette, enceinte et radieuse, avec ces mots – *Happy Maman* – inscrits sous le dessin. C'était étrange, vraiment, de s'imaginer en future maman, de devenir quelqu'un dont un autre être, un être beaucoup plus petit qu'elle, allait bientôt dépendre ; une responsabilité, lui avait expliqué sa mère, qui vous accompagnait toute votre vie, dès le premier souffle du bébé. Enfin, se dit Charlotte, ce sentiment de responsabilité vous venait en même temps que le bébé, tout comme une autre forme d'amour avait fait son apparition quand elle avait commencé de prendre au sérieux sa relation avec Luke. Une forme d'amour que, soupçonnait-elle, Petra éprouvait encore envers Ralph et pour laquelle Charlotte, en raison de ses propres sentiments pour Luke, avait beaucoup d'empathie.

Depuis sa visite au jardin de Petra, elle était restée en contact avec elle par SMS. Petra n'avait pas de compte sur Facebook, ou Twitter, et elle ne répondait même pas sur son portable, mais elle réagissait parfois aux textos, en rédigeant de petits messages cryptés, à la signification souvent mystérieuse, qu'elle signait toujours d'un petit « X » – un baiser, en langage texto. Charlotte conservait une demi-douzaine de ces petites traces de communication entre elles en mémoire dans son téléphone, qui étaient à la fois comme une petite lueur et comme une petite décharge d'adrénaline, et lui donnaient l'impression de faire partie d'une sorte de conspiration. Elle n'était pas tout à fait certaine de connaître l'objet de cette conspiration, ou de savoir quand elle en parlerait à Luke, mais il n'empêchait, cela créait en elle un frisson, celui d'un pouvoir secret, comme si elle prenait la famille de Luke de vitesse sans que celle-ci le sache. Ce n'était pas une grosse trahison, se dit-elle, cela ne venait rien ébranler, et d'ailleurs, Petra n'avait-elle pas le droit à son propre point de vue, tout autant que les Brinkley ?

Et donc, un soir, après un coup de fil d'Edward annonçant à Luke que Ralph devait venir habiter chez lui, et qu'il avait l'air assez déprimé, et lui demandant si Luke pourrait trouver le temps de le voir pour prendre une bière avec lui au cours des deux jours à venir – « Ralph est à Londres. Il a sauté le pas. Peut-être que cela suffira à ramener Petra à la raison » –, lorsque Luke lui eut rapporté tout cela, Charlotte avait répondu avec fermeté : « Pourquoi personne dans votre famille ne veut prendre en compte le point de vue de Petra ? »

Ils étaient en train de débarrasser la table du dîner, en se bousculant un petit peu dans leur cuisine minuscule. Luke avait un verre à eau dans chaque main, et un torchon jeté sur l'épaule. Il s'approchait de l'étagère où ils rangeaient les verres, mais il s'arrêta net.

– Quoi ?

Charlotte versait les restes d'un poulet korma dans un Tupperware. Et elle répéta, en insistant :

– Pourquoi aucun de vous ne veut penser à ce que ressent Petra ? Pourquoi la jugez-vous responsable de tout ?

– On ne la juge pas, protesta-t-il.

– Mais si. Vous n'arrêtez pas, avec son ingratitude, et son incapacité à affronter la vraie vie et à vouloir que tout se passe selon son idée à elle...

– Eh bien, c'est le cas, répliqua-t-il.

Il posa les verres sur l'étagère, et attrapa au vol la serviette sur son épaule.

– Tu ne sais pas...

– Qu'est-ce que je ne sais pas ?

– Ce qu'elle éprouve. Comment elle a été traitée...

– Traitée ?

– Oui.

– Par qui ?

– Par vous, lui lâcha-t-elle, en refermant le couvercle du Tupperware d'un coup sec. Par vous tous.

Il se saisit d'une poignée de couverts pour les sécher. Il les contempla une seconde, l'air renfrogné.

– On est si méchants que ça ? s'étonna-t-il.

– Elle n'a pas dit que vous étiez méchants. Elle a juste dit que Ralph ne comprenait pas.

Il releva les yeux.

– Elle a dit ça ? Quand ?

Elle se redressa, pour le regarder droit dans les yeux.

– Quand je suis allée la voir.

Il relâcha les couverts sur la planche à égoutter.

– Oh, Charlotte...

– Je l'ai vue pendant que tu étais chez tes parents. Quand tu es allé chez eux avec Edward. J'ai roulé jusqu'à Aldeburgh et je me suis rendue à leur maison, mais Ralph n'a pas voulu me laisser entrer, alors je suis allée retrouver Petra à son jardin.

– Et qu'est-ce que tu espérais en tirer de bon ?
fit-il tristement.

– Elle mérite d'être entendue !

– Tu es sûre, fit-il, que tu n'es pas en train de
prendre ta revanche vis-à-vis de ma mère, d'une certaine manière ?

– Non, rétorqua-t-elle un peu trop vite. Petra a besoin
de quelqu'un qui soit de son côté. Tu ne crois pas ?

Elle marqua un temps de silence.

– De toute manière, on n'a même pas mentionné
le nom de ta mère.

Il soupira.

– J'imagine que ce n'était pas nécessaire.

Il lui lança un regard.

– Je n'ai pas envie de me disputer à ce sujet.

– Et moi non plus.

– Et qu'est-ce que tu lui as dit... au juste ?

– Je lui ai dit, reprit-elle, soudain déconcertée de
se sentir faiblir dans ses propres certitudes, que même
si je ne partageais pas tout ce qui était important à
ses yeux, j'en comprenais l'importance, et que j'étais,
enfin, j'étais là, pour elle.

– Elle le baise, son mec ?

– Elle ne le baise pas. Pourquoi faut-il toujours tout
ramener au sexe ? Pourquoi ne serait-elle pas avec
quelqu'un qui éviterait de tout le temps lui répéter de
faire des choses qu'elle n'a pas envie de faire ?

– Comme quoi ?

– Comme de dire, continua-t-elle, en reprenant
confiance en elle, qu'il avait besoin d'être libre d'aller
s'installer à Londres, alors qu'elle n'est pas libre de
voir quelqu'un d'autre...

– Il est à Londres, l'interrompit-il, pour gagner de
l'argent, pour la faire vivre, elle et les enfants.

– Ce n'est pas ainsi qu'elle le perçoit. Ce n'est pas ça qu'elle veut. Elle veut juste qu'on la laisse vivre près de la mer, mais pas selon les critères de... de...

Elle se tut.

– Mes parents, acheva-t-il.

Elle hocha la tête. Il posa le torchon humide en boule à côté des fourchettes. Il regarda par la fenêtre, au-dessus de l'évier, les mains dans les poches. Charlotte attendit, en l'observant, ne sachant pas trop comment elle allait se défendre, maintenant qu'on l'avait percée à jour. Il ne se retourna pas.

– On en revient toujours à la même chose, dit-il. N'est-ce pas ? On en revient toujours au fait que tu as décidé de haïr ma mère.

Anthony triait ses toiles. Il avait travaillé à son dessin – un sterne caugek saisi en plein vol, en tâchant de différencier clairement chaque groupe de plumes de vol de ses ailes déployées –, mais il n'arrivait pas à se concentrer, aussi laissa-t-il son chevalet et la brassée de crayons dans leur vieux pot de moutarde en terre cuite, et il grimpa sur un escabeau pour descendre de leurs rangements en équilibre instable sur les chevrons de la charpente les piles de vieux cartons et de vieilles toiles pour voir lesquels il pourrait réutiliser, et lesquels il emporterait à l'école d'art pour que ses étudiants s'en servent. Le début du trimestre n'était plus que dans une semaine, et il ressentait le besoin pitoyable de retrouver le petit effet structurant que tout cela conférait à son existence, le réconfort familier d'une nouvelle classe d'étudiants inscrite à son cours d'initiation au dessin, tous amoureux de Jackson Pollock et de Mark Rothko, et incapables de voir l'intérêt ou l'avantage qu'il y aurait à apprendre à dessiner une scène tirée de la mangeoire aux oiseaux de leur grand-mère. Et ce fut même avec une certaine impatience ravie qu'il songea à leur dédain et à leur réticence.

Il en avait descendu deux piles, avait soufflé le gros de la poussière qui les recouvrait, et trié ces séries interminables de dessins et de peintures, des années et des années de travaux, passées à croquer des chouettes et des canards, des cigognes, des cygnes et des oies, un aigle royal atterrissant sur un rocher (qu'elles étaient belles, ces vacances dans les Western Highlands), de mouettes et de vanneaux, et d'un cincle plongeur qui nageait avec autant de bonheur qu'un pingouin. Il s'arrêta sur une peinture d'un groupe de mouettes tridactyles plongeant et pataugeant ensemble dans un lac, qu'il trouva d'ailleurs assez bonne, assez prenante, pour décider d'en faire autre chose que de la laisser moisir sur ces chevrons, et il était là, debout, cette peinture dans une main, et quelques croquis de hérons dessinés sur un épais papier maison à gros grain dans l'autre, quand il y eut soudain une giclée de graviers devant l'atelier, comme si quelqu'un courait, d'un pas mal assuré, puis la porte s'ouvrit d'un coup, et Kit fit son apparition, le souffle court.

– Papy !

Anthony en laissa les dessins tomber par terre. Il s'agenouilla, et il tendit les bras.

– Kit !

Le petit bonhomme courut vers lui. Il rigolait. Il referma les bras autour du cou d'Anthony, et s'y pendit, en jacassant à son oreille. Puis il y eut de nouveau le craquement du gravier, et Petra fit son apparition avec Barney dans les bras. Elle franchit la porte, puis s'arrêta sur le seuil, et regarda Anthony. Elle ne dit pas un mot.

Il se détacha de l'étreinte de Kit, et se releva. Kit s'accrocha à ses jambes de pantalon, en continuant de gazouiller. Barney observa son grand-père et se laissa basculer en avant dans les bras de sa mère, avec un grognement.

— Qu'est-ce que vous faites ici ? s'enquit Anthony.

Elle changea légèrement Barney de position, toujours dans ses bras. Elle portait un jean, et une blouse ample en gaze indienne, brodée de miroirs. Elle était pieds nus, dans des baskets aux bouts si usés qu'ils étaient troués.

— Je voulais vous voir, lui avoua-t-elle.

Elle se baissa et déposa Barney par terre. Il se mit aussitôt à ramper à toute vitesse vers son grand-père.

— Attention, fit Anthony, il y a peut-être des punaises…

— Je vais chercher ! s'exclama Kit. Je vais chercher ! Je vais chercher !

Anthony se laissa retomber à genoux.

— Je triais de vieux dessins. Il a pu en tomber quelques-unes, et s'ils étaient punaisés à une planche…

Petra s'approcha de quelques pas.

— On va tous les chercher…

Elle se laissa aussi tomber à genoux.

— Je ne suis pas trop sûr… lui glissa-t-il, d'avoir grand-chose à te dire.

Elle trouva une punaise, et tendit la main pour la poser sur le rebord de la table la plus proche.

— OK…

— OK !

— Je ne pensais pas que tu aurais grand-chose à me dire, en effet.

— Alors pourquoi es-tu venue ?

Elle tendit de nouveau la main, cette fois pour retirer un petit objet non identifié de la main de Barney.

– Vous avez été gentils avec moi. Toujours. Je voulais que vous le sachiez.

– Trouvée ! s'écria Kit, tout excité.

Anthony se détourna, de manière à ne pas être dans le champ de vision de son petit-fils.

– Ça, je le sais. C'est pourquoi... ce que tu fais est difficile à comprendre...

– Je ne vous fais rien, à vous...

– Ralph est mon fils. Il est blessé. Je suis blessé.

Elle se redressa sur ses talons.

– Je comprends.

– Alors tu comprends peut-être aussi que je n'aie aucune envie de te voir.

Kit vint à Anthony et lui offrit deux punaises.

– Merci, fit son grand-père.

Il se sentait extrêmement décontenancé. Il se masqua les yeux de la main.

– Tu pleures ? fit Kit, en le scrutant du regard.

– Non...

– Tu veux que je te mouche le nez ?

– Kit, mon bonhomme, laisse papy tranquille une minute, tu veux, laisse-moi juste...

Kit serra le torse de son grand-père, en lui passant les bras dans le dos, aussi loin qu'il pouvait, comme pour le hisser en position debout. Petra se redressa sur les talons et regarda Anthony se relever, un peu déséquilibré, maladroitement emmêlé avec son petit-fils.

– Là ! s'exclama celui-ci, tout triomphant.

– Merci...

Petra se remit debout à son tour, en se dépliant depuis le sol d'un seul mouvement.

– On va y aller... fit-elle.

Anthony ouvrit grands les bras et les mains, dans un geste soudain d'impuissance.

– Vous avez vu Rachel ?

– Je suis venu te voir, toi...

– Écoute, écoute, je peux imaginer à quel point tout cela a pu être pénible pour toi. Je sais à quel point Ralph peut être difficile. Je sais que tu n'as aucune envie de vivre à Ipswich ou à Londres ou ailleurs, mais qu'est-ce... qu'est-ce qui t'a pris de croire qu'un autre homme serait la réponse ?

Kit se mit à rôder dans l'atelier, à inspecter les lieux. Barney avait trouvé une noix par terre et il essayait de la faire rentrer dans un orifice sur le côté d'un des fauteuils. Leur mère les observa tous les deux un petit moment.

– Cet homme n'est pas une réponse. Il me permet juste de m'en sortir.

– Mais nous sommes là ! Nous avons toujours été là ! Nous avons été là pour t'aider, si seulement tu nous avais demandé, tu n'avais qu'à chuchoter...

– Je ne peux pas éternellement continuer à vous dire merci, fit-elle.

– Nous ne voulons pas de remerciements, nous n'attendons pas de remerciements...

– Je ne peux pas tout le temps faire ce que vous souhaitez que je fasse. Vous... oubliez.

– On oublie quoi ?

– Que tout le monde n'a pas envie des mêmes choses que vous. Certaines personnes ont des envies bien plus modestes.

– Si rompre un lien comme celui de votre mariage, c'est avoir des envies plus modestes...

– Je n'ai rien rompu. Pas au début.

Il la regarda, pour la première fois depuis qu'elle était arrivée.

– Que veux-tu dire ?

Elle haussa les épaules.

– Notre manière d'être nous convenait, lui dit-elle. C'était l'idéal, au début, avec juste le cottage et la plage. Ensuite, tout a changé. Mais moi, non, je n'ai pas changé. Je veux ce que j'ai toujours voulu. Je l'ai tout de suite su, dès que je l'ai vu, ce cottage...

– Mais cet homme, là...

Elle se pencha pour reprendre Barney dans ses bras.

– Vous êtes tous fixés sur cet homme.

– Mais enfin, oui, naturellement !

Elle le regarda, en dressant la tête par-dessus celle de Barney.

– Tu ne saisis pas, hein ?

– Non.

– Eh bien, reprit-elle, c'est à toi de voir.

Elle chercha Kit du regard, qui contournait lentement la table où le matériel de dessin d'Anthony s'étalait dans un désordre où il était le seul à pouvoir se repérer.

– Mais je voulais venir te dire, quoi qu'il arrive, que je sais tout le bien que tu m'as fait, et je t'en suis reconnaissante.

– Tu vas voir Rachel ? lui demanda-t-il d'une voix éraillée.

Elle secoua la tête, en attrapant Kit de sa main libre.

– Tu vas revenir ?

– Un jour, dit-elle.

– Petra...

– Oui ?

Il la regarda, debout devant lui, dans ses baskets trouées, avec Barney dans les bras, et Kit qui se trémoussait à ses côtés.

– Je ne sais pas pourquoi je dois te remercier d'être venue, lui dit-il, mal à l'aise, mais je te remercie.

– Je pensais que tu refuserais de me voir, lui avoua-t-elle.

Il regarda Kit, puis Barney. Il se sentait alourdi par le poids du malheur.

– Et moi aussi, lui fit-il.

– Ça fait une éternité ! lança Marco, le marchand de café, à Sigrid.

– Une semaine…

– Une semaine ! Ça fait une é-ter-ni-té.

– Vous, les Italiens…

– *Bella ragazza*, ajouta-t-il, comme obéissant à un signal, en souriant et en lui tendant un petit sachet en papier blanc qui contenait un *biscotto*.

Elle continua dans Gower Street avec son café en main. C'était une journée grise, mais le ciel était lumineux et les nuages très hauts, et le petit air vif présageait la fin de ces journées où elle pourrait se rendre au travail à pied avec juste un pull ou une veste, pieds nus dans ses chaussures et baignée de la lumière du jour. Elle n'était partie qu'une semaine, mais cette semaine-là avait été chargée, à un point inattendu ; une semaine qui ne s'était pas du tout déroulée comme prévu, et d'où elle était rentrée avec le sentiment étrange d'être un peu désorientée, comme si elle était incapable de se rappeler à quoi ressemblait la vie à Stockholm ou à Londres, comme si elle avait renoncé – ou tenté de renoncer – à tout ce qui lui était familier au profit d'autre chose qui n'était pas du tout ce qu'elle avait anticipé.

Son travail la rassurerait peut-être. Peut-être que le labo, et ces fragments de bois, de tissu et de verre qui l'attendaient, l'enracineraient-ils à nouveau, restaureraient-ils cet équilibre qu'elle était pourtant certaine d'avoir déjà trouvé, au cours de cet été. Au fond d'elle-même, durant le vol de retour, elle avait ressenti un pincement d'excitation à l'idée que cet équilibre l'attende sereinement, chez elle, avec Edward, mais à son arrivée, Ralph était là lui aussi, le visage émacié, l'air survolté, se défendant d'être nerveux pour sa première journée dans son nouvel emploi, se prétendant simplement impatient de commencer, et elle n'avait pas eu d'autre choix que d'agir en belle-sœur accueillante, et de lui trouver une serviette de bain. Edward lui avait demandé, sur un ton quelque peu forcé, si elles s'étaient bien amusées, et Mariella lui avait répondu, en farfouillant dans le frigo, déjà en quête de ses gourmandises préférées, à peine rentrée à la maison : « Tu sais, papa, l'île, c'était tellement, tellement bizarre, c'était comme si tout le monde venait de mourir », et Edward avait ri, un rire où Sigrid avait perçu un soulagement non déguisé.

À son poste de travail, à la paillasse du labo, tout avait l'air tel qu'elle l'avait laissé, mais avec cette allure caractéristique d'un endroit qui a été occupé par quelqu'un d'autre, avant que ce quelqu'un ne veille à remettre exactement tout dans l'ordre méticuleux où elle rangeait les choses. Tout le monde lui dit bonjour, et lui posa poliment des questions sur la Suède, et le directeur du laboratoire lui indiqua qu'il était content de la revoir, car ils venaient justement de recevoir d'Allemagne du Sud un spécimen très intéressant, qui entrait pile dans son domaine, il en était convaincu. Philip le rouquin tournicota autour d'elle un petit moment, en prétextant des trucs à lui signaler ou à lui demander, mais ensuite on l'appela pour lui confier une commission, et il dut donc fort heureusement s'absenter deux heures qui furent deux heures de calme, de sérieux, et de concentration, jusqu'à ce qu'il réapparaisse à côté d'elle, pour lui annoncer que quelqu'un l'attendait dehors.

— Il est onze heures, lui dit-elle. Je travaille.

— C'est ce que j'ai expliqué, lui assura-t-il. Je lui ai dit que tu travaillais.

— Eh bien, retourne le lui dire, s'il te plaît.

— C'est ton beau-frère, d'après ce qu'il m'a répondu...

Elle leva le nez de son écran.

— Mon beau-frère ?

Il eut un grand sourire.

— Luke ? fit-il, avec une note d'espoir. J'ai bien compris son nom ? Luke ?

Elle laissa échapper un petit borborygme de contrariété. Elle se leva de son siège.

— Merci, Philip ? lui lança-t-il.

Elle lui jeta un regard.

— Merci...

— Je n'étais pas forcé de m'en charger, tu sais, poursuivit-il. Je n'ai pas à transmettre les messages et à m'occuper des courses. J'ai un diplôme d'informatique et de technologie parfaitement valable de la Nottingham Trent University et je n'ai pas à être traité comme un employé de la poste.

— Je te traite comme un employé de la poste ?

— Oui, tout le temps. Même quand je t'offre des fleurs.

Sigrid fourra les mains dans les poches de sa blouse de laborantine.

— On pourrait avoir cette conversation à un autre moment ?

— Oui, pourvu qu'on l'ait vraiment, lâcha-t-il.

Luke l'attendait dans le hall d'accueil austère du bâtiment. Il y avait là une rangée de sièges en tweed beige le long du mur, en face de la réception, mais Luke était debout, les mains dans les poches, et il consultait un panneau d'affichage où l'on avait punaisé à intervalles méticuleux toute une série d'avis de réunions et de conférences universitaires. Dès que Sigrid entra, il se retourna.

– Merci…

– Il se passe quelque chose ?

– Personne n'est malade, lui dit-il, rien de ce genre. J'ai juste…

– Quoi ?

– Eh bien, fit-il, je n'avais pas envie de passer chez vous parce que je préfère que tout ça reste entre nous deux…

D'un geste, elle lui fit signe de s'asseoir.

– Tu as des ennuis ?

– Non. Si. Enfin, plus ou moins. C'est… à propos de Charlotte.

– Charlotte !

– Elle va bien, la rassura-t-il, elle va vraiment bien. C'est… c'est juste elle… et ma mère.

Il se tut. Sigrid et lui échangèrent un regard en silence, un petit moment. Puis elle soupira.

– Oh, fit-elle. Ça.

Chapitre 17

Marnie n'allait plus si souvent à Londres, ces temps-ci. En fait, elle n'y était guère retournée depuis la mort du père de Charlotte, après s'y être juste laissé entraîner les deux jours que sa fille avait réservés pour choisir sa robe de mariée. Ces deux journées-là avaient été exténuantes, Marnie s'en souvenait encore, ponctuées d'une nuit fantastiquement inconfortable dans le canapé de l'appartement de Charlotte, bien que Nora, sa colocataire, lui ait gentiment trouvé un coussin supplémentaire. Ce canapé n'était pas assez grand, l'eau chaude pas suffisante, et Marnie n'était pas d'un âge ou d'une génération à se coiffer ou à se maquiller comme le font les filles, en bavardant et en arpentant l'appartement à toute vitesse, le téléphone calé dans le creux de l'épaule et la pince à cheveux entre les dents. Marnie était habituée à une coiffeuse avec un plateau en verre, un miroir en triptyque et une bonne lumière. Après une nuit dans ce sofa, elle s'était sentie toute à son désavantage, au milieu du rayon robes de mariée chez Liberty's. Elle n'était plus que la titulaire d'une carte de crédit, épuisée, le cheveu en désordre.

Aujourd'hui, en revanche, c'était différent. Pour cette journée, elle s'était préparée. La veille au soir, elle avait choisi ce qu'elle porterait, et elle avait été ravie de voir, en tirant les rideaux de sa chambre, que le temps, ce matin, avait accédé à ses désirs. Elle était allée chez le coiffeur de Beaconsfield, deux jours auparavant, il restait assez de framboises d'arrière-saison pour qu'elle en fasse son petit déjeuner, et elle avait répété ce qu'elle allait dire, devant un miroir, et devant une feuille de papier, de sa jolie calligraphie si lisible.

Elle se rendit à la gare en voiture, en roulant à une allure régulière et tranquille. Elle avait tout le temps. Sa carte de chemin de fer senior lui permettait de réserver une place en première classe à un prix très raisonnable, et elle s'acheta un magazine, un numéro de *Country Life*, la revue idéale pour y publier des publicités sur ses peintures, ou les cartes postales et les cartes d'anniversaire pour lesquelles elle constituait le meilleur choix. Ce qui l'avait frappée, en attendant son train, c'était qu'elle allait faire une chose qu'elle n'aurait sans doute jamais osé faire et qui ne lui serait sans doute jamais venu à l'esprit si Gregory était encore de ce monde. Il aurait approuvé son idée, elle en était sûre, mais il aurait souhaité que cette idée soit la sienne, il aurait tenu à en être le cerveau et à en recueillir les louanges. Avec les années, elle s'était tout à fait habituée à applaudir Gregory, un exercice où elle avait fini par se montrer plutôt douée, car il lui fallait généralement une bonne dose de louanges avant de s'estimer satisfait, mais ce qui la frappa, en attendant tranquillement sur ce quai de gare, investie d'un plaisant équilibre de tout son esprit et de toute sa personne, c'est qu'il était effectivement très libérateur de sentir que l'on n'avait plus à canaliser chacune de ses pensées et chacun de ses gestes vers un autre qui engloutissait tout.

À Marylebone, elle monta dans une rame de la

Bakerloo Line, vers Oxford Circus, où elle changea pour prendre la Central Line vers l'est en direction de Liverpool Street. Gregory – s'il était encore là – aurait insisté pour qu'elle prenne un taxi, mais l'une de ses libertés toutes neuves consistait justement à ne se protéger que lorsqu'elle en éprouvait vraiment le besoin. Et puis, elle avait jugé très satisfaisante la petite économie que cela représentait de s'acheter un ticket de métro de zone A couplé avec son billet de train. Gérer l'argent, avait-elle découvert, c'est quelque chose de très satisfaisant. Et c'était assez facile, si vous ouvriez l'œil, surtout pour quelqu'un comme elle, qui était dans la position enviable de pouvoir profiter d'un revenu à la fois important et stable. Elle se souvenait des heures et des heures que Gregory avait passées à ronchonner sur des papiers dans son bureau, ou à téléphoner à son courtier en bourse. Il était peut-être déloyal de sa part de ne pas être capable de se souvenir de son état d'agitation et de perpétuelle contrariété par rapport à l'argent sans en sourire, mais c'était ainsi. Cela ne diminuait en rien sa sincère gratitude de ce que tous ces soupirs et tous ces emportements l'avaient néanmoins laissée dans une situation des plus confortables.

À Liverpool Street, elle était descendue du métro et sortie à Bishopsgate. La rame était pleine de gens différents de ceux qu'elle voyait d'habitude, ce qui était toujours agréable et contribua encore un peu plus à son impression d'être partie à l'aventure. À la gare de Liverpool Station, les gens étaient tout aussi divers et intéressants, et elle eut subitement l'impression d'être très voyante, avec son allure si conventionnelle, et enchantée de constater qu'elle ne se sentait nullement déconcertée ou menacée pour autant, non, simplement un peu exaltée. Un grand Sikh coiffé d'un turban marqua un bref temps d'arrêt pour lui permettre de passer devant lui et de s'engager dans l'escalator qui conduisait à la rue et, quand elle le remercia, il lui sourit, d'une manière telle qu'elle eut l'impression de déployer des ailes demeurées repliées depuis longtemps. Comme nous nous habituons à ce que nous avons, songea-t-elle, même lorsque cela ne nous convient pas.

C'était une journée douce et tempérée de début septembre, et il faisait plus chaud à Londres que dans le Buckinghamshire. Elle retira sa veste et la plia sur son bras, et puis, comprenant que ce n'était pas une façon de se conduire dans l'est de Londres, elle la déplia et la jeta sur ses épaules, en s'arrêtant devant la vitrine en verre armé d'une grande banque pour admirer l'effet. Cela lui parut d'une décontraction assez bien venue. Elle en retourna le col, et partit en direction de Shoreditch High Street et d'Arnold Circus, un nom intrigant, celui de l'endroit où Charlotte lui avait indiqué qu'ils habitaient, Luke et elle, dans un appartement de la taille d'une boîte à chaussures, cinq étages à pied au-dessus de la rue.

Jed descendit les quelques marches d'escalier du studio pour aller ouvrir, car on avait sonné. Il se retrouva face à une femme d'assez belle allure, un peu plus âgée que sa mère, vêtue du genre de tenue dans laquelle sa mère n'aurait pas voulu qu'on la voie, même après sa mort. La mère de Jed portait un jean et des bottes de cow-boy, et elle avait encore les cheveux longs jusque dans le creux des reins. Cette dame, en face de lui, ressemblait à l'idée qu'il se faisait des représentantes de la gent féminine aux congrès du parti conservateur. Ne sachant trop quoi lui dire, il ne lui dit rien, et resta là, ébahi.

– Est-ce que Luke est ici ? demanda Marnie.

Jed se gratta la tête.

– Euh… eh bien, ça se pourrait. Vous travaillez pour une association ?

– Non, fit Marnie, je suis sa belle-mère, vous êtes Jed, et vous êtes venu à son mariage.

Il sentit une rougeur sombre et brûlante lui remonter dans le cou.

– Oh, nom de Dieu…

– Ne vous inquiétez pas, fit gentiment Marnie, il est difficile de resituer les gens en dehors d'un contexte. Et vous ne m'attendiez pas.

– Non…

– Et Luke non plus. Il est là ?

Jed ouvrit un peu plus la porte. Il n'arrivait pas à la regarder vraiment. Il avait un vague souvenir d'un grand chapeau, que quelqu'un lui avait désigné comme étant la mère de Charlotte, mais ce chapeau-là ne s'associait à aucun visage susceptible de lui revenir en mémoire.

– Filez là-haut, dit-il. Il y est. Et, je suis désolé.

Marnie lui fit un sourire qu'elle espérait aussi charmant que celui du Sikh dans le métro. Elle se faufila devant lui, et monta les premières marches. Jed sortit, en laissant la porte claquer brutalement derrière lui. Il s'appuya contre le mur et tâta la poche de son jean, à la recherche de son paquet de chewing-gums. La putain de mère de Charlotte ! Qu'est-ce qu'elle foutait ici, bordel ?

– Marnie ! s'exclama Luke.

Il était sincèrement, absolument sidéré. Il descendit de son tabouret, et renversa un gobelet de café à emporter qui roula sur le sol.

– Oh…

– Ce n'est pas grave, fit Luke, et il se précipita pour le rattraper. Je l'avais presque fini...

– Je t'ai surpris.

Il se redressa, gobelet en main.

– Vous m'avez coupé la chique, Marnie...

– Je pensais que si je te téléphonais, tu serais forcé de le dire à Charlotte.

– Eh bien, je...

– Et je ne veux pas que tu préviennes Charlotte, tu vois. Je veux que ce soit une vraie surprise.

– C'est sûr que c'est une vraie surprise, admit-il, un peu gêné.

Marnie regarda autour d'elle.

– On peut se parler ici ?

– Je suis... enfin, je travaille, en réalité... fit-il, toujours mal à l'aise...

– Cela ne me prendra que dix minutes.

– C'est... c'est important ?

Elle lui sourit.

– Eh bien, tout ce qui concerne Charlotte est important, n'est-ce pas ? Toi et moi, nous sommes tout à fait d'accord là-dessus, n'est-ce pas ?

– Bien sûr...

– Nous pourrions monter à votre appartement. Charlotte m'a dit que je n'avais pas le droit de le voir tant que vous n'auriez pas de rideaux. Les rideaux, cela m'est égal, bien sûr, mais elle voulait que tout soit parfait avant que je ne le voie. Quel ange.

– Ce n'est pas exactement la perfection, admit Luke, mais le lit est fait, au moins. Il faut que je vous avertisse, quand même, l'escalier est un peu raide. Cinq étages.

– Je suis prête à tout, s'écria gaiement Marnie.

Luke la considéra. Elle jouait encore au tennis, après tout.

– OK, fit-il.

– Bon, et alors ?

Il vérifia son écran. Ce qu'il faisait n'était pas urgent, mais ça n'empêche, il valait mieux ne pas être interrompu. Enfin bon, maintenant, il avait été interrompu, et par quelqu'un et par quelque chose qui lui inspiraient plus un sentiment d'obligation que de curiosité. Il sauvegarda le fichier.

– On va monter, décida-t-il.

L'appartement, songea Marnie, en le gardant pour elle, était charmant, mais incroyablement petit. Pendant que Luke préparait un café, elle se lava les mains dans une salle de bains faite pour des nains – pas de baignoire, rien qu'une douche, et il manquait la moitié des anneaux du rideau – et puis elle remarqua, assez attendrie, que l'unique étagère était encombrée des produits capillaires et des cosmétiques de Charlotte. Rien de neuf, rien de changé, en l'occurrence, et comme c'était charmant de la part de Luke de ne pas s'en formaliser. Gregory détestait voir quoi que ce soit de féminin ne pas rester confiné à sa coiffeuse. Il adorait tout ce qui s'y trouvait, tous les poudriers absurdes en cristal taillé dont Marnie pouvait avoir envie, là et nulle part ailleurs, mais dans son esprit, la salle de bains était un lieu d'une utilité bien précise : il n'y aurait jamais toléré le moindre atome de complaisance narcissique.

Luke avait sorti les mugs de café, une carafe de lait et une cafetière sur une table basse devant le canapé, puis il en retira un fouillis de magazines et de vêtements éparpillés. Marnie le considéra d'un œil approbateur. Les jeunes hommes de sa génération ne voyaient rien de périlleux à se laisser domestiquer, tout comme ses deux autres gendres plus âgés savaient être des pères très actifs, au point qu'elle avait eu parfois envie d'insister auprès de Sarah et de Fiona pour qu'elles n'oublient pas que leurs enfants relevaient aussi de la responsabilité de leur mère. Elle s'assit dans le canapé et regarda autour d'elle.

– Une pièce charmante et lumineuse.

Luke servit le café, en restant debout.

– Ça compense les petits volumes...

– Et vous deux qui êtes si grands...

– L'emplacement est formidable.

Marnie songea à son trajet à pied jusqu'à Arnold Circus. Elle n'avait rien traversé qui ressemble à ce que, dans l'éducation qu'elle avait reçue, on aurait défini comme un emplacement formidable – il y avait même un petit marché aux vêtements d'occasion bien tristounet qui se tenait sur le trottoir sous un pont de chemin de fer –, mais enfin, les choses avaient changé, à l'image de ce jeune homme efficace qui était son gendre et qui lui préparait un café avec une parfaite décontraction. Et peu importait qu'il gagne sa vie d'une manière qui n'avait absolument rien à voir avec les professions bien installées du temps de l'enfance de Marnie. Elle accepta un mug de café. Il s'en dégageait un arôme merveilleux. Elle sourit à Luke.

– Merci, mon chéri.

Il s'assit sur un cube rembourré, en face d'elle.

– Bon, fit-il.

Il avait l'air parfaitement cordial, mais aussi un peu pressé.

– Il s'agit de Charlotte et du bébé, dit-elle.

Il but une gorgée de café.

– Dis-moi.

Cette partie-là, Marnie l'avait répétée. Elle but une

gorgée de café et le posa sur la table devant elle. Elle sourit de nouveau à Luke.

– J'ai réfléchi à cet enfant que vous allez avoir…

Il lui sourit à son tour.

– Moi aussi.

– Et c'est charmant de te voir toi, surtout, si transporté par tout ceci. C'est si différent de ma génération, je dois dire, où, quels que soient les sentiments qu'un enfant inspirait à un homme, rien ne l'encourageait vraiment à le montrer.

Elle marqua un temps de silence. Luke attendit, toujours souriant.

– Je ne veux pas inquiéter Charlotte, reprit-elle, et nous savons tous qu'elle n'a pas l'esprit le plus porté qui soit sur les questions financières, mais… est-ce que ça va aller, côté sous ?

Il but encore un peu de café.

– On est un peu serrés, fit-il, et son regard quitta Marnie pour revenir se poser sur son mug. Mais ça ira.

Et il ajouta un mot, comme mû par une arrière-pensée :

– Merci.

– Bon, fit-elle, la tête légèrement penchée de côté, j'ai ma petite idée.

Il ne releva pas les yeux.

– Tout à votre avantage.

Il lui lança un rapide regard.

– Juste pour vous aider à franchir ce cap, juste un petit moment.

– C'est très…

– Non, fit Marnie.

Elle se pencha vers lui.

– Ce n'est pas gentil. C'est ce qu'on a toujours envie de faire pour ses enfants, comme vous le découvrirez par vous-mêmes. Le fait est, cher Luke, que Charlotte a toujours été assez protégée. Ses sœurs diraient « gâtée », mais c'est souvent ce qui arrive au petit bébé de la famille, surtout si ce bébé est aussi joli que Charlotte. Et, bien que je sache qu'en un sens, avec cet enfant, elle est aux anges, je sais qu'au fond d'elle-même, elle est aussi très nerveuse, et même un peu effrayée, et j'ai pensé que je pouvais contribuer à quelque chose, et vous aider, vous, en même temps. Alors tu vois, je voudrais vous offrir une aide à domicile, pour vous donner un coup de main, après la naissance de l'enfant, et rassurer Charlotte, qu'elle sache qu'elle sera une merveilleuse mère, ce dont nous sommes tous convaincus, et je crois que je vais engager cette personne pour six semaines, ou même deux mois, pour que vous ayez tous les deux l'occasion de vous remettre sur pied, parce que l'arrivée d'un enfant, ce n'est pas une mince affaire, croyez-moi, pas une mince affaire du tout. Mais… (Elle leva la main pour empêcher Luke de dire ce que, rien qu'à le voir s'agiter, il avait très envie de dire, elle le sentait bien.) Mais ce n'est pas tout. On ne peut pas loger de nounou, ici. On ne peut pas installer de bébé, en réalité, pas avec tout ce qu'il faut à un bébé, surtout de nos jours. Donc je vais vous aider. Je vais vous aider à vous payer un plus grand appartement, et avec un ascenseur, parce que vous verrez que vous ne pourrez pas supporter de monter tous ces étages sans ascenseur, et avec un bébé, en plus, donc je continuerai de vous aider jusqu'à ce que vous soyez tous les deux en mesure de vous débrouiller seuls. Je ne veux aucun remerciement, aucun argument. Je suis absolument ravie de faire ça pour toi et pour ma Charlotte.

Elle se tut et prit sa tasse de café, le but en souriant, dans l'attente optimiste du soulagement et de la gratitude qu'allait lui exprimer Luke. Il y eut un silence. Ce silence, c'était, supposait-elle, qu'il était un peu stupéfait de l'imagination et de l'ampleur de cette offre, mais ensuite ce silence se prolongea, se prolongea, et elle fut obligée de lever les yeux de son café pour découvrir la mine renfrognée de Luke, le nez dans sa tasse.

– Luke ?

Il eut un petit geste sec, comme s'il essayait de se rappeler lui-même à l'ordre.

– Qu'en dis-tu, mon chéri ?

Il regarda par la fenêtre. Puis il regarda le plafond. Puis il fixa le regard sur un point situé légèrement de côté par rapport à Marnie, et il lui répondit, non sans effort :

– Je regrette, mais… non.

– Non ! Que veux-tu dire ?

Il réussit à se tourner vers sa belle-mère et à la regarder.

– Je veux dire, Marnie, c'est vraiment gentil de votre part, mais nous nous débrouillerons.

– Luke, vous ne pouvez pas. Charlotte ne peut pas…

– Elle devra apprendre, décréta-t-il. Tout comme moi. Nous allons devoir apprendre, tous les deux. Comme nos amis qui ont eu des enfants. Comme tout le monde.

– Mais il n'y a pas assez d'espace ici…

– On s'arrangera.

– Mais, s'écria-t-elle, en haussant le ton, il y a l'escalier, toutes ces marches…

– Nous cherchons déjà un autre appartement, lui annonça-t-il.

– Alors laissez-moi vous aider !

– Non ! s'emporta-t-il.

Il y eut encore un silence, un silence plus marqué.

– Est-ce que tu viens de lever la voix sur moi ? lui demanda-t-elle d'un air digne.

– Ce n'était pas mon intention, s'excusa-t-il. C'est gentil à vous, mais nous ne pouvons pas accepter…

– Charlotte pourrait accepter…

– Vous n'en parlerez pas à Charlotte, lui répliqua-t-il fermement. Vous n'allez pas faire ça dans mon dos.

Il se pencha un peu plus vers elle.

– Vous ne ferez pas ça.

Marnie se tourna un peu pour regarder fixement par la fenêtre.

– Je ne comprends pas tes raisons…

– Ah non ?

– Non. Il me semble que tu te montres un peu obstiné. Une démonstration de fierté bien masculine. Je sais tout de la fierté masculine. J'ai vécu avec. J'ai vécu avec presque quarante ans. Tu ne veux pas accepter d'aide pour la mère de ton enfant parce que tu veux être le seul à subvenir aux besoins de ta famille.

– Je ne suis pas le même genre d'homme que le père de Charlotte, lui rétorqua-t-il, sur un ton plus tranchant.

Marnie ne répondit rien, toute raide et droite sur le canapé, le regard figé vers la fenêtre. Il continua.

– Je ne veux pas… je ne peux pas accepter votre offre, même avec tous les égards que je vous dois. Charlotte et moi, nous ne grandirons jamais, sauf si nous apprenons à grandir. Et nous ne pouvons pas vous être redevables. Nous avons autant le droit d'apprendre à être indépendants que vous l'avez eu. Franchement, Marnie, on ne peut pas se laisser traiter avec une telle condescendance.

Marnie ravala sa salive. Elle lui répliqua sur un ton pincé :

– J'ose espérer que tu penses à Charlotte.

Il se leva. Il avait très nettement l'air un peu inquiétant de quelqu'un qui met brusquement un terme à un entretien.

– C'est précisément parce que je pense à Charlotte que je refuse votre proposition, fit-il, en baissant les yeux sur sa belle-mère, là où elle était assise, dans le canapé.

Et puis il se rendit à la porte du palier, et la lui tint ouverte.

– Pourquoi ne m'as-tu rien dit ? fit Rachel.

Elle se tenait dans la cuisine, à peine rentrée du jardin, avec son jean aux genoux tout crottés, les cheveux maintenus par un mouchoir à pois qu'Anthony reconnut car il était à lui.

– J'allais le faire. J'en avais l'intention depuis le début. J'attendais juste d'avoir rassemblé mes esprits à ce sujet…

Rachel se rendit à l'évier, puis elle fourra brutalement la bouilloire sous le robinet, pour la remplir.

– Donc j'imagine qu'elle n'a pas demandé à me voir.

– Non, elle n'a pas demandé à te voir.

– Et les garçons ? fit-elle, en mettant avec fracas la bouilloire sur sa base avant de l'allumer. Comment étaient-ils, les garçons ?

– Charmants, fit-il. Délicieux. Ils avaient l'air d'aller bien.

Elle alla se poster près de l'évier, s'agrippa au rebord, et observa le jardin, par la fenêtre.

– Pourquoi est-elle venue, à ton avis ?

Il alla la rejoindre.

– Parce que, lui dit-il, elle n'est pas sans gratitude. Il posa la main sur elle. Ne fais pas une fixation sur le fait qu'elle n'ait pas demandé à te voir. Ne prends pas tout le temps les choses de manière si personnelle…

– Mais cela me blesse ! protesta-t-elle.

– Oui.

– Je suis… j'ai réellement de l'affection pour elle. J'ai de l'affection pour elle depuis des années…

– Tu l'aimes, conclut-il.

Elle hocha farouchement la tête. Elle retira sa main de sous la sienne et se la passa devant les yeux.

– Et je lui étais si reconnaissante, continua-t-elle. De s'être mise avec Ralph. Et d'avoir laissé Ralph être Ralph…

– Jusqu'à ce qu'il soit Ralph, en effet, mais un peu trop à son goût.

La bouilloire s'éteignit toute seule.

– Un thé ? fit-elle.

– S'il te plaît…

– Est-ce qu'elle va vivre avec cet homme ?

– Je ne sais pas. Elle m'a dit qu'il l'aidait juste à s'en sortir. Elle ne m'a pas laissé l'impression de quelqu'un qui serait amoureuse, mais je n'ai peut-être pas entendu cet aspect des choses parce que je n'avais pas envie de l'entendre.

Elle sortit deux mugs du placard au-dessus de la bouilloire.

– Qu'est-ce qu'a fait Ralph, au juste ? lui demanda-t-elle, plus calmement.

Il soupira.

– Ce qu'il fait toujours. Ce qui convient à Ralph. Il n'écoute pas. Il n'écoute jamais.

– Moi non plus, je n'écoute pas, fit Rachel. Cela vient de moi. Je ferais mieux de m'entendre, quelquefois.

Elle lâcha les sachets de thé dans les mugs.

– Elle n'a vraiment pas envie de me voir…

– Je crois que cela lui fait peur.

339

– De crainte que je n'aboie. J'aurais fort bien pu aboyer. J'aboie toujours, quand j'ai peur.

Il attendit un moment.

– Tu as peur ? demanda-t-il.

Elle versa l'eau chaude dans les mugs, et remua les sachets avec une cuiller.

– Eh oui, dit-elle avec légèreté.

– De… quoi, exactement ?

Elle fit sauter les sachets dans l'évier.

– De perdre mon utilité.

– Quoi ?

Rachel passa devant lui d'un pas vif, elle alla au frigo, d'où elle sortit une bouteille de lait en plastique. Elle versa le lait dans les mugs de thé, sans trop faire attention.

– À quoi je sers, maintenant, au juste ?

– Rachel !

– Écoute, dit-elle, sans le regarder. Écoute. Je me suis occupée d'une maison et d'un jardin. J'ai élevé trois garçons. Ils sont tous mariés. Ils ont fait trois enfants. Et il y en a un autre à venir. Et ils font exactement ce que j'ai fait, ce que je voulais faire, c'est-à-dire ce que j'avais commencé en arrivant ici et en t'épousant. C'est-à-dire vivre ma vie, fonder ma propre famille, me créer mon propre monde. Et tout cela, c'était mon monde. Et maintenant ça ne l'est plus…

Dans son atelier, cette après-midi, Anthony avait écouté une interview du Dalaï Lama. Le Dalaï Lama avait expliqué, à sa manière pleine de légèreté et de bienveillance, qu'à sa connaissance, la plupart des problèmes collectifs de la planète étaient créés par les hommes, et la plupart des problèmes familiaux par les femmes. Anthony se représentait le Dalaï Lama, avec ses lunettes et ses robes couleur ocre et marron, assis à la table de leur

340

cuisine, écoutant Rachel lui raconter comment sa vie s'était égarée, et il se demandait quelle version de la résignation bouddhiste aux vicissitudes de la vie humaine lui recommanderait le saint homme.

– Est-ce que tu m'écoutes ? lui dit-elle.

– Tout à fait…

– Cette maison immense, continua-t-elle, soixante ares de jardin. Toi et moi. Au moins, tu as encore ton atelier.

– Tu pourrais reprendre tes cours de cuisine.

– Je pourrais.

– Il y avait une petite boutique à laquelle tu avais songé, ce traiteur de Snape Maltings.

– Pas la période. Ce n'est pas le moment de se lancer dans quelque chose en partant de zéro. De toute manière…

– De toute manière ?

– Je n'ai pas le cœur à cela, lui avoua-t-elle. Je suis trop triste. Et trop sur les nerfs. Je dois m'habituer à être utile à des choses pour lesquelles personne n'a plus besoin de moi.

Elle le regarda.

– J'adore être une grand-mère.

– Je sais.

– Tout ça… me manque… me manque.

– Oui.

– Suppose qu'elle prenne les enfants, qu'elle les emmène vivre avec cet homme…

– Suppose, lui dit-il, qu'elle n'en fasse rien.

Il prit l'un des deux mugs de thé et l'emporta au fauteuil où il s'asseyait toujours, avec son coussin bleu à carreaux et un point de vue dégagé sur toute la pièce.

– Tu dis que tu as peur. Tu ne crois pas que Petra a peur, elle aussi ?

341

Elle soupira. Elle porta les mains à la tête et retira son grand mouchoir de tissu à pois.

– J'imagine que si…

Il but une gorgée de thé.

– Eh bien, voilà, fit-il.

Charlotte était enchantée que Sigrid lui ait téléphoné pour lui demander si elles pourraient déjeuner ensemble. Ou prendre un café, avait suggéré sa belle-sœur. Pour Charlotte, cela démontrait toute la sophistication que pouvait revêtir la relation entre belles-sœurs, lorsque le lien noué par deux frères qui se marient servait au bout du compte à créer un tel début de relation doué d'une vie propre.

– À déjeuner, si tu veux bien, lui avait répondu Charlotte. J'ai toujours tellement faim, en ce moment. C'est un tel soulagement de ne plus avoir de nausées. Je prends un petit déjeuner, un en-cas à onze heures, je déjeune, je me prépare un thé, et je dîne. Alors un déjeuner ce serait l'idéal.

Sigrid avait ri. Elle lui avait répondu que c'était vraiment agréable de voir quelqu'un vivre aussi sainement sa grossesse, puis elle lui avait suggéré qu'elles se retrouvent quelque part à mi-chemin entre leurs lieux de travail, et pourquoi pas le café situé au premier étage d'un institut d'architecture très distingué, sur Portland Place ?

Et Charlotte était donc là, un peu en avance pour une fois, en train d'étudier le menu avec grand intérêt, et se demandant si elle allait confier à Sigrid qu'elle était allée voir Petra, et lui avait offert son soutien. Tout bien réfléchi, elle pensait lui en parler, car après tout, même si Sigrid n'avait jamais commis le moindre faux pas en tant que belle-fille, elle aussi avait souffert de ne pas être la préférée, de ne pas avoir toujours obéi au doigt et à l'œil aux Brinkley. Elle ne connaissait pas très bien Sigrid, et elle était un peu intimidée par ce qui lui apparaissait chez elle comme une maturité et une cohérence impressionnantes, mais bon, c'était sa belle-sœur qui avait proposé ce déjeuner, ce qui devait traduire au moins un début d'envie de nouer un lien un peu sororal. Quand elle la vit monter le vaste escalier central menant au café, elle se leva, se sentant soudain un peu gênée, et elle resta là, debout, en attendant qu'elle la remarque.

– Tu as l'air magnifique, s'écria Sigrid. Cela te réussit vraiment d'être enceinte. Je pense que « florissante » serait le mot juste, non ?

– Je vais me transformer en baleine, lui annonça Charlotte. Et je dévore comme une baleine, en plus. Toi, c'était pareil ?

– Qu'est-ce...

– Est-ce que tu es devenue énorme ?

Sigrid retira sa veste et la suspendit sur le dossier de sa chaise.

– Je n'étais pas au mieux de ma forme, quand j'étais enceinte.

Charlotte attendit. D'instinct, elle s'abstint de réagir immédiatement.

– Ça m'a presque tuée, d'avoir Mariella, ajouta Sigrid sur un ton presque détaché, en prenant le menu.

– Oh, s'exclama Charlotte, horrifiée.

– Mais nous n'allons pas parler de ça.

– Non...

– C'était il y a neuf ans, elle est merveilleuse et Edward est un saint.

Elle leva les yeux vers son interlocutrice, et lui sourit.

– Et tu vas t'en sortir magnifiquement.

343

– Mon Dieu, fit Charlotte, j'espère. Je veux dire, ce n'était pas vraiment voulu, et quand ce n'est pas voulu, on a intérêt à réussir le truc encore plus correctement que si c'était voulu. Non ?

Sigrid éclata de rire.

– Commandons un bon plat bien copieux.

– Oui, s'il te plaît.

– Pâtes et salade ?

– Parfait.

Sigrid leva les yeux et, avec son menu, appela la serveuse d'un petit geste net et précis. Admirative, Charlotte la regarda commander. Elle paraissait tellement maîtriser la situation, tout comme elle donnait l'impression de maîtriser son apparence, avec ses cheveux longs et lisses, réunis en queue-de-cheval, son chemisier blanc qui n'avait aucunement tendance à s'échapper de la taille de sa jupe, sa main légèrement hâlée, avec son unique bague, au dessin moderne, et qui tenait le menu.

– Voilà, fit Sigrid, de quoi nourrir deux femmes adultes et presque un demi-bébé. Super.

Charlotte se beurra généreusement un morceau de pain, et lui raconta ce qu'elle ressentait, et ce qu'elle avait ressenti, à propos de ce bébé, et toutes ces nausées qu'elle avait eues, et à quel point Luke avait été merveilleux, et combien il avait pris au sérieux toute cette affaire de bébé et de paternité, et elle lui évoqua cet appartement vide au premier étage de leur immeuble, ils étaient allés le visiter, il leur avait vraiment plu, il était deux fois plus vaste, avec deux chambres, mais beaucoup plus cher, évidemment, et donc ils allaient devoir faire plein de calculs pour voir s'ils pouvaient vraiment se le permettre, parce que, très sincèrement, leur appartement actuel était presque déjà trop petit pour eux deux, même sans enfant.

Ensuite les pâtes et la salade arrivèrent, et elle demanda à Sigrid si elle avait passé un moment agréable en Suède, et Sigrid lui répondit que c'était délicieux de revoir ses parents, et Charlotte lui dit, justement, en parlant de parents, elle savait que Sigrid comprendrait ce qui l'avait poussée à faire ça, mais en réalité, sans rien dire à Edward ou à Luke à l'avance, elle était allée voir Petra, en douce, en fait, parce que ce devait être épouvantable d'être soudain rejetée par la famille, comme l'avait été Petra, et donc elle avait voulu lui apporter un certain soutien parce que, oh mon Dieu, elle en avait besoin, cet ange déchu, et tout.

— Et Rachel, ajouta-t-elle, en embrochant des feuilles de roquette à la pointe de sa fourchette déjà lestée de tagliatelles, elle peut se montrer tellement féroce. Je suis bien placée pour le savoir.

Elle lâcha un petit rire.

— Je veux dire, je ne suis pas certaine d'en être tout à fait sortie, et pourtant, c'était il y a une éternité.

Sigrid but une gorgée d'eau.

— À la naissance de Mariella, avec Rachel, c'était très compliqué, lui confia-t-elle.

Charlotte la dévisagea, et une autre fourchetée demeura en suspens.

— Ah oui ? fit-elle, impatiente.

— J'ai fait une méchante dépression. Vraiment méchante. Et je ne voulais pas qu'elle le sache. Je voulais que personne ne le sache. Et Rachel était très en colère.

Charlotte enfourna sa bouchée.

— Se mettre en colère, elle sait faire, dit-elle en mâchant.

Sigrid ne répondit pas. Elle resta le regard posé sur son assiette, sans manger.

Charlotte continua, sur un ton énergique :

– Aucune de nous ne sera jamais assez bien pour ses garçons chéris, hein ?

Sigrid releva les yeux.

– J'ai eu une conversation étrange avec ma mère, à Stockholm. Cela m'a fait réfléchir.

– Ah ? fit Charlotte.

Elle aurait aimé rester sur le sujet de Rachel, et l'alimenter un peu, mais il y avait quelque chose dans l'attitude de Sigrid qui l'en empêcha.

– À propos de quoi ? lui demanda-t-elle. Et elle prit une autre bouchée.

– Ces mères, fit Sigrid, nos mères.

– La mienne est un chou à la crème…

– Peut-être. Mais c'est aussi une personne. Ce sont toutes des personnes. Elles ont eu notre âge, dans le passé. Elles ont traversé un tas de choses que nous avons traversées.

Charlotte lâcha un petit rire étranglé.

– Eh bien, Rachel en a oublié une bonne partie…

– Ce n'est pas une sorcière, tu sais, lui répondit Sigrid, en détachant ses mots.

Charlotte cessa de manger.

– Elle ne m'apprécie pas, décréta-t-elle, et elle ne t'apprécie pas beaucoup…

– Oh, je pense que si, rectifia Sigrid, et si elle ne m'a pas appréciée dans le passé, elle m'apprécie, maintenant. Elle est comme elle est parce que personne ne s'est jamais opposé à elle, personne n'a jamais remis en cause sa position de seule femme au milieu d'un cercle d'hommes. Petra n'a certainement jamais remis cela en question. Mais maintenant elle doit apprendre quelque chose de nouveau, et elle doit apprendre à tenir sa langue, et ça, elle a du mal.

Charlotte posa sa fourchette.

– Ouah…

– Réfléchis un peu, continua Sigrid. Ralph est très compliqué, je pense que personne n'aurait pu réussir à l'élever autrement, mais malgré cela, c'est un bon père. Et les autres, nos maris, Rachel les a élevés pour nous, en en faisant des hommes bien. Elle a au moins réussi cela, tu sais.

Charlotte repoussa son assiette. Elle baissa les yeux, considéra la table, les miettes et les taches qu'elle y avait laissées.

– On ne peut pas se liguer contre elle, poursuivit sa belle-sœur. Elle est très isolée, désormais. Ma mère m'a appris qu'elle avait affronté sa propre solitude en travaillant. Elle est médecin. Rachel n'est pas médecin, elle n'a jamais vraiment travaillé, c'est une femme d'intérieur, et maintenant… eh bien, je ne sais pas ce qu'elle est. J'imagine qu'elle est terrorisée à l'idée de perdre ses petits-enfants.

– Mais…

– Je pense que c'est pour ça qu'elle est en colère, fit Sigrid. C'est une personne qui manque de tact, et maintenant, en plus, elle est en colère. Mais je ne crois pas qu'elle ne nous aide pas. Et je ne pense pas qu'elle veuille récupérer ses fils, même si nous les lui offrions. Je pense qu'elle doit apprendre de nouvelles manières d'être, et c'est aussi pour cela qu'elle est en colère contre elle-même.

Elle sourit à Charlotte.

– Pense un peu. Si Rachel était quelqu'un de mauvais, Luke ne le serait-il pas aussi ?

— Qu'est-ce que tu veux me dire, là, au juste ? lui demanda Charlotte.

— Oh, fit Sigrid, je ne veux rien te dire. Je me borne à te décrire ma manière de voir les choses, telles que je les vois en ce moment.

— Mais tu t'es montrée si charmante avec moi, l'autre jour, à l'appartement, à propos du bébé…

— Bien sûr, reconnut Sigrid, de la part de Rachel, c'était une agression que rien ne motivait, absolument rien. Rachel était dans son tort, tout le monde l'a bien vu. Je crois qu'elle s'en est aperçue, elle aussi, même si elle ne pouvait l'admettre. Mais après cette histoire de Petra, nous avons tous un peu bougé dans ce jeu de chaises musicales, nous avons tous plus ou moins changé de place. Et Rachel aussi.

Charlotte reprit sa fourchette, et rapprocha de nouveau son assiette. Elle ouvrit la bouche pour protester et réaffirmer la validité de ses propres griefs, mais elle s'aperçut qu'elle n'avait pas le cœur à cela. Elle enroula une dernière bouchée de tagliatelle autour de sa fourchette, puis elle observa un temps d'arrêt et regarda Sigrid.

— OK, fit-elle, sur un ton raisonnable qui la surprit elle-même. OK. J'ai saisi.

Chapitre 18

Steve Hadley n'était pas homme à céder à l'agitation. Toute sa vie, il avait enchaîné une activité après une autre, posément, en y consacrant toutes les heures qu'il ne passait pas à dormir, en cumulant ainsi toutes sortes de tâches pratiques, sans se presser, au point d'en être devenu presque incapable de penser à moins que ses mains ne soient occupées à quelque chose. Sa mère, il le savait, dirait que c'était un trait de caractère hérité. Son père était incapable de réfléchir, ou de mener une conversation un tant soit peu cohérente sans être physiquement occupé à autre chose. Steve se souvenait des tentatives hésitantes de son père pour lui parler de la manière dont les enfants viennent au monde, alors qu'ils étaient tous les deux couchés sous la vieille Alvis montée sur cric que son papa était en train de restaurer, jusqu'à ce que le fils puise en lui le courage d'admettre, en tendant une clef à son père, qu'il savait déjà tout du sujet.

Il ne lui avait pas dit non plus qu'il avait aussi essayé, à treize ans, avec une fille de quinze ans, qui était en terminale et qui était, selon le point de vue, soit très généreuse, soit un peu une garce. Et même s'il n'avait alors pas réellement fait la chose, il avait eu un aperçu certes très frustrant de l'immense excitation et de l'intense satisfaction que cela lui procurerait quand il oserait et, trois ans plus tard, il avait osé, et il ne l'avait jamais regretté. Il avait eu d'innombrables et brèves aventures, et une liaison plus stable (c'était elle qui y avait mis fin, quand elle était entrée à l'université, en Écosse) et, dans tous les cas, il avait su satisfaire l'autre sur le plan sexuel, à sa manière peu démonstrative, constante, sans rien de remarquable. C'était dans sa nature. À son avis, le sexe était une chose agréable, alors pourquoi ne pas apprendre à le faire convenablement ? Il n'était pas beau à regarder, ça, non, mais cela ne l'empêchait pas d'être un client attirant, en tant qu'amant. Et il y avait veillé, sciemment.

Sauf qu'en ce moment, son indiscutable compétence ne lui était apparemment d'aucune utilité. Petra l'appréciait, manifestement ; elle appréciait sa compagnie, elle n'avait rien tenté pour le décourager, mais ce n'était pas tant qu'elle refusait de coucher avec lui, mais plutôt qu'elle paraissait ne pas avoir la chose en tête du tout. De son point de vue à lui, le sexe était une évolution naturelle, après que vous avez appris à découvrir quelqu'un et que vous finissez par avoir la certitude, au bout d'un ou deux baisers, que vous plaisez aussi à la personne, mais Petra, qui apparemment était tout à fait contente de se faire embrasser, et qu'on la touche ici ou là sans ambiguïté quand ils se frôlaient ou quand ils étaient assis l'un à côté de l'autre dans la voiture de Steve, semblait en un sens s'évaporer lorsque les gestes de Steve commençaient à orienter les choses vers une autre dimension. Il aurait dû simplement lui poser la question, supposait-il, mais ce style de conversation ne lui venait pas facilement, et il attendait encore le moment où il lui semblerait naturel de lui dire, expressément, mais enfin, à quoi est-ce que tu joues, là ?

D'ailleurs, il s'était demandé, en se livrant avec son sérieux habituel à ses missions de réparation et de rénovation sur le territoire de la réserve naturelle, pourquoi il continuait avec Petra. Elle n'était pas la première jeune maman avec laquelle il avait une liaison, et elle n'était pas la plus jolie, ou la plus vivante, ou la fille la plus séduisante (à force de se faire désirer) qu'il ait jamais poursuivie de ses assiduités, mais elle avait quelque chose qui résonnait en lui, ce profond engouement pour la mer, le littoral et la vie des oiseaux, le tout équivalant presque à une religion qu'ils partageaient – et il était même parfois surpris de le percevoir comme tel. Et puis elle sortait de l'ordinaire, et il révérait son talent artistique à un degré qui allait même au-delà de l'admiration, cette aptitude qu'elle possédait, en même pas une dizaine de coups de crayon, de lui donner l'impression de regarder non pas un dessin, mais un oiseau vivant, et qui suscitait en lui un respect proche de la déférence. Et puis il aimait bien ses enfants. De toute façon, il aimait bien les petits, mais ces deux-là étaient particulièrement formidables, surtout l'aîné, avec son imagination et ses peurs. Steve, lui, éprouvait peu de peurs, et cela l'intriguait qu'un petit être de trois ans seulement ait quelque part dans son cerveau la capacité d'en entretenir autant. En somme, il y avait véritablement quelque chose chez Petra qui ne l'invitait guère à renoncer et à tourner plutôt son attention vers l'une des filles qui travaillaient à la cafétéria de la réserve, et qui lui avaient manifesté, de manière on ne pouvait plus évidente, qu'avec elles, il obtiendrait à peu près tout ce qu'il voulait.

Et puis la situation conjugale de Petra lui inspirait

gaieté et confiance. Il y avait bien son mari quelque part en arrière-plan, mais Steve avait toujours vu Petra seule, et puis ce mari, elle ne le mentionnait presque jamais, lui ayant juste dit, une fois, qu'il était parti à Londres, et sur un ton qui laissait entendre qu'il était parti pour de bon, ou en tout cas pour un bon moment, et pas juste pour quelques jours. Il avait aussi acquis la très nette impression que Petra et le père de ses garçons venaient de milieux très différents, et bien que ce ne soit en aucun cas un handicap, cela signifiait qu'ils ne pouvaient fonder leur relation sur des perceptions communes. Petra lui faisait l'effet d'être plus ou moins orpheline, privée de la présence d'une famille proche, en Angleterre, une famille qui, de toute manière, ne lui offrait déjà aucune cohésion et aucun soutien quand elle était présente. Petra avait appris à se débrouiller toute seule alors qu'elle était encore à l'école, et cette situation inspirait à Steve une attitude protectrice d'autant plus prononcée qu'elle ne lui était pas familière. Être abandonnée par votre propre famille, puis par votre mari, sans du tout s'en ressentir, apparemment, cela lui semblait constituer la preuve d'un caractère remarquable. La préoccupation actuelle de Steve, c'était juste de trouver le moyen d'attirer vers sa propre personne l'attention de cet être au caractère si remarquable, et qu'elle le considère comme susceptible de lui offrir une réponse à toutes ses interrogations.

Et puis une opportunité s'était présentée, à son travail. Une partie des bulletins internes diffusés par e-mail au sein de l'institution vous informaient de tous les postes vacants. C'était par ce canal qu'il avait déniché son emploi actuel. Il les parcourait régulièrement, ces bulletins, un peu à la manière de quelqu'un qui serait parfaitement satisfait de son domicile mais ne pourrait s'empêcher quand même de jeter un œil aux annonces de ventes de biens immobiliers. L'une de ces vacances de poste attira son regard, un emploi dans une île au large de la côte nord-ouest de l'Écosse, une île réputée dans le monde de l'ornithologie pour ses râles des genêts. Ce poste requérait un certain nombre de compétences pratiques, notamment quelques connaissances en matière de protection des oiseaux, et les termes du contrat incluaient un cottage de fonction à la pointe sud de l'île. Sur l'île proprement dite, il n'y avait qu'une petite communauté, mais sur l'île jumelle, reliée par une simple chaussée surélevée régulièrement recouverte par les marées, il y avait une école. Il n'était pas homme à se laisser bercer par on ne savait trop quelle fantasmagorie romantique, mais cette possibilité lui semblait tout à coup susceptible de lui apporter une solution à un problème à la fois intrigant et contrariant – que fallait-il faire avec Petra ?

Il referma son ordinateur portable et changea de position pour regarder par la fenêtre de son salon. C'était le crépuscule, et de vastes étendues de galets, ponctuées des petites coupoles des crambes, brillaient vaguement dans la lumière déclinante. Steve n'était encore jamais allé en Écosse, et encore moins dans les West Highlands, mais là, debout, contemplant la mer du Nord, au-delà de la plage, qui allait s'assombrissant, il fit naître dans son esprit une image plausible de cet endroit, une image digne d'un calendrier, et ce n'était que collines et cours d'eau, et longues plages blanches semées de cauris. Il se pourrait que cette île soit la réponse.

Jed était seul dans le studio. Luke était sorti acheter un nouvel accessoire pour l'appareil photo numérique qu'ils partageaient, et Jed bricolait négligemment avec un truc sur lequel ils avaient travaillé tous les deux dans la journée, quand la clef avait tourné dans la serrure.

– Tu as fait vite, dit-il.

Mais ce fut Charlotte qui lui répondit.

– C'est Charlotte.

Jed se leva de son siège en sursaut.

– Salut, jeune dame enceinte. Je ne t'attendais pas !

– Non, dit-elle, je ne m'attendais pas non plus, d'ailleurs. Mais je voulais voir Luke pour quelque chose.

Jed fourra les poings dans ses poches.

– Il est sorti chercher un machin.

Elle regarda la pièce autour d'elle, le regard vague, comme si Luke avait réellement pu être encore présent dans la pièce.

– Peu importe. Il sera long ?

– Je ne pense pas, fit Jed. Tu veux un café ?

– Je n'en bois pas…

– La caféine retarderait la croissance ?

– Je ne veux courir aucun risque, lui expliqua-t-elle. Et Luke…

– Ne me parle pas de Luke, lui dit-il. L'imminence de la paternité a carrément transformé Luke en vieille femme. En parlant de vieilles femmes – je veux dire, pas juste vieilles, mais carrément des ancêtres –, je me suis comporté comme un complet connard, l'autre jour, avec la tienne.

Charlotte dénouait son long foulard en lin de son cou.

– Qui ça, la mienne ?

– Ta mère.

Elle cessa de dénouer son foulard et dévisagea Jed.

– Ma mère ? Mais enfin qu'est-ce que…

– Elle est venue ici, lui lança-t-il avec désinvolture. Pour voir Luke. Et moi… je ne l'ai pas… continua-t-il, en détachant ses mots, pour mieux enfoncer le clou. Je ne l'ai pas reconnue. À votre mariage, j'étais juste là en invité, je n'étais qu'un figurant, hein, alors est-ce que j'ai reconnu la mère de la mariée quand elle s'est pointée sous mon nez ? Non. Non, pas du tout.

– Pourquoi voulait-elle voir Luke ? s'étonna-t-elle.

– Tu veux tout savoir. Je me sentais trop idiot pour m'en préoccuper. Elle a été très cool, là-dessus.

Charlotte se remit à dénouer son foulard.

– Ils se sont vraiment parlé ?

– Qui ?

– Maman et Luke.

– Ils sont montés à votre appartement, lui expliqua-t-il. Toutes ces marches. Ils sont restés quasi une heure.

Il se pencha un peu en avant, le cou tendu, et sonda Charlotte du regard.

– Luke te l'a pas dit ?

– Pourquoi tu ne m'as rien dit ? s'enquit-elle plus tard.

Elle découpait des tomates, emmitouflée dans l'immense peignoir de Luke, après une bonne douche.

– Tu n'étais pas censée être au courant. J'ai oublié de demander à cette grande gueule de Jed de la boucler…

– Pourquoi je n'étais pas censée être au courant ?

Il s'appuya contre le montant de la porte de la cuisine. Il croisa les bras, et regarda par terre.

– Parce que j'ai dit non.

Elle s'arrêta de découper ses tomates.

– Non à quoi ? lui demanda-t-elle.

Il lui répondit d'une voix égale, sans relever les yeux du sol.

– À une idée – une proposition – que ta mère m'a faite.

Elle posa son couteau. Elle se passa les mains sous le robinet, et les sécha sur le devant du peignoir. Ensuite, elle vint se planter droit devant lui, presque à le toucher.

– Quelle proposition ?

Il releva lentement la tête.

– Peu importe, maintenant. C'est terminé. Cela partait d'un bon sentiment, mais ça n'aurait pas marché. Et cela n'a plus d'importance.

– Si, ça en a une ! s'écria-t-elle sèchement.

– Je ne veux pas en faire toute une histoire…

– On ne va en faire toute une histoire, s'écria-t-elle, que si tu refuses de m'en parler ! Je vais aller téléphoner à ma mère, et je suppose que tu lui as fait jurer de garder le silence ?

Il tendit la main et attrapa Charlotte par le poignet.

– OK, OK. Mais ne me crie pas dessus…

– J'aurais une bonne raison ?

– Oui, admit-il.

Il se retourna, sans lui lâcher le poignet, et il l'attira vers le canapé.

– Assieds-toi.

Elle s'assit. Il s'installa à côté d'elle, et lui lâcha le poignet afin de prendre ses deux mains dans les siennes.

– Tu vas m'écouter jusqu'au bout ? lui demanda-t-il.

– Oui.

– Vraiment jusqu'à la fin, pour que je puisse t'expliquer pourquoi j'ai répondu ce que j'ai répondu à ta mère ?

– D'accord.

– Regarde-moi, alors. Ne cesse pas de me regarder.

– Je te regarde.

– Ta mère, fit-il, avait imaginé un projet. Elle voulait te faire la surprise. Son projet consistait à s'organiser pour payer une nounou ou je ne sais qui pendant six semaines après la naissance de l'enfant, et de payer aussi la différence de loyer entre cet endroit et un autre logement plus grand, parce qu'elle estime que cet appartement est trop petit pour deux personnes, sans parler de trois, et elle pense que nous n'arriverons jamais à supporter ces escaliers. Et je lui ai répondu... enfin, je l'ai remerciée, bien sûr... mais j'ai refusé.

Elle ouvrit la bouche. Il lui retira une main, qu'il leva dans un geste destiné à lui intimer le silence.

— Une minute, bébé. Une minute. J'ai refusé parce que je ne veux pas d'aide. Je ne veux pas être traité comme une espèce d'individu à moitié adulte qui serait incapable de se débrouiller, maintenant que sa femme est enceinte. J'ai aussi refusé parce que nous devons nous conduire en adultes, par rapport à tout ça, c'est notre enfant, notre mariage, il faut qu'on réussisse à tout faire sans geindre et appeler à l'aide chaque fois que les choses se corsent un petit peu. J'ai refusé parce qu'on ne peut pas être ainsi redevable envers ta mère, et parce qu'il faut qu'elle comprenne que tu es à moi maintenant, pas à elle, et tu dois le comprendre, toi aussi, surtout avec un bébé qui va arriver. Et j'ai refusé parce que...

— Arrête.

— Tu m'as dit que tu ne...

— J'en ai entendu assez.

— Eh bien, pense à ce que j'ai dit, pense à ce que ça signifie – si nous continuons d'être dépendants, si nous laissons nos parents...

— J'ai déjà réfléchi, fit-elle.

Luke lâcha un imperceptible gémissement. Il retira les mains de celles de Charlotte, et se masqua brièvement les yeux.

— OK, alors, fit-il, avec lassitude.

– J'ai réfléchi, répéta-t-elle. Et même si j'imagine que maman a dû se sentir assez blessée après s'être montrée aussi généreuse, je pense que tu as eu raison.

– Tu penses quoi ?

Elle réarrangea la ceinture de son peignoir. Puis elle sourit à Luke.

– Tu m'as entendue. J'ai dit… je pense que tu as eu raison.

Pour Ralph, les deux premières semaines de travail avaient été très franchement irréelles. Se réveiller dans sa chambre étrange et impersonnelle, au plus tard à six heures du matin, c'était en soi déjà assez nouveau, mais d'être à son bureau, une heure plus tard, douché, rasé, habillé, muni d'un café à emporter et d'un muffin, c'était quasiment la matière d'un film ou d'une saga comme *Le Seigneur des anneaux*. Sept heures, c'était l'horaire où les entreprises publiaient les annonces servant de base aux analyses qu'il devait formuler pour ses clients, et si, dans le passé, sept heures du matin avait correspondu à la première minute où il prenait conscience, bien à contrecœur, de ce que Kit et Barney étaient subitement et complètement réveillés, cet horaire était désormais synonyme d'un établissement bancaire plus ou moins plein d'employés, tous à leur bureau, tous concentrés sur leur première décharge d'adrénaline de la journée. Les trois premiers jours, à l'heure du déjeuner, il était tellement crevé qu'il s'était demandé comment ils y arrivaient, tous autant qu'ils étaient, à foncer plein pot jusqu'en fin de journée, mais à ce moment-là, il se sentait rattrapé par une espèce de force d'accélération collective et contagieuse, qui le portait comme s'il chevauchait une vague géante.

Ensuite, cette vague le laissait retomber avec un

bruit sourd. Il avait prévu toutes sortes de manières excitantes de passer ses soirées, qui lui échappaient un peu, mais en réalité, il se sentait à la fois trop à cran et trop fatigué pour réussir à se concentrer sur quoi que ce soit d'attrayant. Il voyait bien pourquoi ses collègues buvaient, et parlaient de leur dealer de drogue avec une telle nonchalance savamment calculée. C'était bien simple, il était si difficile de se gérer soi-même, une fois que l'on avait coupé la motrice du parcours de montagnes russes de la journée. Il s'était endormi, au cinéma, et à la table de la cuisine, chez Sigrid et Edward, il avait trop bu, avec des collègues de travail et avec Luke, il s'était acheté des billets pour des spectacles où il n'avait jamais pu se rendre, et notamment un match de football à l'Emirates Stadium qu'il avait loupé parce qu'à l'heure du coup d'envoi, il travaillait encore, et, en plus du café, des muffins et de l'alcool, il avait survécu à coups de plats tout prêts servis dans des barquettes en plastique enfournées dans le micro-ondes de la petite cuisine malcommode de l'appartement, qu'il mangeait ensuite à la fourchette, ou même à la cuiller, allongé sur son lit avec ses souliers aux pieds et la télé allumée.

Et puis il y avait Petra. Il avait dit à Kit, et Petra avait pu l'entendre, qu'il téléphonerait tous les soirs à six heures. Il appellerait même le week-end, puisqu'il ne pouvait clairement pas rentrer à la maison, du fait de l'obstination et du comportement de Petra. Il avait dit à Kit, propos assez déplacés, qu'il ne savait pas désormais où il serait, le week-end, mais qu'il téléphonerait, où qu'il soit, tous les soirs, à six heures. Certains soirs, il appelait en effet, à six heures, mais tous les soirs ou presque, avec tout ce qui se passait à son bureau, il n'appelait qu'à la demie, ou presque à sept heures, et là, Kit était grincheux de fatigue, il pleurait à l'autre bout du fil, il demandait où était son papa, où était son papa, et pourquoi il n'était pas à la maison de Kit ? Après ces appels, Ralph était malheureux comme jamais, mais, en raison de l'extrême étrangeté des journées si prenantes qu'il vivait, il était incapable d'attiser contre Petra la flamme pure de la colère et du ressentiment qu'il sentait encore brûler en lui avant de quitter Aldeburgh. Cette fureur lui manquait : elle avait rendu tout si simple et si net, presque propre. Dans ce chaudron chauffé à blanc de la colère, il lui avait semblé qu'il s'appliquerait à ce travail motivant, mais foncièrement peu engageant, avec une énergie féroce attisée par son objectif principal, celui de récupérer la garde et la maîtrise de ses enfants, qu'il soutiendrait et conduirait ensuite vers un avenir certes encore indéfini, mais aussi convenable et structuré que possible. Il s'était parfois senti pris d'un véritable zèle de croisé, comme s'il délivrait véritablement Kit et Barney de l'obscurité et du désordre.

Pourtant, la réalité n'était pas si tranchée. La réalité, c'était que travailler de la sorte – si c'était vraiment ainsi qu'il fallait travailler, rien que pour gagner des sommes tangibles – cela vous désorientait trop, cela vous coupait d'un monde où l'on tentait simplement de rester en vie à la fin de la journée, et c'était en même temps trop prenant, et tellement déconcertant, pour réussir en plus à s'imaginer comment intégrer là-dedans la responsabilité de deux tout petits garçons, l'un des deux étant encore à peine capable de marcher. Il se dit qu'il n'était plus en colère contre Petra, mais simplement troublé par sa colère. Il finirait par prendre le pli de sa nouvelle vie, il en était sûr, et, quand Kit répondrait au téléphone, chez Petra, comme il le faisait toujours – « Papa ? disait-il. Papa, papa, papa » –, Ralph demanderait à parler à Petra, et il l'avertirait qu'elle avait encore amplement de quoi le redouter, et que les horaires ou les engagements de sa nouvelle vie n'avaient pas du tout radouci ses intentions, en aucun cas.

Et, non sans férocité, il se dit qu'à part cela, il n'avait aucune envie de parler à Petra. Il s'estimait heureux d'exister, loin de la rêveuse confusion de la vie de cette femme, avec sa manie de s'arrêter en plein milieu de la préparation d'un plat pour dessiner une girafe à Kit (« Elles arrivent à manger les étoiles ? »), et de ne pas reprendre ses préparatifs culinaires parce qu'elle avait envie d'aller traîner à son jardin familial ou à la plage. Il était soulagé d'évoluer dans un monde de vêtements impeccables et conventionnels, de cheveux coupés court et de technologie omniprésente. Rien ne lui manquait, rien de sa vie à Aldeburgh, sauf ses enfants, et il allait prouver à tout le monde – famille, collègues, amis – qu'il n'avait pas perdu un iota de la sûreté de main qui en avait poussé plus d'un à l'implorer de rester à Singapour.

Edward referma la porte sur Mariella, après leur petite conversation de bonne nuit. Elle lui avait dit qu'elle ne voulait pas qu'on lui lise d'histoire, elle voulait juste que son père lui parle. Edward était ravi de lui parler, mais il avait découvert que ce qu'elle voulait, en réalité, c'était lui parler, elle. Elle tenait à lui raconter la Suède – charmant endroit, à part ces petits poissons gris et tout tortillés que l'on vous servait tout le temps, dans un vinaigre huileux, beurk –, et l'effet que ça lui faisait de retourner à l'école, et elle désirait savoir si Indira et elle seraient toujours les meilleures, meilleures amies, et maintenant qu'elle était forcée d'abandonner l'idée d'avoir un chien, et sans doute aussi celle d'avoir un enfant, est-ce qu'elle aurait le droit de prendre des cours de claquettes ou d'aller dans un club de théâtre, ou alors d'avoir un hamster. Ou un lapin.

Edward était assis au bord de son lit et il la regardait. Tout en parlant, elle jouait avec l'ingénieux casse-tête que son grand-père suédois lui avait fabriqué, de sorte qu'il pouvait l'observer sans interruption, et songer quelle source de bonheur extraordinaire elle avait été pour lui depuis qu'elle était rentrée à la maison, et comme il avait été à la fois douloureux et flatteur de l'entendre dire qu'en Suède, cela aurait été beaucoup mieux s'il avait été là, et de penser aussi au besoin pathétique qu'il avait de son opinion favorable. Quand elle lui avait dit qu'il pouvait y aller maintenant, parce qu'il fallait qu'elle réfléchisse à ses priorités – hamster-lapin-claquettes –, il s'était penché sur elle pour l'embrasser, et elle avait lâché le casse-tête, refermé les bras autour de son cou et l'avait attiré à elle jusqu'à ce que sa joue soit tout contre la sienne. Elle l'avait ainsi retenu contre elle un petit moment, puis elle lui avait confié qu'en fait sa joue piquait un peu, elle l'avait libéré brusquement, il était sorti de sa chambre en riant, et il avait refermé la porte sur elle, de nouveau concentrée sur son casse-tête.

Sigrid regardait les infos à la télévision, les pieds posés sur la table basse, devant le canapé. Elle attrapa la télécommande, et monta le volume.

– Tu as entendu le téléphone ? dit-elle.
– Non, fit Edward.
– C'était ta mère…
– Oh mon Dieu. Qu'est-ce qui s'est passé, encore…
– Rien, fit-elle.

– Ça, je n'arrive pas à y croire…

Elle tapota le coussin du canapé à côté d'elle.

– Assieds-toi. Je pense… que c'est pour ça qu'elle a appelé.

Il s'assit.

– Donc… donc tu te sentais de lui parler, cette fois ?

– Oui, dit-elle. Nous nous sommes parlé une dizaine de minutes. Je crois qu'elle est très triste.

– Au sujet de Petra ?

– Enfin, oui. Mais en réalité, c'est parce qu'elle se sent maintenant déconnectée de tout le monde. Nous sommes six, et de nous tous, il n'en reste qu'une dans le Suffolk, et ils ne se parlent même plus. Elle paraissait… enfin, elle paraissait perdue.

Il lui lança un regard.

– Tu as l'air presque… désolée pour elle.

– Je le suis, admit-elle.

Edward attendit un moment, puis il prit la main de Sigrid.

– Puis-je… lui dit-il, hésitant, puis-je te demander ce qui a provoqué tout ça ?

Elle ne retira pas sa main.

– Elle ne travaille pas, lui dit-elle. Elle n'a jamais travaillé, pas vraiment. Ma mère m'a dit que lorsque ses deux enfants ont quitté la Suède, c'est son travail qui l'a sauvée. Elle ne l'a pas tout à fait formulé en ces termes, mais c'était le sens de son propos. Depuis que je suis rentrée, j'ai réfléchi à ce qu'elle m'a confié.

Il ne réagit pas. Il entrelaça ses doigts avec les siens, et serra sa main dans la sienne.

– Ma mère m'a aussi dit, un peu plus tard, qu'elle avait beau savoir que les enfants nous sont prêtés et qu'ils ne nous appartiennent pas, elle avait tout de même du mal à les laisser partir. Elle m'a prévenue que nous le découvririons aussi avec Mariella, et que nous devions nous assurer d'avoir un métier intéressant et... et qu'il existe assez de choses entre nous, une relation suffisante, que nous n'ayons pas à supplier Mariella qu'elle veuille bien nous réserver le temps et l'attention qu'elle devra plutôt consacrer à sa propre existence. Elle m'a dit...

Sigrid s'interrompit.

Elle ne retira pas sa main à Edward, mais se masqua brièvement les yeux avec l'autre, qui était libre. Après quoi, elle ajouta encore ceci, pas très sûre d'elle :

– Ma mère m'a dit que tu étais un type bien.

Il émit un petit bruit de gorge, qui trahissait une forme d'autodénigrement. En un sens, c'était merveilleux quand Sigrid était dans l'une de ses humeurs scandinaves pleines de gravité, presque mélancoliques, mais il n'était pas commode de savoir comment y répondre sans avoir l'air trop ridicule, trop théâtral, aussi il resta assis là, à côté d'elle, en lui tenant la main et se sentant à la fois ravi et stupide, et puis subitement elle se renversa sur le côté, et l'embrassa à pleine bouche, et lui dit avec ferveur :

– Et tu es un type bien.

Petra était assise par terre, près du lit de Kit, les genoux contre la poitrine, les mains croisées autour des cuisses. Kit s'était endormi, affalé sur son oreiller, les bras au-dessus de la tête. À l'autre bout de la pièce, la scrutant à travers les barreaux de son berceau à l'ancienne, immense et lourd, où Ralph et ses frères avaient dormi jadis, Barney était couché sur le flanc, sans bouger, les yeux ronds à force de faire des efforts pour les garder ouverts.

Les deux garçons avaient été très calmes à l'heure

du bain, ils avaient docilement joué dans l'eau sans se battre ou s'éclabousser, et n'avaient fait ensuite aucun caprice quand c'était l'heure de sortir, Barney s'allongeant même paisiblement sur le tapis de bain pendant que Petra lui changeait la couche, sans se tortiller et se retourner pour se mettre à quatre pattes, détaler en rampant à toute vitesse vers la porte et le bout du palier. Et quand Ralph avait téléphoné, très près de six heures pour une fois, Kit n'avait pas pleuré, il n'avait pas crié pour que son père rentre à la maison, mais il était resté simplement assis là, en tenant le téléphone de Petra contre son oreille et en hochant la tête, mais sans rien dire, et sans répondre.

Elle espérait qu'ils ne les avaient pas effrayés, Steve et elle, lorsqu'ils s'étaient disputés. Cela n'avait rien eu à voir avec le genre de dispute qu'elle avait avec Ralph, quand Ralph hurlait, ou quand il se ruait hors de la maison en claquant les portes, mais l'atmosphère avait été assez tendue pour qu'un tempérament comme Kit s'en imprègne et réagisse, et pour que cette réaction se transmette à Barney, qui refusait de se laisser distraire, même par un croque-monsieur, et qui se tortillait tout contre les genoux de sa mère, en scrutant son visage de ses yeux immenses, écarquillés, pleins de détresse. Il la dévisageait encore, en cet instant, comme s'il craignait qu'en fermant les yeux elle risque de ne plus être là quand il les rouvrirait, comme c'était arrivé avec Ralph.

Elle était atterrée de sa manière d'être. Pourquoi n'avait-elle pas saisi, depuis toutes ces semaines somnolentes et brumeuses où elle avait évité de se confronter à l'inévitable, qu'elle avait pu créer de l'anxiété chez ses enfants – et en elle-même – au passage ? Pourquoi n'y avait-elle pas pensé ? Pourquoi n'avait-elle pas vu venir la proposition de Steve ? Pourquoi n'avait-elle pas rompu avec son mode de pensée si obtus, juste le temps de s'apercevoir que, quoi qu'il arrive, ce qui était en jeu, ce n'était pas seulement ce qu'elle ressentait en ce moment, en ces circonstances précises, mais aussi autre chose de bien plus vaste, et l'avenir, et on ne pouvait pas se contenter de revenir en arrière, en terrain connu, comme Barney quand il suçait son pouce, car vous aviez beau revenir en arrière, rien n'était plus pareil, vous n'étiez plus la même. Et ce qui l'avait frappée, cette après-midi, assise sur cette plage de galets venteuse pendant que Steve lui exposait ses projets, et lui faisait part de ses envies, et lui racontait qu'ils pourraient se lancer, essayer, vraiment, si seulement elle voulait bien cesser de tergiverser, c'était que, dans son cœur et dans son esprit, elle n'en était plus au stade où elle pouvait tout simplement s'exclamer : « Oh ouah, super idée, allons-y et on fera des conserves de râle des genêts dans une île. »

Elle n'en était désormais plus capable. Saisie maintenant d'une sorte d'horreur face à son périlleux somnambulisme de ces dernières semaines, elle s'était demandé si, en fait, elle en avait jamais été capable. Elle avait pris une profonde inspiration et retenu l'air dans ses poumons, pour combattre la panique qui montait en elle.

Ensuite, en respirant toujours à peine, et pour se donner le temps de se calmer, elle l'avait laissé parler. Elle l'avait laissé lui décrire ce nouvel emploi, cette nouvelle idée, elle l'avait laissé continuer sur sa lancée, avec son débit régulier, sans précipitation aucune, aborder ce qu'ils avaient en commun, ce qu'il ressentait envers ses petits garçons, et elle avait regardé autour d'elle, ces grandes étendues de galets mordorés, et la mer qui enflait paisiblement à perte de vue, et elle avait attendu de ressentir ce qu'elle avait toujours ressenti là-bas, ce sentiment d'appartenance, ce sentiment rassurant, celui d'un retour au foyer. Elle observait, elle observait – et rien ne venait. Et puis son regard s'était déplacé pour venir se poser sur ses deux garçons, Kit escaladant une petite éminence en surplomb de la mer, Barney assis dans une cuvette qu'il avait creusée en jetant des pierres à une distance minuscule, avec ses gestes enthousiastes et saccadés, et elle ne voyait pas quoi faire d'autre pour réussir à rester immobile, écouter Steve, et se retenir de partir en courant pour attraper ses enfants et s'en aller d'ici, avec eux, en titubant, loin de la perspective alarmante d'une nouvelle vie où l'on voulait qu'elle s'embarque, en un lieu inconnu, avec quelqu'un, elle s'en rendait compte, qu'elle connaissait à peine en réalité.

Elle avait respiré plusieurs fois profondément, en y mettant toute sa volonté. Ensuite elle lui avait répondu, cette fois en y mettant toute l'emphase possible.

– Je suis mariée.

Il lui avait lancé un regard.

– Depuis quand ça t'empêche de me voir ?

Elle avait baissé les yeux.

– Tu as été très bien, vis-à-vis de moi, lui avait-elle dit. Vraiment bien. Je n'aurais pas dû…

– Tu n'aurais pas dû quoi ?

– Je n'aurais pas dû te laisser faire. Je n'aurais pas dû te laisser me faire autant de bien. J'aurais dû te dire.

– Me dire quoi ?

Petra avait pris un galet. Elle ne pouvait pas lui dire qu'elle avait fait le guet, depuis le début, dans l'espoir que Ralph se tourne à nouveau dans sa direction, qu'elle aurait donné n'importe quoi, n'importe quoi pour entendre le craquement de ses pas s'approchant derrière elle, et pour se retourner et découvrir que c'était Ralph qui venait les chercher tous les trois, et les raccompagner à la maison. Aussi, à la place, elle lui avait avoué, en rassemblant son courage :

– J'aurais dû te dire que je ne le quitterais pas.

– J'aurais cru qu'il te quitterait.

– C'est différent, lui avait-elle répondu. Ralph, c'est différent. Il fait les choses différemment. Il a mauvais caractère.

Steve avait regardé la mer.

– Tu as de la chance. Moi, non.

– J'ai de la chance.

Elle l'avait regardé.

– Je n'ai pas joué avec toi.

– D'accord, avait-il fait.

Il s'était levé. Il avait appelé les garçons.

– Le goûter !

Un peu prise dans une brume, Petra avait songé que c'était cela, qu'elle avait survécu à la déflagration de la bombe qui avait éclaté sous ses pieds, et qu'il n'y aurait pas de répercussions. Mais une fois qu'ils étaient rentrés dans la cuisine de Steve, et qu'elle eut fini de calmer les garçons, et qu'elle leur eut donné leur croque-monsieur, Steve s'en était pris à Petra.

Il n'avait pas élevé la voix. Il n'avait pas beuglé, pas hurlé, il n'avait rien claqué dans la cuisine. Il lui avait simplement dit, sur un ton sourd, régulier, d'une fureur monocorde, ce qu'il pensait d'elle, ce qu'il pensait de sa morale, de sa lâcheté, de sa conduite, de son égoïsme, de son immaturité. Il lui avait dit qu'elle s'était servie de lui, et qu'il n'aimait pas que l'on se serve de lui, et qu'elle lui avait laissé croire toutes sortes de choses qui ne pourraient jamais arriver, elle s'était présentée comme une exclue, une paria, et pas comme une petite conne qui voulait avoir sa part de gâteau et la bouffer, car elle n'était rien d'autre. Il l'avait traitée de toutes sortes de noms, et pendant tout le temps qu'il lui parlait, elle était restée assise à la table, immobile, jusqu'à ce que Barney vienne à ses genoux comme un malheureux et la réveille, la sortant comme d'une transe. Elle s'était penchée pour le prendre, puis elle s'était redressée, et Kit était descendu en vitesse de sa chaise pour venir tout près d'elle, et elle avait dévisagé Steve.

– Tu peux me traiter de tous les noms que tu veux, lui avait-elle fait. Mais à ce jeu, il faut être deux, et tu le sais. Et maintenant je vais rentrer chez moi.

– Tu vas devoir marcher, l'avait-il prévenue. Je ne te conduis pas un mètre de plus.

– Eh bien, alors, nous marcherons, lui avait-elle répliqué. Elle avait pris Kit par la main. Elle espérait qu'il ne parlerait pas, elle espérait qu'il n'esquisserait pas un geste vers Steve. Barney avait les bras autour du cou de sa mère, et le visage enfoui dans ses cheveux. Il avait le visage tout chaud, dans l'épaisseur de ses cheveux, et il respirait fort. Elle avait lâché Kit juste le temps de jeter son sac en bandoulière sur son épaule, puis elle était passée devant Steve, elle était sortie de la cuisine, sans même s'arrêter quand il avait essayé de la rattraper au passage, pour lui dire, sur un ton très différent, plus pressant :

– Je t'en prie, reste.

Sur le petit terre-plein qui tenait lieu d'espace de stationnement voisin de l'accès à la plage, un couple âgé insistait auprès de leur épagneul pour qu'il veuille bien monter à l'arrière de leur voiture. Petra s'était arrêtée près d'eux.

– Excusez-moi…

Ils avaient levé les yeux vers elle, avec sa jupe de

gitane et ses cheveux ébouriffés, un enfant dans les bras et un autre à côté d'elle, qui se retenait à un pli de sa jupe des deux mains.

– Voudriez-vous me rendre un service ? leur demanda-t-elle. Pourriez-vous nous ramener sur une partie du chemin, en direction d'Aldeburgh ?

Chapitre 19

Le bar était plein. Luke, qui tenait deux pintes de bière en équilibre instable au-dessus de sa tête, conscient des petites éclaboussures qui lui coulaient sur les mains, se fraya un chemin au milieu de tout ce toho-bohu jusqu'au coin que Ralph avait réussi à réserver, deux tabourets en acier galvanisé à côté d'une longue étagère courant tout le long du mur.

Ralph avait retiré sa veste, et relâché le nœud de sa cravate. Il avait l'air épuisé, et aminci, mais il s'était fait couper les cheveux, remarqua Luke, et même s'il avait les ongles rongés, il avait des boutons de manchette et ses chaussures étaient cirées. Malgré la tenue de Ralph, et le fait que Luke, lui, soit juste dans son uniforme de travail, pantalon militaire noir, T-shirt noir et chaussures de base-ball, il se sentait bien plus âgé que son frère aîné, en quelque sorte responsable de cette sortie, ce qui, en même temps, le surprenait.

Il posa les verres sur l'étagère devant Ralph.

– Laquelle est la tienne, laquelle est la mienne... fit-il.

Il baissa la tête, et aspira sa première gorgée de bière sans toucher le verre. Puis il releva la tête et s'essuya les lèvres du revers de la main.

– Magique.

— Tu es vraiment crado, fit Luke.

— C'est bon…

Luke grogna. Il prit son verre et but une longue lampée de bière.

— Alors, fit-il. Comment ça va ?

— Bien, fit Ralph. Je vais bien. On m'a confié deux nouveaux clients, la semaine dernière.

— Tu ne touches pas d'intéressement sur les profits, non…

— Nan, fit son frère. Ces traders, c'est du quantitatif. Mais je serai dans la file pour le bonus.

Luke le regarda boire.

— Et tu vas le dépenser à quoi ? lui demanda-t-il.

Ralph posa son verre et plongea le regard dedans. Après un silence, il lui répondit.

— Dans une maison pour les garçons et moi. Et en frais juridiques.

— Sois pas débile.

Ralph lui jeta un coup d'œil.

— Qu'est-ce qui est débile…

— Ce genre de réponse. Tu joues à quoi ? Tu vas retirer tes enfants à leur mère et les élever tout seul ?

Ralph ne soutint pas son regard. Il parla, mais en s'adressant à son verre.

— C'est ça l'idée, oui.

— T'es cinglé, lui rétorqua calmement son frère.

Ralph garda le silence.

— Tu n'en serais pas capable, continua Luke. Tu n'as pas de dossier. Aucun tribunal ne retirera deux petits enfants à une mère parfaite uniquement parce que tu ne veux pas admettre que c'est autant ta faute que celle de Petra.

Ralph lui répondit avec colère :

— C'est elle qui…

– C'est elle qui rien du tout, reprit Luke. Elle n'a pas eu de liaison. C'est une drôle de relation, mais ce n'est pas sexuel. Elle l'a dit à Charlotte.

– Ce n'est pas nécessaire que ce soit sexuel pour que ce soit déloyal...

– Et, fit Luke, l'interrompant, tu n'as pas besoin de jeter ta femme en bas d'un escalier pour être un mari violent.

– Je ne suis pas violent ! beugla Ralph.

Un groupe de buveurs près d'eux se retourna, et il y eut subitement une flaque de silence dans leur coin de salle.

– Je ne suis pas violent, répéta Ralph, plus calmement.

– Cela dépend comment tu définis la violence conjugale...

Ralph se pencha vers Luke pour lui siffler sa réponse.

– Je suis ici pour faire ce putain de travail, pour les faire vivre tous.

Luke le scruta du regard. Il attendit un moment.

– Et donc tu es là. À batailler héroïquement pour payer les factures. Après avoir foiré ton boulot sur Internet et évité d'informer Petra de ta boulette, en te contentant de lui annoncer dans quoi tu allais te lancer ensuite, sans jamais la consulter, sans jamais l'associer à ta décision, en l'effrayant juste avec tes projets soudains et en mettant toute sa vie sens dessus dessous. Voilà, c'est tout.

Il y eut un temps de silence stupéfait.

– Tu as changé de musique ! lui fit ensuite Ralph.

– J'ai eu le temps de réfléchir, fit Luke. Il s'est passé des choses. Tu laisses toujours papa et maman te bousculer et ensuite, quand les choses tournent mal, tu t'en prends à Petra. Ce n'est pas sa faute. Ce n'est pas sa faute si elle accepte de faire tout le temps ce que tout le monde lui demande, jusqu'au moment où elle n'y arrive plus, et après, oui, elle fait des grosses bêtises, comme avec ce type, et nous, ça nous met tous en rogne.

– Donc, lui rétorqua Ralph, sur un ton sarcastique, toi, tu fais tout le temps ce que veut Charlotte, hein ? Puisqu'elle en a envie, ça signifie forcément qu'elle a raison ?

– En réalité, dit Luke, en remarquant le ton de son frère, non.

Ralph prit son verre de bière et le reposa.

– Eh bien, ce type, là, il existe. Et je ne sais pas ce qui se passe, si ce n'est qu'il voit mes gamins et que cela ne me plaît pas.

– Bon, dit Luke. Tu ne les as pas vus.

– Je te l'ai dit. Je te l'ai dit. Je me crève le cul au boulot parce que…

– Des conneries, lâcha Luke.

Ralph eut un petit geste nerveux, comme s'il allait ramasser sa veste, se laisser glisser de son tabouret, et se frayer un chemin dans la foule sans adresser un mot de plus à son frère. Mais il hésita. Il retira la main de sa veste.

– Il te plaît, ce boulot, reprit Luke. Ça te plaît, d'être bon. Parfait. Mais ne fais pas semblant de croire que c'est pour avoir du pain à fourrer dans la bouche de tes enfants qui seraient de pauvres petits affamés, ne me sors pas toutes ces nobles conneries sur le sacrifice de soi. Tu évites. Et cesse de te faire passer pour un idiot, à me parler du combat que tu vas mener pour obtenir la garde de tes enfants.

Il scruta le visage de son frère.

– Bon Dieu, frérot, arrête de te ridiculiser.

Ralph se détourna un peu, et se voûta sur son verre de bière. Il garda le silence une ou deux minutes, avant de reprendre la parole, grincheux, en regardant son frère.

– Alors qu'est-ce que je dois faire, d'après toi ?

Luke prit son verre et le vida, puis il le posa sur l'étagère, avec un bruit mat.

– Rentre chez toi, dit-il.

Petra avait décidé d'effectuer le trajet en bus. Toute autre considération mise à part, ce serait moins cher qu'en train, et puis à la pensée d'entrer dans Londres en voiture, même avec son tout nouvel esprit d'initiative, le cœur lui manquait un peu. Ralph lui avait envoyé un chèque – glissé dans une enveloppe, sans aucun mot d'accompagnement, son nom et son adresse tapés sur une étiquette générée par ordinateur –, mais elle n'estimait pas devoir s'en servir. Elle l'avait calé sous un pot de beurre de cacahuète, sur la table, en espérant tout simplement qu'il disparaisse au milieu de tout ce désordre, et cesserait de la perturber. Elle ne voulait pas de cet argent, et la signature de Ralph sur le chèque la contrariait. En fait, elle avait posé le pot de beurre de cacahuète pile sur sa signature, de sorte qu'elle n'ait plus à la voir.

Elle avait mis de côté quelques billets dans la théière qu'ils n'utilisaient jamais. Elle avait fait cela toute sa vie, depuis toute petite, amasser de l'argent dans des poches, des boîtes et des taies d'oreiller, parce que l'argent avait toujours été pour elle synonyme d'une échappatoire. Il n'en fallait pas beaucoup, mais il en fallait assez pour s'échapper, pour obéir à vos instincts de fuite, ou pour se nourrir – ou prendre des leçons de dessin. Et s'ils montaient tous dans le bus d'Ipswich, Petra s'imaginait qu'avec Barney qui n'était encore qu'un bébé, et en choisissant une heure de la journée moins fréquentée pour voyager, elle arriverait probablement à leur faire faire à tous le voyage pour moins de vingt livres. Et une fois qu'ils seraient là-bas, elle pourrait réfléchir à la suite des événements.

Surtout, elle refusait de se préoccuper de la suite des événements. Dans son humeur du moment – une humeur qu'elle identifia non sans soulagement comme étant celle où elle avait déjà puisé l'ingéniosité nécessaire pour affronter l'épreuve du départ de chez sa grand-mère et ces années à la fois précaires et fécondes de petits boulots et de cours à l'école d'art –, elle était à peu près certaine qu'une idée lui viendrait, quand il le faudrait. C'était comme de se réveiller d'un long sommeil, songea-t-elle, et de s'apercevoir que non seulement vous étiez libre de choisir, mais que vous deviez choisir, car personne n'allait endosser ce choix à votre place.

Elle avait descendu la théière de l'étagère où elle était depuis qu'ils avaient emménagé, et elle en avait soufflé la poussière. Il y avait des empreintes de doigts sur le couvercle – les siennes, là où elle l'avait ouverte pour y glisser de l'argent – et un lambeau de toile d'araignée pendant du bec. Elle avait soufflé dessus, retiré le couvercle et avait renversé le contenu sur la table.

– De l'argent ! s'était écrié Kit d'un air approbateur. Il était en T-shirt Spider-Man, prêt pour le voyage, sa pelleteuse dans son sac à dos de Bob le Maçon.

Elle avait compté l'argent.

– Soixante-trois livres, avait-elle dit à Kit. Plein. Plein d'argent. Plein pour aller chercher ce qu'on veut chercher.

– On cherche une fusée ? s'était écrié Kit, plein d'espoir.

– Non. Un bus. Mais un bus à étage, avec un escalier. Kit avait réfléchi.

– Où est-ce qu'on va ? avait fait Kit.

Petra l'avait regardé. Ce n'avait certes jamais été un enfant aux joues roses, mais la semaine dernière, il était devenu particulièrement pâle, et maintenant, avec ses cheveux encore tout décoiffés de la nuit précédente, et le contour de la bouche maculé d'un peu tout ce qu'il avait avalé au petit déjeuner, il avait l'air particulièrement vulnérable. Il était tentant, pensa-t-elle, si tentant d'approcher une lumière tout près de son visage en lui expliquant qu'elle essayait de retourner dans un endroit qui lui était familier, un endroit qu'elle n'aurait jamais dû envisager de quitter, avec Kit et Barney dont il fallait tenir compte, mais, les risques d'échec lui paraissant assez considérables, il n'était pas juste d'attiser en lui ne fût-ce que l'espoir le plus infime. Aussi avait-elle continué de débarrasser tout ce désordre sur la table de la cuisine – le chèque, quoique invisible, rayonnait à travers les couches de papier comme un charbon ardent – et il s'était écrié, avec assez d'énergie pour que l'on puisse prendre cela comme une aventure :

– Londres !

Kit n'avait rien dit. Il avait ramassé une cuiller couchée devant lui et se mit à taper en rythme contre le pied de table le plus proche. Il avait aussi fait cela la veille, avec une cuiller en bois, quand Steve avait débarqué, juste avant l'heure du coucher des garçons, pour essayer de se faire pardonner. De prime abord, Petra avait envisagé de lui présenter ses excuses, elle aussi, car c'était sa réaction instinctive, mais ensuite quelque chose d'autre avait pris le dessus, une manière d'être qu'elle savait reconnaître depuis longtemps, quand elle avait appris à tenir tête à sa grand-mère – elle restait juste là, plantée dans la cuisine de sa grand-mère, muette et sans réaction, refusant de l'affronter, et refusant de céder.

Au début, Kit avait été tout excité de revoir Steve, il s'était précipité vers lui, la bouche encore pleine de son dîner. Mais Barney, lui, n'avait pas oublié. Barney n'avait pas oublié la scène dans la cuisine de Steve, et il s'était contorsionné dans sa chaise haute pour tendre les bras à sa mère, l'implorant de le prendre et de l'éloigner des turbulences que Steve avait pu rapporter dans son sillage, ce soir-là. Petra avait soulevé son fils, elle l'avait tenu contre elle, sans rien dire. Elle s'était levée, avec la table entre Steve et elle, et Barney dans ses bras, et, sans parler, elle avait tenu bon. Et Kit avait chancelé. Il s'était immobilisé, à quelques centimètres de Steve, et s'était retourné vers sa mère. Puis il avait battu en retraite, pas à pas, jusqu'à être à la bonne distance pour s'agripper à la jambe la plus proche. Il s'était agrippé au jean de sa mère, tout en mâchant.

– Je te dis que je suis désolé, avait fait Steve.

Petra avait hoché la tête.

– Je ne sais pas ce qui m'a pris, avait-il continué.

Il avait ouvert grandes les mains.

– Je pense… enfin, je crois que tu as plus d'impor-tance à mes yeux que je ne l'imaginais. Je… je n'aurais pas dû te traiter de tous les noms. Pas de ces noms-là. Je n'aurais pas dû faire ça.

Petra avait changé un peu Barney de position, en équilibre sur sa hanche. Elle avait posé la main sur la tête de Kit. Elle sentait, mais à peine, la tension de sa mâchoire à travers ses paumes.

– Je suis venu m'excuser. Je suis venu te demander de me pardonner et d'oublier.

Elle n'avait rien répondu.

– Je t'en prie, avait-il insisté.

Il avait fait un effort.

– Je t'en prie.

Il y avait eu un silence. Puis elle lui avait parlé, sans passion.

– Pardonner, oui. Oublier, non.

– Mais…

– C'est en toi, c'est en toi. Tu recommencerais.

– Je jure que…

– Cela ne m'intéresse pas.

– Je t'en prie.

Elle avait secoué la tête.

– Juste un mois. Juste une semaine de plus…

– Cela ne m'intéresse pas, répéta-t-elle.

– Alors qu'est-ce que tu vas faire ?

Elle s'était adressée à Kit.

– Crache-moi ça. Tu ne peux pas continuer comme ça. Crache dans la poubelle.

Kit s'était tourné vers la poubelle. Petra avait lancé un regard à Steve.

– Alors, au revoir.

– Ne fais pas ça…

Derrière elle, Kit avait craché avec énergie.

– Tu le penses, avait continué Steve.

Petra avait de nouveau hoché la tête.

– OK.

Il avait regardé vers Barney. Il s'était incliné de côté pour mieux voir Kit, toujours occupé par cette poubelle.

– Salut, les garçons.

Barney avait enfoui la figure dans le cou de Petra.

– Dis au revoir, Kit, avait-elle fait.

Kit avait relevé le nez.

– Au revoir, avait-il dit.

Il était revenu d'un pas traînant à côté d'elle, et il

avait extrait une cuiller en bois du fouillis de la table, devant eux. Il s'était mis à taper en cadence sur le pied de table le plus proche de lui.

– Tu vas me manquer…

– Au revoir, avait-elle fait.

– Je te souhaite… une vie agréable. J'espère que les choses vont s'arranger…

Il avait battu en retraite vers la porte d'entrée, et il était resté immobile sur le paillasson râpé, la main sur la poignée.

– Tous les trucs gentils… je les pensais. Vraiment. Je les pensais, avait-il ajouté, assez maladroitement.

Il avait ouvert la porte et s'était arrêté, attendant qu'elle réponde quelque chose. Kit avait continué avec sa cuiller contre le pied de la table, *pan*, *pan*, *pan*, comme un signal.

Petra n'avait pas quitté Steve des yeux, sans rien dire.

– Prends soin de toi, avait-il encore ajouté, et il s'en était allé.

Quand la porte se fut refermée derrière lui, et que le bruit de ses pas se fut estompé sur l'allée bétonnée qui partait de la maison, elle s'était penchée pour réinstaller Barney dans sa chaise. Puis elle avait posé une main sur la cuiller en bois.

– Assez, hein ?

Et il avait recommencé, avec la cuiller des céréales.

– Assez, grand garçon.

Kit s'était accroché à la cuiller et avait lancé un regard furieux à sa mère.

– Écoute, avait-elle fait, écoute.

Elle s'était penchée vers lui.

– Ce serait peut-être une bonne idée de tenter un petit pari, de simplement lui offrir la promesse de choses meilleures. Qui est-ce qui vit à Londres ? lui avait-elle demandé.

Kit avait réfléchi. Il avait appuyé la cuiller contre sa joue, repoussant sa bouche de côté.

– Spider-Man ? avait-il suggéré.

Petra lui avait souri.

– Mariella, avait-elle corrigé.

Mariella était stupéfaite. Elle n'avait le droit d'ouvrir la porte de la maison à personne, mais elle avait le droit de traîner une des chaises de l'entrée jusqu'au panneau, pour monter dessus et lui permettre, à travers le judas en forme de fish-eye, à la hauteur d'un adulte, de voir qui se tenait là, sur le seuil, dehors. Ensuite, s'abstenant de toucher à l'interphone, elle appelait sa mère d'une voix perçante, et Sigrid venait ouvrir aux visiteurs, amusée ou déconcertée de la description que lui en avait faite sa fille. Mais cette fois-ci, Mariella n'arrivait pour ainsi dire pas à en croire ses yeux, à tel point qu'elle fut incapable d'articuler un seul mot, et qu'elle resta bêtement là, en équilibre sur sa chaise, l'œil fixé sur Petra et les garçons, blottis dehors, devant la porte, et qui regardaient dans sa direction comme les bébés africains des projections vidéo sur la pauvreté dans le monde, en salle des fêtes, à l'école. Ensuite elle avait poussé un cri perçant, un hurlement suraigu : « Maman, viens. Maman, viens, c'est eux, c'est eux, c'est eux ! », et Sigrid avait remonté l'escalier en courant, depuis la cuisine, où elle avait entamé les préparatifs du dîner, et elle avait scruté par le judas en forme de fish-eye à son tour, elle en avait eu le souffle coupé, et puis la porte s'était ouverte à la volée et il y avait eu tout un méli-mélo de bras, de sacs, de pleurs, et Kit voulait qu'elle contemple sa pelleteuse, comme si elle ne l'avait pas déjà vue un million de fois auparavant, et Barney refusait de lâcher Petra une seconde, et Sigrid qui disait « Là, là », et « Ne t'inquiète, ne t'inquiète pas », et ensuite ils étaient tous descendus dans la cuisine, et les garçon s'étaient mis à rire, et à crier un peu, et ensuite Edward était rentré à la maison et toute cette confusion avait repris de plus belle. C'était – Mariella se nota dans sa tête de tout raconter à Indira –, c'était carrément dingue.

Mais c'était aussi joyeux. Tout devint très vite très bruyant et très poisseux, mais ça semblait normal, songea Mariella, c'était vraiment super d'avoir tout le monde ici, et le yaourt que l'on renversait sur la table, et Petra assise par terre comme si elle connaissait bien la maison, au lieu d'y être presque comme une étrangère, et Edward qui lui tendait un verre de vin et qui téléphonait à Luke et Charlotte, pour qu'ils viennent eux aussi, et Charlotte qui était arrivée avec un paquet, un assortiment de petits bonbons pas du tout bons pour la santé, parce que c'était tout à base de sucre et de produits chimiques, mais quand même drôlement délicieux, et Charlotte qui s'était assise par terre, elle aussi, et Sigrid qui s'était mise à préparer des pâtes pour tout le monde, et subitement ça ressemblait à une fête et tout était allé de mieux en mieux jusqu'à ce qu'Edward dise, très fort, pour couvrir tout ce raffut, « J'appelle Ralph », et c'était comme si quelqu'un avait fermé une porte ou fait éclater un ballon ou annoncé que c'était l'heure d'aller au lit, alors que ce n'était franchement, franchement pas l'heure – et tout s'arrêta.

– S'il te plaît, fit Petra, toujours par terre.

Edward la regarda. Il était debout, un verre de vin à la main. Elle était à ses pieds, Barney dans les bras.

– S'il te plaît « non » ou s'il te plaît « oui » ? lui demanda-t-il.

– S'il te plaît « oui ».

– Bon, fit-il. Bon. Il prit un air tout à fait sévère. Un « s'il te plaît non », je n'aurais pas accepté.

Mariella lança un regard à sa mère. Sigrid regardait Edward. Grâce à sa longue expérience, Mariella comprit que l'expression de son père était de celles qu'il adoptait quand il était le fils aîné, le responsable de la famille, celui qui devait écouter au téléphone quand mamie l'appelait et qu'elle avait un souci. Et quand son père se montrait tendu, sa mère se montrait tendue elle aussi, et Mariella refusait catégoriquement que l'on soit tendu quand on s'amusait autant, et, surtout, quand on s'amusait autant ici, dans la cuisine, où d'habitude on s'ennuyait tellement. Alors elle suivit du regard sa mère qui traversa la pièce pour rejoindre son père, à l'évidence pour lui dire discrètement quelque chose, et avant qu'elle ne soit près de lui, elle vit Luke relever le nez, cesser de piocher des châtaignes dans le bol de noix de Sigrid pour les disposer dans la pelle de la pelleteuse de Kit et proposer :

– Je vais aller le chercher.

– Mais… commença Edward.

Luke se leva.

– Ce sera bien plus facile. Je vais l'appeler et lui dire que je passe le prendre au boulot pour aller boire une bière. Et s'il est déjà sorti boire une bière, j'irai le retrouver.

– Ne lui dis pas pourquoi, suggéra Charlotte, toujours par terre.

Elle avait maintenant convaincu Barney de venir s'asseoir sur ses genoux. Il picorait des petits bonbons multicolores dans le creux de sa main.

– Je n'y songe pas une seconde…

– Tu es sûr de toi, fit Edward.

– Tout à fait sûr.

– Mais…

– Je suis sûr, répéta Luke, j'y vais.

Il se pencha et déposa un baiser sur la tête de Charlotte.

– Je suis parti.

Mariella regarda son père. Il avait l'air abasourdi, puis il se secoua un peu et lança un regard à Sigrid. Elle souriait. Elle lui tendit son verre de vin.

– Encore, s'il te plaît, fit-elle.

– Je suis claqué, lâcha Ralph à Luke.

Il était descendu à l'accueil désert pour permettre à son frère d'entrer dans le bâtiment, de franchir tous les sas de sécurité, de passer devant tous les desks de traders qui avaient été libérés, qui avaient pu rentrer chez eux, parce que leur travail ne dépendait pas du marché américain, qui, lui, avait encore quatre ou cinq heures d'activité devant lui.

Ralph avait quand même cru pouvoir filer vers neuf heures, neuf heures et demie, et puis il serait sans doute sorti traînasser avec quelques collègues, boire quelques verres, avant de dîner dans un chinois, pourquoi pas, et quand il serait trop cuit pour faire autre chose que s'écrouler, il aurait regagné sa piaule – son propriétaire et sa copine étaient partis à Barcelone, une petite escapade citadine. Et puis il y avait eu Luke, qui lui avait proposé de venir avec lui chez Ed, allez, allez, éteins-moi ce machin, et viens chez Ed.

– Pourquoi ? fit Ralph. Je suis claqué.

– C'est vendredi, mec. Vendredi soir, c'est la soirée relâche. Sigrid prépare un plat de pâtes.

Ralph entreprit, très lentement, de fermer les applications ouvertes dans son ordinateur.

– Je ne veux pas qu'on me fasse la leçon…

– Personne ne va te faire de leçon.

– Je n'ai pas envie…

– Frangin, fit Luke, arrête de voir tout en noir et viens. Tu as besoin de décompresser et de te nourrir. C'est un dîner improvisé chez Ed, et tout le monde te veut.

– Tout le monde ? fit-il, soupçonneux.

– Tout le monde. Charlotte et moi. Ed et Sigi. Enfile ta veste.

Dans la voiture de Luke, en route pour Islington, Ralph raconta sa semaine à son frère. Il lui parla d'un de ses clients, un personnage vraiment difficile, un véritable enfoiré que personne ne voulait approcher, mais avec un chiffre d'affaires de cinq cents millions de dollars, ça valait quand même le coup de se le taper, et tout le monde dans l'équipe pensait que Ralph, qui était lui-même si difficile, était le type idéal pour se charger d'un client aussi compliqué. Luke le laissa parler. C'était une histoire ennuyeuse, mais au moins ça occupait l'esprit de Ralph et, si Luke se contentait de ponctuer par un borborygme de temps à autre, il ne courrait aucun danger de vendre la mèche. Et si cela se produisait, si Ralph décelait ne fût-ce qu'un indice de ce que l'on était en train de le coincer, de le forcer, de le mettre en présence d'une chose qu'il ne pourrait éviter d'aborder, il risquait de tout bêtement décamper. Luke en conclut qu'il ne réussirait à se détendre vraiment qu'une fois que la porte de chez Edward se serait refermée derrière lui, et que Ralph serait à l'intérieur, en lieu sûr.

Edward avait visiblement les mêmes pensées en

tête. Quand il leur ouvrit, et quand ils entrèrent, Luke se tenait à côté de Ralph, et Edward vint se poster de l'autre côté, presque comme s'ils formaient, Luke et lui, une escorte policière rapprochée, et ils descendirent l'escalier de la cuisine sans rompre cette formation, Edward devant, Ralph au milieu, et Luke fermant la marche et, au milieu de leur descente, on entendit subitement les voix des enfants, Ralph s'arrêta et s'écria d'une voix forte « Qu'est-ce que c'est que ça, qu'est-ce... » et Edward se retourna, le prit par le bras et l'invita à descendre encore, jusqu'à ce qu'ils débouchent dans la cuisine, et seule Sigrid regardait dans leur direction, parce que tous les autres, grisés par le vin ou les sucreries, étaient occupés à enfouir Charlotte sous des coussins du canapé du salon en poussant des cris perçants.

Ralph se figea. Luke s'attendait à ce qu'il fasse volte-face et l'accuse de trahison, et de kidnapping. Mais il n'en fit rien. Il resta juste planté là, interdit, à contempler ses enfants, Petra qui empêchait un Barney en plein délire de ramper par inadvertance sur la figure de Charlotte.

Edward poussa doucement Ralph, une main dans son dos.

– Allez, fit-il. Allez. Va les rejoindre.

Ils mirent les garçons au lit sur des matelas improvisés, à même le sol, dans la chambre de Mariella. Elle trouvait cela très gratifiant, et elle leur fit la faveur de leur prêter à chacun plusieurs de ses animaux en peluche, en montant la garde depuis sa position éminente, sur le lit, jusqu'à ce qu'enfin, malgré la nouveauté et l'excitation que cela représentait pour Barney de ne pas se retrouver encagé dans un berceau à barreaux, ils s'endorment, Barney sur le dos, les bras déployés au-dessus de la tête, et qui ronflait. Quand Ralph vint voir si tout allait bien, elle lui fit clairement comprendre qu'elle était parfaitement capable de s'en charger.

– Désolé, m'dame, lui dit-il, avec un sourire.

Elle acquiesça. Il était tellement mieux quand il souriait. Elle refit son casse-tête suédois encore deux fois avant d'éteindre la lumière. Elle mettait une telle adresse à le démonter, maintenant, qu'il était temps d'en réclamer un autre à Mortar. Et, très curieusement, à la minute présente, cette demande lui semblait être l'unique et dernière chose qu'elle ait à planifier en ce monde.

À une ou deux reprises au cours du dîner, Edward avait réussi à accrocher le regard de Sigrid. Il avait voulu lui communiquer sa surprise et sa satisfaction d'avoir su, pour la première fois, réunir ses deux frères et leurs deux épouses autour de leur table dans la cuisine, avec tous les enfants profondément endormis dans la même chambre, et tout un week-end devant eux. Mais Sigrid, bien qu'elle lui ait souri, bien qu'elle se plaise visiblement, qu'elle prenne plaisir à être en quelque sorte la dispensatrice, celle qui était capable de distribuer des coussins supplémentaires, de fournir un dîner, et un jouet pour le bain, pour Barney, comme si elle accomplissait de tels gestes tous les jours de la semaine, Sigrid n'allait pas laisser Edward relever, ou souligner, combien cette soirée était une rareté. Elle se comportait comme si tout cela était parfaitement normal, comme si Petra venait souvent à Londres en bus, comme si cela allait de soi, comme s'il n'y avait eu aucun éloignement entre Ralph et elle, aucune com-plicité entre Charlotte et Petra, aucune interruption dans la marche conjugale d'Edward et elle. Et elle a raison, songea ce dernier, elle a raison de ne pas en faire toute une histoire, car même si c'est une première, ce n'est qu'un début, et il reste un long, un très long chemin à parcourir.

Pour commencer, Ralph et Petra étaient à distance l'un de l'autre, chacun à une extrémité de la table. Ils ne s'étaient pas touchés de toute la soirée ; ils ne s'étaient pour ainsi dire pas adressé la parole et Ralph avait annoncé, très tôt, qu'il regagnerait sa chambre à la fin. Petra n'avait pas bronché. Elle paraissait, songea Edward, remarquablement maîtresse d'elle-même et capable de poser sur son mari un regard qu'en un sens, Ralph n'était pas capable de poser sur elle – du moins, pas pour le moment. L'un en face de l'autre, Charlotte et Luke flirtaient, monopolisant tout le bruit et toute l'énergie, et Edward observa que Petra les regardait avec tous les signes extérieurs du bien-être et du plaisir, affichant l'expression qu'elle avait eue quand elle surveillait ses garçons en train de jouer avec les coussins du canapé, presque indulgente. Drôle de fille, songea-t-il encore, une fille curieuse, mais nous ne devrions pas la sous-estimer, surtout pas moi, surtout pas Ralph. Ce n'est pas parce que quelqu'un ne sait pas exactement tout ce que vous savez que, pour autant, ce que cette personne sait serait dénué d'importance. Et ne serait pas même plus important. C'était par elle-même qu'elle était arrivée là où elle était, nous ne devrions pas l'oublier, nous ne devrions jamais oublier combien nous avons été protégés, comparés à elle. Il sentit une boule dans sa gorge. Il prit son verre de vin et en but une gorgée, afin de la faire passer. Seigneur, il devenait aussi sentimental que son père.

Son père ! Il leva la main et se frappa le front. Les parents ! Ils auraient dû les prévenir, ils devaient

– non, lui, c'était lui qui devait les appeler, Anthony et Rachel, et leur annoncer que tout le monde était ici, et que tout le monde allait bien. Il n'avait plus repensé à eux. C'était épouvantable, vraiment épouvantable. Il se leva à moitié. Il allait s'en occuper tout de suite, depuis son bureau, tout de suite.

– Où est-ce que tu vas, mon pote ? fit Luke.

Il se pencha à moitié par-dessus la table, au milieu des assiettes sales et des verres, afin de pouvoir prendre la main de Charlotte. Le visage d'Edward avait cette expression légèrement creusée par les soucis qui était si familière à Sigrid.

– Je viens de me souvenir. J'aurais dû téléphoner aux parents…

– Non, fit Sigrid. Assieds-toi…

– Franchement, fit Luke, franchement. Pourquoi gâcher une soirée aussi réussie ?

– Mais ils vont…

Luke lâcha la main de Charlotte. Il se pencha de côté et posa la sienne sur l'épaule de Ralph.

– Je vais m'en occuper.

– Que…

– Je vais téléphoner à papa et maman.

– Mais…

– Dans la matinée, continua Luke. Pas maintenant. Maintenant, nous fêtons la chose. Je les appellerai demain et je leur dirai que nous étions tous réunis.

Il referma la main sur l'épaule de son frère.

– D'accord, frangin ?

– D'accord.

Sigrid se redressa contre le dossier de sa chaise.

– Voilà, dit-elle à Edward, voilà. Luke va s'en charger. Inutile de t'occuper de quoi que ce soit.

Elle lui souriait. Il ignorait depuis quand il ne l'avait

plus vue aussi détendue. Il lui rendit son sourire, et se tassa un peu dans son siège. Il prit la bouteille de vin la plus proche et la leva dans la lumière. Vide. Comment était-ce arrivé ? Il fallait en sortir une autre...

— Je vais en chercher une, fit Ralph, en lui retirant la bouteille vide.

— Elles sont dans le...

— Je sais, lui dit Ralph.

Il se leva.

— Je sais.

Edward regarda la tablée autour de lui.

— Que se passe-t-il ? demanda-t-il.

Sigrid riait à présent, et Petra et Charlotte aussi. Luke croisa les bras sur la table et se pencha vers lui.

— Tout change, fit-il.

Il paraissait seize ans, songea Edward, mais un adolescent de seize ans très plaisant. Il lui fit un signe, pouce levé.

— Tout change.

Chapitre 20

La lumière déclinait rapidement. Tous les ans, Anthony était de plus en plus vivement surpris, une fois l'été achevé, de voir le soir tomber si rapidement, et il lui fallait s'adapter à ce temps de l'hiver où il ne pouvait compter sur la lumière du jour – si la journée était claire – que quatre ou cinq heures. Dans le passé, l'hiver avait été sa période réservée à la dissection et à l'observation, à reconstruire les squelettes de ses oiseaux en se reportant méticuleusement aux schémas, à les suspendre là-haut comme si ces créatures fantomatiques étaient encore occupées à marcher, à picorer, à virer en plein vol. Les étagères de son atelier étaient également encombrées de squelettes, en plus de ceux qui étaient pendus aux poutres de la charpente, presque tous fracturés, tout un ossuaire fracassé de la vie passée, du mouvement passé. À leur manière, ces créatures étaient morbides, en particulier les crânes, énucléés, privés de leur bec, mais il avait quand même le plus grand mal à les jeter, car ils représentaient tout cet apprentissage, tout ce progrès ; les preuves, s'il en était besoin, de sa faculté à représenter un oiseau en deux dimensions, parce qu'il savait exactement comment son corps fonctionnait en trois.

Tous les débuts d'automne, il passait en revue sa

collection de squelettes, se jurait de tenter quelque chose pour au moins lui conférer un ordre plus rationnel, et puis il les laissait en l'état. Tous les ans, Rachel lui répétait que c'était très injuste de la part des garçons de ne jamais venir l'aider à dégager une partie de ce tas de vieilleries, dans l'atelier, et d'esquiver cette tâche si monumentale tout en sachant qu'elle leur incomberait, inévitablement, une fois qu'il serait mort.

– Ils pourront tout balancer, lui disait-il. Le tout. Cela n'a pas pour eux la signification que cela revêt pour moi. Et je ne serai plus là pour me soucier de tout ce que cela signifie. N'est-ce pas ?

– Mais pour eux, ce sera une besogne tellement déprimante. Des sacs et des sacs d'os. Pourquoi leur imposer une besogne aussi lugubre ?

Mais ces os n'avaient rien de lugubre, songeait-il à présent, occupé à inspecter ses étagères tandis qu'un crépuscule précoce épaississait la lumière de l'atelier. Rien de lugubre du tout. Ils sont intéressants, chacun d'entre eux, et valables. Ils ont représenté pour moi un parcours, mon parcours. Je n'aurais jamais imaginé pouvoir vivre et gagner ma vie en étant un artiste, et mes parents non plus. Mais j'y suis arrivé. J'y suis arrivé. J'ai pu continuer tout cela, et élever trois garçons, et les éduquer, parce que je ne suis pas seulement capable de voir, mais je peux aussi, avec cette main et ce cerveau, transcrire ce que je vois de telle sorte que d'autres personnes le voient aussi. Je sais rendre des oiseaux vivants sur le papier. Et ces vieux ossements de volatiles, comme les appelle Rachel, faisaient partie de tout ce processus, de cette observation, de ce regard inlassable, jusqu'à ce que vous finissiez par vraiment comprendre comment ça marche et que vous puissiez le reproduire de telle sorte qu'aujourd'hui, je n'ai même plus à y réfléchir. Il leva le bras droit, un geste involontaire, ses doigts tenant un crayon imaginaire, et il dessina quelque chose en l'air. Voilà, se dit-il. Voilà. Le pouvoir de l'esprit inconscient. J'ai dessiné un vanneau prenant son envol, et je n'ai même pas eu à réfléchir à ce que je faisais, avant de l'exécuter. Je savais. Je savais, parce que j'ai là-haut un vanneau, quelque part sur ces étagères, et j'imagine que sa tête est tombée et qu'il lui manque une côte ou deux, mais il fut un temps où j'ai appris à identifier tous les os de son corps et cette connaissance est désormais aussi profondément inscrite en moi que mon ADN. Les garçons ne verront aucun inconvénient à nettoyer ces étagères. Ils comprendront. Ils sauront que si la cuisine de leur mère a toujours été la salle des machines de la maison, de la vie de la famille, cet endroit en était la tour de guet. C'était ici, dit-il, presque à voix haute, que nous ne nous contentions plus de nous concentrer sur ce qu'il fallait faire – toujours très nécessaire, je l'admets –, pour nous intéresser aussi à ce que nous *pouvions* faire. Et même si elle préférerait mourir plutôt que l'admettre, je pense que Rachel le sait aussi, dans le tréfonds de son cœur, et qu'elle en a peur, à sa manière, car c'est un aspect des choses qu'elle ne peut maîtriser.

Comme Ralph. Avaient-ils jamais pu vraiment le maîtriser, celui-là ? S'il obéissait, enfant, c'était parce qu'il le voulait bien, ou parce que cela lui convenait, jamais parce qu'il éprouvait la plus infime nécessité de se montrer serviable. Et, en raison de cet entêtement inné, Ralph avait toujours exercé une singulière fascination sur sa mère. Elle ne l'aimait pas davantage – Anthony en était sûr – qu'elle n'aimait Luke ou Edward, mais en un sens, elle était envoûtée par lui, elle l'avait toujours été, par cette créature qui avait toujours vécu en lisière de son empire, ou même franchement au-dehors. De sorte que lorsqu'il avait semblé plus malléable, ces dernières années, quand il avait adopté, en s'y soumettant, le mode d'organisation de vie pragmatique et énergique de sa mère – le mariage de Petra, le déménagement dans la maison d'Aldeburgh –, il devait forcément y avoir un prix à payer, au bout du compte. Et ce prix s'était manifesté dans l'imbroglio de cet été, ces brouilles familiales, cette sensation larvée – si clairement douloureuse, chez Rachel – qu'eux, les parents, n'étaient plus au cœur des événements, qu'on ne leur rendait plus aussi souvent visite, qu'on ne leur en disait plus autant, ou qu'on ne les considérait plus comme naturellement concernés par tout ce qui se passait. À présent, ainsi que Luke le lui avait clairement signifié lorsqu'il lui avait téléphoné hier matin, on veillerait à les informer de tout ce qui arrivait, mais ils n'occupaient plus de place centrale dans la réflexion relative à ce qui allait se passer ensuite. Les trois frères, avait laissé entendre Luke, dans son évocation insistante de leur camaraderie, au cours de ce week-end londonien si exaltant, avaient désormais leurs propres priorités, les priorités de leurs vies, de leurs enfants, de leurs épouses.

« Nous sommes tous ici, lui avait-il gaiement annoncé. Nous passons tous la journée ensemble, tous les neuf. Tout le monde va bien. Il ne faut pas vous inquiéter. Tout le monde est heureux. Barney a même fait quatre pas ce matin. Il est trop rigolo. »

C'était Anthony qui avait décroché le téléphone, quand Luke avait appelé. Il était seul dans la cuisine. Il était resté là, debout, à regarder fixement par la fenêtre au-dessus de l'évier, pendant que Luke lui évoquait la soirée de la veille et Ralph ignorant totalement qu'il allait retrouver Petra et les enfants chez Ed, et Petra qui était manifestement redevenue raisonnable et qui avait pris la seule décision sensée, qui était tout simplement montée dans un bus, avec les garçons et les bagages. Si Rachel avait été présente dans la pièce, elle se serait emparée du combiné et elle aurait criblé Luke de questions, mais elle était sortie, acheter du lait, des allumettes et un crabe pour le dîner, si elle réussissait à en trouver un, et donc c'était Anthony qui avait dû lui répondre « Bien, bien, mon garçon. Je suis tellement ravi. Je te suis reconnaissant… » – et ensuite il avait dû rester là, le téléphone dans la main, après que Luke avait raccroché, et à songer, un peu abasourdi : « Qu'est-ce que c'était que tout ça ? Qu'est-ce que c'était ? »

Quand elle l'avait appris, Rachel avait eu envie de téléphoner, tout de suite, pour recevoir confirmation. Elle avait son téléphone dans la main, elle l'avait plaqué à son oreille, quand Anthony le lui avait pris de force.

– Non.

– Mais je dois, je dois être sûre…

– Laisse-les !

– Je ne peux pas, je dois savoir…

Il avait balancé son téléphone à l'autre bout de la cuisine. Il avait heurté le mur d'en face et il était tombé derrière une chaise, en se fracassant contre la plinthe.

– Laisse-les, je te dis.

Il s'attendait à ce qu'elle lui crie dessus, mais elle n'en avait rien fait. Elle lui avait dit, comme si elle refoulait ses larmes :

– J'ai besoin de savoir s'ils vont bien…

Anthony avait la respiration lourde.

– Ils ne se sont jamais mieux portés. Luke avait le ton qu'il avait le jour de son mariage.

– Mais Ralph. Ralph et Petra…

– Ensemble. Inutile de supposer autre chose.

– Mais… mais vraiment ensemble ?

– Je n'en sais rien.

– Il faut que je sache, avait-elle répété, en traversant la pièce pour aller récupérer son combiné.

Anthony l'avait saisie par le poignet.

– Tu le sauras quand ils auront décidé de nous le dire. Pas avant.

– Dans quel camp es-tu ? lui jeta-t-elle.

– Dans aucun camp, lui avait-il répondu, insincère.

Elle était restée là, une ou deux minutes, sans du tout essayer de bouger. Et puis elle lui avait répliqué, non sans effort :

– Si personne n'a téléphoné d'ici demain soir, d'ici dimanche soir, alors je pourrai appeler ?

Mais Ralph était venu. Ils débarrassaient un déjeuner un peu décousu qui s'était déroulé en la compagnie fort bienvenue des journaux du dimanche, quand ils avaient entendu le craquement du gravier sous des roues, dehors.

– Qui est-ce qui ?…

Rachel avait jeté le torchon qu'elle tenait à la main et failli foncer vers la porte.

– Attends, lui avait dit Anthony.

– Mais…

– Attends !

Elle s'était immobilisée, presque tremblante, comme un chien que l'on empêche d'aller pourchasser une créature incroyablement tentante.

– Qui que ce soit, avait fait Anthony, on peut les faire entrer ici.

C'était Ralph. Il avait minci, par rapport à la dernière fois qu'ils s'étaient vus, voilà un mois, et il avait des cernes noirs sous les yeux, mais il dégageait une énergie qu'ils ne lui avaient plus vue depuis des siècles. À côté de lui, Anthony avait pu sentir que Rachel se maîtrisait. Elle s'était dressée sur ses pieds pour embrasser Ralph sur la joue.

— Mon Dieu, mon chéri, lui avait-elle fait d'une voix complètement normale, quelle coupe de cheveux.

Ralph lui avait fait un grand sourire. Il avait levé un pied dans sa direction.

— Et des chaussures impeccablement cirées…

— Où sont les enfants, lui avait demandé Anthony, sans sourire, juste en le regardant droit dans les yeux.

— À la maison.

— À Aldeburgh ?

— Bien sûr, avait fait leur fils. Où veux-tu ?

— Et… et Petra ?

— Avec eux. Où veux-tu qu'elle aille ?

Rachel s'était tournée vers la table.

— Assieds-toi. Assieds-toi, et je vais faire du café.

— Pas pour moi, merci, l'avait remerciée son fils. Je suis un peu pressé par le temps. Je rentre à Londres ce soir.

— Tu rentres…

— Mais nous pensions…

— Je serai à la maison le week-end prochain. Et le suivant. Jusqu'à ce qu'on loue la maison.

Rachel s'était assise sur une chaise, avec précaution, comme si elle avait mal au dos.

— Louer la maison ? avait-elle fait d'une voix un peu faible.

Ralph avait pris la chaise en face d'elle.

— Oui.

Anthony s'était appuyé à la table.

– Pourrais-tu nous expliquer…

Ralph leur avait souri. Il semblait d'une humeur radieuse, qu'Anthony ne lui avait jamais connue.

– Sinon, pourquoi pensez-vous que je suis ici ?

– Nous n'en savons rien, avait avoué sa mère.

Elle paraissait à nouveau au bord des larmes.

– Nous ne savons rien du tout…

– Mais si, avait-il rectifié. Vous savez, bien sûr. Luke vous a téléphoné. N'est-ce pas ?

– Mais nous n'en savons pas suffisamment…

Il y avait eu un petit silence.

– Je vais vous raconter, leur avait-il enfin dit.

Anthony s'était redressé et il avait contourné la table pour venir s'asseoir à côté de Rachel. Il avait eu l'envie instinctive de lui prendre la main, et une autre, contradictoire, de ne manifester aucune réaction. Et donc il était resté assis là, les mains mollement croisées sur la table, devant lui.

– Dis-nous.

– Nous allons mettre la maison en location pour l'hiver, leur avait-il expliqué. Je vais être à Londres dans la semaine, et de retour les week-ends, jusqu'à ce qu'on la loue. Petra va aller voir l'agent immobilier dans la matinée. Ensuite, nous partirons à Londres pour l'hiver. Nous trouverons un endroit près de chez Luke et Charlotte, une garderie pour les garçons, et Petra pourra un peu travailler dans les cafés et d'autres lieux autour de Columbia Road. Ensuite, nous reviendrons dans le Suffolk pour l'été.

– Vous… quittez le Suffolk ? avait demandé sa mère.

– Pour l'hiver, maman. C'est ce qui s'appelle une solution de compromis.

– Alors toi et Petra…

– Cela ne te regarde pas, maman, lui avait-il répliqué avec enjouement.

– Je ne peux même pas savoir si vous prévoyez toujours de divorcer ? s'était-elle écriée.

Ralph avait incliné le dossier de sa chaise.

– Non, avait-il fait avec insouciance. Nous avons ce projet. Nous allons essayer. On verra si ça fonctionne.

– Mais quand verrons-nous les garçons ?

– Quand vous viendrez à Londres.

– Londres, avait-il répété, avec dégoût.

– Tu vas devoir apprendre à apprécier, avait suggéré son fils. Vous allez devoir apprendre, tous les deux. On sera tous là-bas.

– Mais Petra… à Londres ? s'était enquis Anthony, en détachant ses mots.

– Bien sûr, avait confirmé son fils. Pourquoi pas ? Elle reprendra ses marques.

– Est-ce qu'elle… est-ce que ce projet lui plaît ?

Ralph avait dévisagé son père.

– C'est elle qui l'a proposé.

– Et…

– Et, avait ajouté Ralph, Sigi a suggéré que vous veniez à Londres séjourner chez eux. Régulièrement. De toute manière, quand le bébé sera là, vous aurez envie, non ?

– Bien sûr, avait acquiescé Anthony.

Il avait lancé un regard à Rachel. Elle restait l'œil figé à l'autre bout de la table, l'endroit où Anthony s'asseyait toujours quand la tablée était pleine, pleine de monde, pleine de plats, de bruits et d'animation.

– Et Charlotte, avait-elle dit, avec une menue pointe de sarcasme dans la voix, Charlotte ? Est-ce que Charlotte a un message pour moi, aussi, sur la manière dont je vais pouvoir mener mon existence, dans le futur ?

– Elle t'embrasse, avait fait Ralph. Elle t'embrasse même deux fois, en réalité.

Il s'était levé.

– Petra vous embrasserait, elle aussi, enfin, si tant est que ce soit son genre. Mais ce n'est pas son genre. Vous savez que ce n'est pas son genre. Ça ne l'a jamais été. Mais cela ne signifie pas qu'elle n'ait aucune affection. Elle en a beaucoup, de sentiments, en fait, elle est plus sincère que nous tous, avec ses sentiments. Sincère envers elle-même.

Il avait marqué un temps de silence, avant d'ajouter un mot :

– Il faut que nous apprenions à nous comporter différemment, tous les deux.

Et puis son regard s'était durci, et il avait aussi dit ceci, en regardant directement son père :

– Tout comme maman et toi. Différemment. D'accord ?

Ils étaient restés assis un long moment après son départ, côte à côte à cette table, dans la cuisine silencieuse. Divers petits cris et divers petits appels filtraient de l'extérieur, du village, et une ou deux voitures étaient passées, mais à l'intérieur de la maison, c'était comme d'être sous une cloche de verre, en suspens, hors du temps et de la giration du monde. Anthony ne savait pas combien de temps ils étaient restés assis là, il ne savait pas s'il pensait réellement ou s'il laissait juste son esprit flotter, sans entrave, autour de ce que leur avait dit Ralph, et de ce que cela impliquait. En tout cas, il avait sursauté, car Rachel avait subitement parlé.

– Bon, j'imagine que je pourrais reprendre mon idée de chambres d'hôtes.

Il l'avait dévisagée.

– Quoi ?

– Tu sais. Il y a des années. J'avais envisagé d'organiser des chambres d'hôtes pour l'été. Cela supposerait de retaper un peu l'étage. Les salles de bains sont tout sauf dernier cri… Une expression que je ne comprends pas trop.

– Tu serais… tu serais capable de faire face ? Elle s'était tournée vers lui.

– Oh oui. Si j'y suis contrainte. Et… et maintenant, j'y suis peut-être contrainte, non ?

Il s'était penché vers elle, et il l'avait embrassée sur la joue.

– Tu es une bonne fille.

– Cesse de me prendre de haut.

– Je t'admire…

– Eh bien, avait fait Rachel, en se levant, va m'admirer dans ton atelier. Je vais étaler tout mon bazar sur la table, et réfléchir. Je vais réfléchir au moyen de faire ce que les garçons attendent de nous.

– Comme ça ?

– Non, avait-elle fait.

Elle avait eu une petite grimace, un demi-sourire. Non sans mal.

– Et toi, avait-elle ajouté, tu vas pouvoir aussi faire quelque chose de difficile. Tu vas te débarrasser de ces os de volatiles.

Mais je ne peux pas, songea Anthony en cet instant. Je ne peux pas et je ne dois pas. Se débarrasser d'eux n'a rien à voir avec la mutation, à ce stade de la paternité, cela est lié à quelque chose d'essentiel chez moi, une chose qui me fait être celui que je suis. Ralph nous a dit que Petra était fidèle à elle-même. Je ne sais pas si cela signifie qu'elle est quelqu'un de simple et naturel, ou autre chose de plus profond. Mais je suis un peintre des oiseaux, au fond de mon cœur, et j'ai besoin de ces os.

Le crépuscule était entier, à présent. Il y avait des bandeaux de lumière pâle et tamisée qui tombaient des hautes fenêtres orientées au nord, et d'autres rectangles plus petits des fenêtres le long du mur ouest, mais le reste de l'atelier était baigné dans une douce pénombre, et seul le chevalet se dressait très haut au-dessus des formes massives du mobilier tout autour, comme une grue sur un chantier. Il y avait un cadre sur le chevalet, où Anthony avait punaisé une feuille de papier à esquisse, épais et fabriqué à la main, qui lui servait à préparer tous les dessins d'oiseaux qui venaient à la mangeoire que Rachel alimentait, devant la fenêtre de la cuisine, les rouges-gorges, les mésanges et les fauvettes d'hiver, et même parfois un chardonneret, qu'il dessinait au fusain, avant de le peindre à l'aquarelle, en choisissant des postures indiquant où chaque oiseau avait l'intention d'aller ensuite. Il y inclurait peut-être un roitelet troglodyte. Troglodytes, troglodytes, neuf centimètres de longueur, neuf grammes, deux nichées par an, dans de petits nids en forme de coupole, construits en mousse. Quelle merveille.

Il leva les yeux, sourit vers les étagères, là où les ossements de ses oiseaux chatoyaient encore faiblement dans l'obscurité. Ce roitelet, il devait y être lui aussi, ou ce qu'il en restait. Il traversa lentement la pièce dans le noir, en évitant tous les obstacles, en misant sur leur familiarité, et il posa la main sur la poignée de la porte. Il se retourna. Tout cela serait encore là demain matin, poussiéreux et désordonné aux yeux de tous sauf aux siens, qui voyaient ces lieux, que ce soit dans leur réalité ou dans son souvenir, comme un endroit d'évolutions et un endroit de promesses.

Il traversa lentement le terre-plein gravillonné vers la maison. Une énorme lune de septembre s'était hissée parmi les arbres, derrière le toit, et l'air était un petit peu plus vif, un peu mordant, ce qui était aussi revigorant que de se brosser les dents. La fenêtre de la cuisine dessinait un carré chaud et mordoré, et, à travers elle, il vit Rachel penchée sur un océan de brochures et de dépliants étalés sur la table de la cuisine. Il resta là, à l'observer un moment, son épouse, la femme avec laquelle il s'était marié, mais en même temps ce n'était pas cette femme-là, tout comme il n'était plus cet homme d'un lointain passé.

Il ouvrit la porte de derrière. Une bouffée de chaleur en surgit pour l'accueillir.

– Anthony ? s'écria Rachel, sans se retourner.

Il ferma la porte derrière lui. Il se souvint de Ralph.

– Mais oui, qui veux-tu que ce soit ?

Jeu d'orgue
Autrement, 1994

La Femme du pasteur
Belfond, 1995

Trop jeune pour toi
Belfond, 1996

De si bonnes amies
Calmann-Lévy, 1996

Un amant espagnol
Belfond, 1997
Éditions des Deux Terres, 2012

Les Liens du sang
Calmann-Lévy, 1997

Les Enfants d'une autre
Calmann-Lévy, 1999

Séparation de cœur
Calmann-Lévy, 2000

Une fille du Sud
Calmann-Lévy, 2003

Une famille
Plon, 2004

La Deuxième Lune de miel
Plon, 2006

Les Vendredis d'Eleanor
Plon, 2008

Désaccords mineurs
Éditions des Deux Terres, 2012

Raison et Sentiments
(d'après Jane Austen)
Terra Nova, 2014

www.joannatrollope.com